OS EGÍPCIOS

ISAAC ASIMOV

OS EGÍPCIOS

Tradução do espanhol
Luis Reyes Gil

Planeta   minotauro

Copyright © Asimov Holdings LLC.
World rights reserved and controlled by Asimov Holdings LLC.
Copyright © Editora Planeta do Brasil, 2021
Copyright © Luis Reyes Gil
Todos os direitos reservados.
Título original: *The Egyptians*

Preparação: Renato Ritto
Revisão: Bárbara Prince e Fernanda Guerriero Antunes
Projeto Gráfico e Diagramação: Marcela Badolatto
Capa: Paula Cruz

Dados Internacionais de Catalogação na Publicação (CIP)
Angélica Ilacqua CRB-8/7057

Asimov, Isaac, 1920-1992
  Os egípcios / Isaac Asimov; tradução de Luis Reyes Gil. – São Paulo: Planeta, 2021.
  288 p.

ISBN 978-65-5535-454-6
Título original: The Egyptians

1. Egito - História I. Título II. Gil, Luis Reyes

21-2596   CDD 932

Índices para catálogo sistemático:
1. Egito - História

Ao escolher este livro, você está apoiando o manejo responsável das florestas do mundo

2021
Todos os direitos desta edição reservados à
Editora Planeta do Brasil Ltda.
Rua Bela Cintra, 986, 4º andar – Consolação
São Paulo – SP – 01415-002
www.planetadelivros.com.br
faleconosco@editoraplaneta.com.br

A WALTER LORRAINE,
COM FIRMEZA!

1.
O EGITO PRÉ-HISTÓRICO

O NILO

Pelo nordeste da África avança um rio de correnteza lenta. Tem 6.756 quilômetros de extensão – é o mais longo do mundo – e se chama Nilo, do nome grego *Neilos*. Ignora-se de onde provém esse nome, pois para o povo que vivia em suas margens era simplesmente "o Rio".

Na porção mais setentrional do Nilo surgiu uma das duas civilizações mais antigas do mundo; e, ao longo de milênios, uma sociedade complexa povoou as margens dele com numerosas aldeias.

Durante a maior parte desse tempo, o lugar de nascimento do Nilo foi um mistério. As águas, nele, corriam para o norte vindas do distante sul, mas ninguém no mundo mediterrâneo antigo conseguiu penetrar nas regiões meridionais o suficiente para chegar a suas nascentes. Para os antigos, o problema das "nascentes do Nilo" foi tão difícil de resolver quanto o da "outra face da Lua" para nós (até que os satélites conseguissem fotografá-la).

Apenas na segunda metade do século XIX é que os viajantes europeus e americanos conseguiram conhecer o Nilo desde a nascente até a foz. Em 1857, o inglês John Hanning Speke chegou a um grande lago, que chamou de Vitória em homenagem à soberana da Grã-Bretanha na época. O lago ficava exatamente na linha do Equador, e dele nascia o Nilo. Outros rios afluíam para o lago a partir das montanhas do Quênia, próximas ao trecho central da costa leste africana.

Conforme corre para o norte em direção ao mar, o Nilo atravessa várias regiões, e sua bacia se estreita e fica cada vez mais escarpada. As águas caem com ímpeto sobre as pedras e acabam formando cataratas; os barcos não conseguem navegar por essas águas, que servem para dividir o rio em setores.

As cataratas são enumeradas a partir da foz rio em direção ao interior: a Primeira Catarata fica a 820 quilômetros do litoral. Hoje, ao sul dessa catarata, há uma cidade chamada Assuã, mas nos tempos antigos havia ali uma cidade que os gregos chamavam de Syene.

O trecho mais setentrional do Nilo, entre a Primeira Catarata e a foz, é o cenário principal dos acontecimentos descritos neste livro. Foi nesse trecho, navegável em toda a sua extensão até para as embarcações mais simples, que surgiu essa civilização tão notável.

O Nilo corre ao longo da borda oriental do Saara. O Saara (que em árabe significa justamente "deserto") cobre a maior parte do norte da África, e é tão extenso quanto os Estados Unidos; na realidade, é o maior deserto do mundo. Quase nunca chove nessa vastíssima região. A única água que pode ser encontrada está a grande profundidade, a não ser em alguns oásis, nos quais consegue alcançar a superfície.

Mas o Saara não foi sempre uma região desértica. Há vinte mil anos, quando os glaciares cobriam a maior parte da Europa, ventos frios levavam umidade até o norte da África. O que agora é deserto era, então, uma terra agradável, com rios e lagos, bosques e pradarias. Os homens primitivos vagavam por ela com seus instrumentos de pedra bruta.

De forma gradual, porém, os glaciares começaram a se desfazer, e o clima foi ficando cada vez mais quente. Apareceram as primeiras secas e a situação foi piorando pouco a pouco; a vegetação desapareceu e os animais se retiraram para regiões que ainda conservavam umidade suficiente para que fosse possível viver.

Também os humanos emigraram: uns para o sul, para os trópicos; outros, para o litoral norte. Muitos foram para as regiões próximas ao Nilo, que naqueles tempos remotos era bem mais largo e corria preguiçoso pelas extensas áreas de lodaçais e pântanos. Contudo, a bacia do rio não era exatamente um lugar adequado para a vida humana: só viria a sê-lo depois que as terras perdessem um pouco de sua umidade.

Quando isso aconteceu, o Nilo converteu-se em uma bênção dos céus. Já não importava se o clima era mais ou menos seco, pois o rio proporcionava água suficiente para a terra e para as pessoas, permitindo que a vida ao longo de suas margens fosse não só possível, mas confortável.

Durante o inverno do hemisfério Norte, a neve se acumula nos cumes das montanhas da África centro-oriental; na primavera chegam as chuvas, derretendo a neve e fazendo enormes quantidades de água descerem das montanhas para os rios e grandes lagos da região. Essas águas chegam ao Nilo, que vai abrindo passagem para o norte.

Por causa disso, o nível do Nilo sobe e transborda a partir do mês de julho, alcançando sua máxima altura no início de setembro e voltando a seu nível normal apenas em outubro. Nos meses em que o rio transborda, as águas cobrem as terras sedentas e depositam nelas uma camada de lodo fresco, que a corrente traz das montanhas do distante sul. Desse modo, o terreno ao longo das margens do rio se renova sempre e se mantém fértil.

Quando a humanidade adentrou pela primeira vez a bacia do Nilo, as inundações eram muito volumosas, e os extensos pântanos de ambos os lados do rio viviam cheios de hipopótamos, antílopes, grous e muitos outros animais que podiam ser caçados por humanos. Pouco a pouco, o aumento da seca foi limitando as terras inundadas; em certos casos, ficaram reduzidas à proximidade das margens do rio, de modo que, por muitos milênios, as porções de terra que se beneficiariam das cheias teriam, na maior parte do percurso do rio, uma largura de até vinte quilômetros.

Além disso, os solos férteis cultiváveis terminam no limite das terras inundadas, e de maneira tão brusca que até hoje há muitos lugares nos quais uma pessoa pode pisar com o pé esquerdo no solo fértil e com o direito no desértico.

O NEOLÍTICO

Já que nas terras mais próximas ao Nilo a caça diminuía e a população aumentava depressa, era preciso tomar alguma providência para aumentar a quantidade de produtos alimentícios. Felizmente, um novo modo de vida teve origem por volta do ano 8000 a.C. – quando os glaciares das regiões setentrionais iniciavam sua última retirada –, no seio de certas comunidades da Ásia sul-ocidental. Nas terras altas e irrigadas do que hoje corresponde ao Iraque e ao Irã, uns 1.600 quilômetros a leste do Nilo, os humanos aprenderam a plantar sementes e a colher os grãos que nasciam delas.

Esse pode ser considerado um dos pontos de partida da chamada "Era Neolítica", ou "Nova Idade da Pedra". A humanidade no Neolítico ainda desconhecia o uso dos metais, e por isso utilizava instrumentos de pedra. Agora, entretanto, tais instrumentos eram cuidadosamente polidos e muito mais elaborados do que os instrumentos de pedra sem polir, em forma de lasca ou de placa, da primeira Idade da Pedra e do Mesolítico.

Outros traços característicos do Neolítico foram o desenvolvimento da cerâmica, a domesticação e criação de animais e, como citado, a semeadura e colheita de plantas. Ainda não sabemos como exatamente se chegou à invenção da agricultura (ou do "cultivo de campos"), mas as vantagens de tal técnica foram evidentes, pois esta permitiu que houvesse alimentos de forma segura.

Antes da difusão do modo de vida neolítico, a humanidade vivia da caça e da coleta de vegetais. Mas em qualquer região específica havia uma quantidade restrita de caça, plantas e frutas, e, nos anos ruins, os humanos viam-se obrigados a percorrer grandes distâncias para encontrar alimento suficiente. O número de habitantes que cada região podia alimentar era relativamente baixo.

Quando o ser humano aprendeu a criar animais e a cultivar plantas, foi capaz de produzir alimentos em quantidade bem maior do que a obtida antes com a caça e a coleta. Confinando animais e cercando campos cultivados, os pastores e agricultores evitavam que os animais silvestres ou que as demais comunidades humanas se apropriassem deles; desse modo, o abastecimento de alimentos aumentou e tornou-se mais seguro. Isso era mais perceptível no caso da agricultura, já que ficou mais fácil encontrar plantas e cuidar delas (depois que se adquiriu suficiente habilidade) quando comparadas aos animais. Como um hectare de terra cultivada podia alimentar mais pessoas do que um hectare de bosque, houve um aumento realmente explosivo da população nos lugares onde a cultura neolítica se estabeleceu.

Do mesmo modo, enquanto o caçador (e, até certo ponto, o pastor) sempre tinha de se deslocar, o agricultor era obrigado a se sedentarizar. Precisava permanecer nas terras onde crescia o grão. Além disso, era necessário viver em comunidade para se proteger de maneira solidária contra os ataques de povos de caçadores e pastores (que não cultivavam cereais, mas não viam nenhum problema em arrebatá-los daqueles que o faziam), e construir aldeias: eram as primeiras "cidades".

Como a humanidade via-se obrigada a conviver com seus semelhantes nas aldeias, a independência do bando caçador logo virou coisa do passado. Os aldeões desenvolveram métodos de cooperação a fim de construir edifícios, organizar a defesa e cultivar a terra. Em poucas palavras, criaram o que tem sido chamado de "civilização" (derivada da palavra latina *civis*, "cidade").

A prática da agricultura acabaria se estendendo para além das terras de origem, chegando até o planalto iraniano durante o milênio que se seguiu à sua descoberta. A agricultura foi adotada por outras comunidades, e isso trouxe novos e espetaculares avanços, particularmente em duas áreas específicas: uma delas era um vale entre dois rios, o Tigre e o Eufrates, ao sul; a outra era também um vale, formado pela bacia de um rio, o Nilo, uns 1.600 quilômetros a oeste. O vale do Tigre e do Eufrates ficava mais próximo do lugar de origem, e por isso começou antes a praticar a agricultura e, portanto, a desenvolver uma civilização. Mas o vale do Nilo não ficou para trás.

O modo de vida neolítico já estava plenamente implantado no Egito por volta de 5000 a.C. Naquele tempo, as terras do vale do Nilo conservavam bastante umidade e eram selvagens o suficiente para se prestarem à agricultura com tranquilidade. A oeste do Nilo, entretanto, por volta de duzentos quilômetros ao sul da costa mediterrânea, havia um lago perfeitamente adequado para isso. Mais tarde, essa extensão aquática foi denominada lago Moeris, motivo que levou o historiador e viajante grego Heródoto, que a visitou por volta de 450 a.C., a acreditar que se tratava de um lago artificial construído pelo lendário rei Moeris.

O lago, porém, não era de modo algum artificial, e a palavra *moeris* é simplesmente um termo egípcio para designar "lago". Era natural e fazia lembrar os tempos em que o norte da África era muito mais úmido. Ainda havia hipopótamos e outros animais menores vivendo ali, e em suas margens, entre 4500 a.C. e 4000 a.C., floresceram várias aldeias neolíticas.

No entanto, o lago sofria as consequências da crescente seca ao seu redor. À medida que suas águas baixavam e a vida diminuía, as aldeias estabelecidas em suas margens ficaram menos numerosas. Ao mesmo tempo, porém, a civilização conhecia um desenvolvimento maior nas terras próximas ao Nilo, o que permitiu melhorar o controle das águas do lago, provenientes das distantes montanhas do sul.

Por volta de 3000 a.C., o lago Moeris alcançou nível tão baixo que só poderia continuar existindo se fosse conectado, de algum modo, ao Nilo; os habitantes das margens do rio teriam de realizar um enorme esforço (que aumentaria com o passar dos séculos) para fazer essa conexão.

A batalha para que isso acontecesse foi perdida há uns mil anos ou mais, e atualmente o lago não existe; em seu lugar há uma depressão, em grande parte seca, em cujo centro se localiza um lago pouco profundo, de uns cinquenta quilômetros de comprimento e oito de largura. Essa superfície aquática, que os atuais habitantes da região, de língua árabe, chamam de Birket Qarun, é o que restou do antigo lago Moeris. Às margens de suas águas vemos hoje a cidade de Faium, que dá nome a toda a depressão.

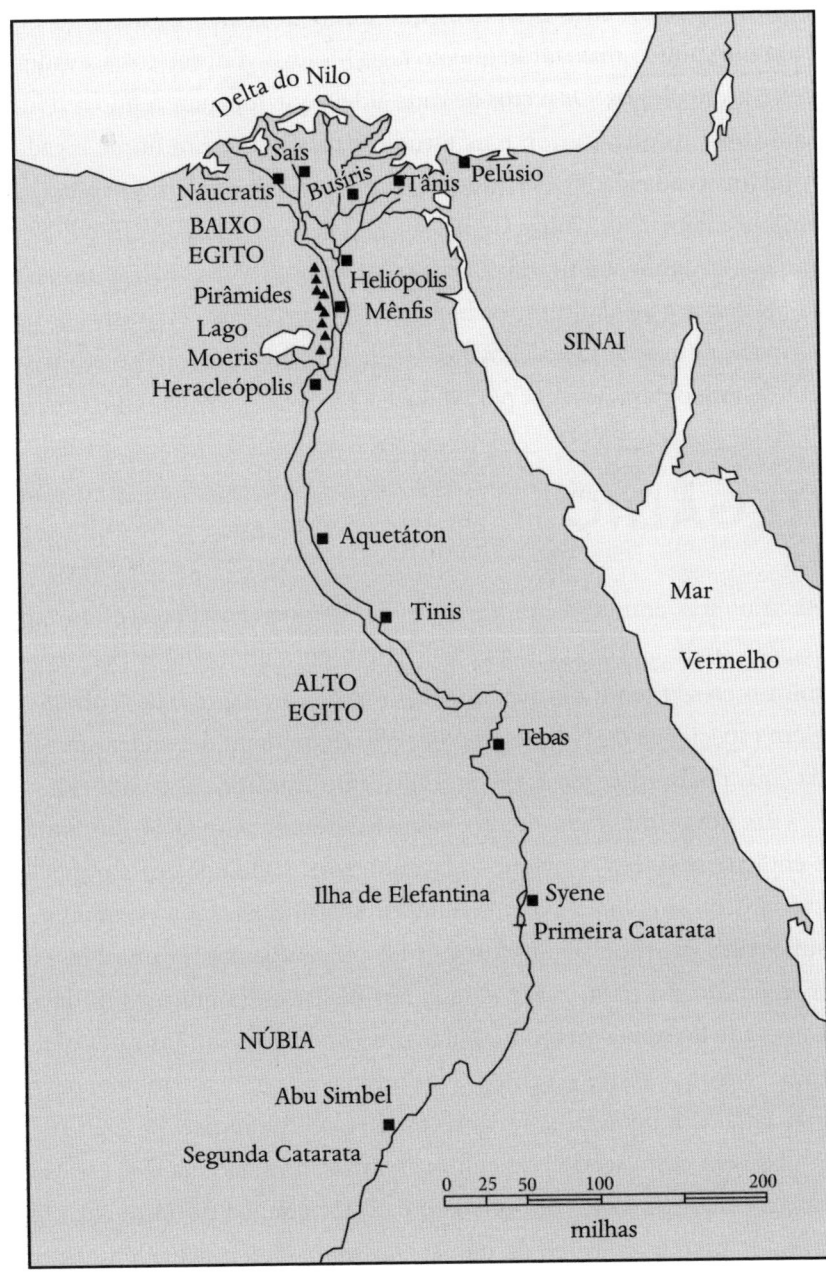

Figura 1: Mapa do vale do Nilo.

Os assentamentos neolíticos que foram surgindo às margens do Nilo (um pouco mais tarde que no lago Moeris) vêm sendo escavados pelos arqueólogos. Os restos de cada aldeia que foi aparecendo repousam sobre os da anterior, e os estudiosos atribuem um nome a cada nível (ou a cada idade), derivado do nome da última aldeia que proporcionou maior abundância de restos. Desse modo, fala-se em cultura tasiana, badariana, amratiana e assim por diante. A população tasiana já praticava a agricultura; os badarianos eram bons ceramistas; e os amratianos criavam gado bovino, ovelhas e porcos, e construíam barcos de junco para navegar pelo Nilo.

REGADIO

As primeiras comunidades agrícolas da Ásia ocidental cresceram em regiões onde as chuvas eram suficientemente abundantes para permitir o crescimento das plantas. Nas regiões do Tigre e do Eufrates, e em especial na do Nilo, as populações não podiam depender apenas da chuva para regar suas colheitas. Daí a utilização da água dos rios.

Em um primeiro momento, bastava esperar a inundação diminuir, e então se semeava o terreno lodacento. Mas, à medida que a população crescia, as colheitas obtidas dessa maneira eram cada vez mais insuficientes. Tornou-se imprescindível, portanto, abrir caminhos na margem do rio para trazer a água aos lugares que precisavam dela. Uma rede de canais (tanto no Nilo como no Tigre e no Eufrates) permitia irrigar as terras e conservá-las úmidas nas épocas em que, devido à falta de inundações, ficavam completamente secas.

Isso em certo sentido dificultou as coisas, pois não era fácil escavar canais e mantê-los em funcionamento. Tratava-se, na realidade, de um trabalho bem mais árduo do que apenas ver a chuva cair. Além disso, precisava ser feito de forma coletiva, por meio de uma cooperação muito mais elaborada do que a exigida nos trabalhos agrícolas comuns.

Na verdade, a necessidade de intensificar a cooperação e desenvolver técnicas de regadio agrícola muito mais avançadas pode ter sido o estímulo ao maior desenvolvimento da civilização nessas regiões fluviais quando comparadas às comunidades agrícolas das regiões montanhosas.

As cidades ao longo dos rios precisavam estar particularmente bem-organizadas. As pessoas que tinham habilidade e ambição suficientes para assumir trabalhos como a construção e manutenção de canais passaram a dominar as cidades de maneira lógica e natural. Em geral, estabeleciam seu prestígio e poder em nome de algum deus local.

A humanidade primitiva estava sempre disposta a acreditar que o que fazia germinar as sementes para que a terra desse frutos era algum ser sobrenatural, e o trabalho dos governantes das cidades consistia em elaborar os ritos mágicos adequados para convencer os deuses a se comportarem bem. Além disso, precisavam garantir que tais ritos fossem realizados de forma adequada. Desse modo, as pessoas comuns acreditariam firmemente que a prosperidade da cidade e a vida do povo dependiam da sabedoria e da retidão dos sujeitos encarregados dos ritos. O resultado foi que o vale do Nilo ganhou uma classe sacerdotal que conservaria grande poder por milhares de anos.

As dificuldades da agricultura de regadio eram compensadas pelos benefícios que ela trazia. À medida que um número maior de pessoas aprendia a colaborar entre si, os sucessos aumentavam. Tornou-se necessário, por exemplo, saber exatamente quando ocorreriam as cheias do Nilo, a fim de aproveitá-las ao máximo.

Os sacerdotes encarregados do regadio estudaram cuidadosamente o nível das águas do rio, dia após dia, e descobriram que, em média, as cheias se produziam a cada trezentos e sessenta e cinco dias, e por isso os habitantes do Nilo foram os primeiros a elaborar um calendário baseado no ano com essa quantidade de dias. Cada ano era formado por doze meses, já que eram doze os ciclos completos de mudança nas fases da Lua, e porque se desenvolviam em um período pouco inferior a um ano. Além disso, o povo do Nilo (como todos os demais) vinha usando um calendário baseado na Lua. Atribuía-se a cada mês a duração de trinta dias, e no fim do ano acrescentavam-se cinco dias.

Tal calendário era muito mais simples e manejável do que qualquer outro dos inventados até então. Os historiadores não sabem ao certo em que data foi adotado, mas podemos supor razoavelmente que foi por volta de 2800 a.C. Ao longo de três mil anos não seria inventado nada melhor, e mais tarde, quando se dispôs de um calendário mais adequado, ele continuou baseado no egípcio, com poucas modificações. Na realidade, nosso calendário atual ainda é baseado no egípcio.

De qualquer modo, as inundações anuais do Nilo apagavam os limites entre as terras de propriedade individual. Foi necessário, então, achar alguma fórmula para voltar a definir esses limites. Sabemos que isso aos poucos deu lugar aos métodos de cálculo que conhecemos hoje com o nome de "geometria" (que significa "medição da terra"). Outras áreas das ciências matemáticas também tiveram seu desenvolvimento.

Precisou-se, também, incluir nos registros os limites das terras e as quantidades produzidas pelas colheitas. Era preciso criar algum sistema de símbolos para os diferentes números, as diferentes pessoas, os diversos tipos de cereais e de outros produtos, assim como para os diversos acontecimentos.

Os habitantes das regiões do Tigre e do Eufrates haviam inventado, pouco antes de 3000 a.C., um tosco sistema pictográfico (a "escrita por meio de imagens") que imitava os objetos representados. Seus símbolos devem ter sido muito simples num primeiro momento, e foram ficando mais complexos aos poucos, até serem capazes de representar tudo o que as pessoas queriam expressar.

É possível que os habitantes do vale do Nilo tenham se apossado do conceito de escrita com base nas notícias que chegavam a eles por meio dos comerciantes e viajantes provenientes da região do Tigre e do Eufrates. O povo do Nilo logo adaptou esse conceito a seus fins e necessidades, e inventou os próprios símbolos, muito mais atraentes. Na região do Nilo, a escrita já estava plenamente desenvolvida pouco após 3000 a.C.

Esse sistema de escrita encontrava-se nas mãos dos sacerdotes. As pessoas comuns não eram capazes de ler ou escrever aquele complicado conjunto de símbolos inventado, do mesmo modo que o homem comum hoje em dia não é capaz de fazer uso da alta matemática. Os gregos, que alguns séculos mais tarde inundaram o país de turistas e soldados, tampouco conseguiam ler essa antiga escrita, o que era natural, mas como costumavam vê-la representada nos templos, imaginaram que tivesse significado religioso, e por isso a chamaram de "hieroglífica" (ou "signos sagrados gravados").

SEGURANÇA

As necessidades de regadio possibilitaram o desenvolvimento de grandes civilizações no vale do Nilo e nos vales do Tigre e do Eufrates, apesar das notáveis diferenças em cada caso. As bacias do Tigre e do Eufrates estavam expostas, a leste, a oeste e ao norte, às ações de populações menos civilizadas das montanhas. Vivendo sob o terror constante de incursões e saques, as aldeias dessa região fluvial construíram muralhas defensivas, e enquanto cresciam foram fabricando armas e formando exércitos, instruindo-se em técnicas e disciplinas militares.

Desse modo, as cidades da região do Tigre e do Eufrates conseguiam, na maioria das vezes, manter os bárbaros afastados. Mas, nas épocas de paz, o que essas cidades podiam fazer com seus soldados e armamentos? Bem, se não tinham o que fazer, podiam então causar problemas às demais cidades que os empregavam. Como era natural, portanto, as cidades começaram a combater umas às outras.

As lutas permitiam, às vezes, que amplos territórios ficassem sob uma única soberania, o que resultou na formação de "impérios". Por outro lado, essas mesmas lutas costumavam destruir a cooperação e os meios sobre os quais se baseava a prosperidade agrícola, o que dava lugar a uma "era obscura" na qual a civilização declinava e a prosperidade decrescia, de modo que os bárbaros vizinhos podiam aproveitar a situação para dominar a zona durante um tempo.

O povo do Nilo desconheceu todos esses problemas durante séculos. A leste e a oeste de seu pacífico vale, havia apenas deserto, que os exércitos estrangeiros dificilmente conseguiam cruzar. Ao norte estava o Mediterrâneo, e nos primeiros tempos não havia barcos adequados para o transporte de exércitos por aqueles mares. Por último, no sul ficava a Primeira Catarata, que impedia eventuais inimigos de realizarem incursões pelo Nilo.

Durante longo tempo, o povo do Nilo viveu praticamente seguro e isolado. As aldeias não precisavam se armar nem se mostrar agressivas. Poucas cresceram, e alguns autores descreveram o vale do Nilo como uma longa sucessão de assentamentos humanos.

Tudo isso significava bem-estar, mas também ausência de intercâmbios. Em outros lugares e em outros rios, as populações deparavam sempre com novas situações, os invasores traziam novidades, ou elas mesmas eram obrigadas a assimilá-las para se defender melhor; ao contrário, as populações do Nilo eram livres disso. Os métodos antigos continuavam sendo úteis, geração após geração.

Assim, quando invasores estrangeiros penetraram no vale do Nilo e estabeleceram domínio sobre a população local, já era tarde demais. Os nativos estavam tão profundamente permeados pelos antigos costumes que tinham se tornado o povo mais conservador da história (à exceção, talvez, dos chineses).

O sistema de escrita dali, por exemplo, continuou sendo muito complicado, com grande número de símbolos que às vezes representavam palavras isoladas, às vezes correspondiam apenas a partes de palavras. Por volta de 1500 a.C., em algum lugar do Mediterrâneo oriental, surgiu a ideia de limitar a quantidade dos símbolos gráficos a cerca de vinte e cinco, com cada um deles representando uma consoante. Com esse "alfabeto" era possível escrever milhares e milhares de palavras diferentes, e, no conjunto, o processo da escrita tornou-se muito menos complicado.

No entanto, os habitantes do vale do Nilo, orgulhosos de sua antiga civilização e muito apegados ao seu tradicional modo de vida, negaram-se a aceitar o mencionado alfabeto durante quase dois mil anos. Continuaram teimosamente aferrados ao complicado sistema de escrita, que no início havia sido uma novidade útil, mas que agora se tornara um verdadeiro obstáculo. Esse conservadorismo serviu apenas para favorecer outros povos mais dinâmicos, que se colocaram à frente do povo do Nilo. (Hoje em dia, os chineses resistem a abandonar seus próprios símbolos, tão complicados quanto os dos egípcios. Mas não devemos nos achar superiores: os Estados Unidos ainda não abandonaram seu insensato sistema de unidades de medida e se recusam a adotar o sistema métrico, muito mais simples e lógico, e que, além disso, é utilizado praticamente no mundo inteiro.)

Outro exemplo de conservadorismo é o calendário. Os sacerdotes do Nilo haviam descoberto que o ano tinha trezentos e sessenta e cinco dias e um quarto. A cada quatro anos, portanto, o ano tinha um dia a mais, trezentos e sessenta e seis, sempre que o transbordamento do Nilo ocorresse no mesmo período do calendário. Mas todos os esforços realizados para que o povo aceitasse a modificação do calendário foram vãos. O povo continuava aferrado ao passado e aos velhos costumes, mesmo que isso complicasse, sem necessidade, o cálculo da data da inundação.

OS DOIS EGITOS

Os habitantes do vale do Nilo chamavam sua terra de Jem. Ao que parece, Jem quer dizer "negro" na língua do país. Cabe pensar que o termo se referia à rica terra preta que as cheias deixavam para trás, que contrastava fortemente com a terra tostada do deserto de ambos os lados do rio.

Mais tarde, os gregos chamaram essa terra de Aigyptos, que talvez derivasse do nome, distorcido, de uma grande cidade egípcia de épocas posteriores, com a qual tinham familiaridade. Nós herdamos o nome e chamamos esse país de Egito.

Nos primeiros tempos da civilização egípcia, o país era formado por uma série de pequenas cidades ou *nomoi*, cada uma com seu próprio deus e seus próprios templos e sacerdotes. Cada uma tinha também seu governante, que controlava a região agrícola dos arredores, às margens do rio. A comunicação entre as cidades era feita pelo rio e era fácil, pois a corrente fluía numa direção e os ventos geralmente na direção contrária. Sem velas, era possível rumar para o norte; com velas, para o sul. Naturalmente, os habitantes de uma cidade costumavam cooperar entre si, mas as coisas ficavam muito mais fáceis quando as diferentes cidades cooperavam umas com as outras. Formaram-se, então, ligas, e dentro delas as cidades vizinhas podiam chegar a acordos para resolver os problemas gerais de maneira consensual. De vez em quando, um governante podia exercer um domínio difuso sobre amplos setores do rio.

Em termos gerais, o vale acabou dividido em duas regiões principais. De um lado, havia o estreito vale do próprio rio, que se estendia desde a Primeira Catarata até a região do lago Moeris, cobrindo mais de 1.600 quilômetros. Era a longa e estreita faixa de terra que costumamos denominar Alto Egito.

Ao norte do Alto Egito, o Nilo se ramifica em numerosas correntes, que se abrem em leque para formar um grande triângulo, cujos lados medem cerca de duzentos quilômetros. O Nilo penetra no mar por uma série de desembocaduras, e a terra compreendida entre as correntes é extremamente fértil. Essa região triangular, o Baixo Egito, foi criada pelo Nilo com a lama de aluvião transportada das distantes montanhas do sul desde os tempos mais remotos.

Nos mapas do Egito, que hoje desenhamos com o norte na parte superior, o Baixo Egito fica acima do Alto Egito, o que pode parecer estranho. É que a denominação toma como ponto de referência o rio. Quando avançamos seguindo a correnteza de um rio em direção à sua foz, dizemos que estamos indo "rio abaixo"; a direção contrária é "rio acima". Quando levamos em conta que o Alto Egito se encontra corrente acima em relação ao Baixo Egito, a expressão passa a fazer sentido.

No alfabeto grego, a letra "delta" é representada por um triângulo equilátero – pelo menos, a letra maiúscula. Por isso os gregos chamaram de "Delta do Nilo" a região do Baixo Egito, por sua forma triangular. (Hoje toda foz de rio e sua zona limítrofe formada por terra de aluvião arrastada pela correnteza é denominada "delta", qualquer que seja sua forma. Por isso falamos, por exemplo, do delta do Mississipi, que apresenta uma forma muito irregular.)

2.

O EGITO ARCAICO

A HISTÓRIA

Em geral, a ideia que temos sobre nosso passado como humanidade deriva de três tipos de fontes. Em primeiro lugar, temos os dados obtidos dos objetos que o homem vai abandonando, sem intenção de que possam servir para conhecer a história. Exemplo disso são os utensílios e os recipientes de barro dos humanos primitivos, restos que elucidam, de forma tênue, pelo menos um milhão de anos de história da humanidade.

Mas tais restos não nos contam uma história articulada. É como tentar ler um livro com a luz fugaz de um *flash*. De todo modo, é sempre melhor que nada, é claro.

Em segundo lugar, contamos com as narrativas transmitidas oralmente de geração a geração. Essas narrativas, sem dúvida, contam uma história articulada, mas que costuma se distorcer ao ser contada repetidas vezes. O resultado disso são os mitos e lendas que não podemos aceitar como verdades literais, mas que às vezes contêm dados importantes.

Assim, as lendas gregas sobre a guerra de Troia foram preservadas ao longo de gerações, graças à tradição oral. Os gregos de épocas posteriores aceitaram-nas como fatos históricos, enquanto os historiadores modernos costumam rechaçá-las, considerando-as meras fábulas. A verdade parece se situar em um ponto intermediário entre esses extremos. Os achados arqueológicos do século XIX demonstraram que muitas das referências contidas na obra de Homero remetem a fatos (mesmo que se possa continuar a considerar como pura fábula o que Homero diz a respeito da participação dos deuses nos acontecimentos).

Por fim, temos os documentos escritos, que, naturalmente, às vezes também descrevem feitos lendários. Quando os documentos escritos se referem a acontecimentos contemporâneos do estudioso, ou que pertencem ao seu passado imediato, dispomos da mais satisfatória das fontes históricas, embora nem sempre seja a ideal, já que os escritores podem mentir, abrigar preconceitos ou se equivocar, mesmo que seja com as melhores das intenções. Seus escritos, por mais fiéis aos fatos, podem ainda sofrer distorções acidentais em cópias posteriores, ou ser alterados de maneira proposital e maliciosa por propagandistas. Às vezes, ao comparar um historiador com outro, ou ao cotejar seus relatos com os resultados de achados arqueológicos, os erros e distorções podem aparecer.

De qualquer modo, não dispomos de nada mais detalhado que os documentos escritos e, em linhas gerais, quando tratamos da história da humanidade, nos referimos principalmente aos registros que chegaram a nós na forma de escritos. Os acontecimentos anteriores à utilização da escrita em uma região qualquer são classificados como "pré-históricos", sem que isso implique que sejam "pré-civilizados".

Assim, o Egito conheceu dois mil anos de civilização entre 5000 a.C. e 3000 a.C., mas esse período faz parte da "pré-história" egípcia, já que a escrita ainda não havia feito sua aparição.

Os detalhes referentes à pré-história de um país são sempre confusos e nebulosos, e os historiadores aceitam isso com resignação. Mais frustrante ainda, no entanto, é contar com documentos escritos, mas em uma língua que não sabemos decifrar. O livro da história está ali, pelo menos em parte, mas selado.

Era esse o caso, pelo menos até o ano 1800 da nossa era, do "Egito histórico" – isto é, do Egito posterior a 3000 a.C. – e, na realidade, o de quase todas as demais civilizações antigas.

Por volta dessa época, os únicos idiomas antigos perfeitamente conhecidos eram o latim, o grego e o hebraico, e, como se sabe, havia importantes histórias escritas em cada uma dessas línguas, histórias que, completas ou em parte, chegaram até nossos dias. Por isso a história antiga dos romanos, dos gregos e dos judeus é relativamente conhecida. Mas, de um jeito ou de outro, as lendas referentes ao passado pré-histórico de cada uma dessas civilizações também chegaram até nós.

Em contrapartida, a história antiga dos povos do Egito e da região do Tigre e do Eufrates era ignorada até por volta de 1800, exceto por meio das lendas transmitidas nessas três línguas conhecidas.

Em sua época, os gregos não se encontravam em situação melhor do que nós em 1800 no que se refere ao conhecimento sobre os egípcios. Tampouco sabiam ler hieróglifos e, portanto, ignoraram a história egípcia durante séculos.

A civilização egípcia, no entanto, continuava viva e florescente na época dos gregos clássicos. Havia sacerdotes que sabiam ler com facilidade os antigos escritos e que provavelmente tinham acesso a todo tipo de registros referentes aos milênios passados.

Os gregos, sempre curiosos, começaram a chegar ao Egito em grande número a partir de 600 a.C. Ficaram impressionados com as realizações dessa antiga civilização, interessando-se por tudo o que viam. Mas os sacerdotes egípcios tinham muitas suspeitas em relação aos estrangeiros e nem sempre se dignavam a saciar a curiosidade deles.

O historiador grego Heródoto viajou pelo Egito, assediando os sacerdotes com suas perguntas. Para muitas delas obteve resposta, e as incluiu na história que escreveria mais tarde. Contudo, boa parte da informação não parece ser muito verossímil, e não se pode descartar a ideia de que os sacerdotes tenham se divertido em ludibriar aquele grego "casca-grossa", tão ansioso por informações e tão propenso a aceitar tudo o que lhe diziam.

Enfim, por volta de 280 a.C., quando os gregos já dominavam o Egito, um sacerdote do país acabou cedendo e escreveu em grego uma história do Egito dirigida aos seus novos senhores – e lançando mão, sem dúvida, de fontes sacerdotais. Chamava-se Mâneton.

Durante um tempo, o Egito posterior a 3000 a.C. foi de fato o Egito histórico, embora aceitemos que Mâneton escreveu uma história necessariamente incompleta, e que pode tê-la escrito a partir de um ponto de vista parcial, como egípcio, e, além de tudo, como sacerdote que era.

Infelizmente, porém, a história de Mâneton e as fontes que utilizou não sobreviveram. O Egito histórico afundou nas trevas da ignorância humana após a queda do Império Romano, e assim permaneceu por catorze séculos. Isso não quer dizer que a ignorância a respeito do Egito fosse completa. Alguns fragmentos dos escritos de Mâneton foram citados por outros escritores cujas obras sobreviveram; é o caso das longas listas de governantes egípcios extraídas da história de Mâneton e que foram citadas nas obras de um historiador cristão dos primeiros tempos, Eusébio de Cesareia, que viveu cerca de seis séculos depois dele. Mas isso é tudo, e não é muito. As listas de reis serviram apenas para excitar o apetite histórico e converter as sombras anteriores em uma escuridão ainda mais densa.

Naturalmente, havia numerosas inscrições hieroglíficas espalhadas por toda parte, mas ninguém conseguia lê-las e, portanto, tudo continuava um mistério indecifrável.

Em 1799, um exército francês combatia no Egito sob as ordens de Napoleão Bonaparte. Um soldado chamado Bouchard, ou Boussard, que trabalhava reparando um forte, deparou com uma pedra negra. O forte ficava perto da cidade de Rashid, em uma das desembocaduras ocidentais do Nilo. Para os europeus, Rashid era Roseta, e hoje chamamos essa pedra encontrada pelo soldado de "Pedra de Roseta".

Nela havia uma inscrição em grego datada de 197 a.C. A inscrição em si não era importante, mas o que conferia um valor fascinante à pedra era que continha também inscrições em dois tipos de hieróglifos. Caso se tratasse, como parecia provável, da mesma inscrição em três diferentes formas de escrita, então o que se tinha em mãos era uma inscrição egípcia traduzida para uma língua conhecida.

A Pedra de Roseta despertou o interesse de muitos estudiosos, como o médico inglês Thomas Young e o arqueólogo francês Jean-François Champollion. Este último utilizou como apoio adicional a língua copta, que naquele tempo ainda sobrevivia em alguns lugares do Egito (hoje a língua dos egípcios é o árabe, em razão da conquista árabe do Egito há treze séculos). Champollion sustentava, no entanto, que o copta derivava da língua do antigo Egito, que remontava à época anterior à chegada dos árabes. Antes de morrer, em 1832, Champollion elaborou um dicionário e uma gramática da língua do antigo Egito.

Evidentemente, Champollion não estava equivocado, pois na década de 1820 conseguiu revelar o segredo dos hieróglifos e, pouco a pouco, todas as inscrições antigas puderam ser lidas.

Mas, como seria de se prever, as inscrições não transmitiam uma verdadeira história (seria como tentar conhecer a história dos Estados Unidos por meio das inscrições existentes em nossos edifícios públicos e em nossas lápides!). Com frequência, aquelas inscrições que versavam sobre acontecimentos históricos haviam sido compostas única e exclusivamente para exaltar algum governante. Tratava-se de propaganda oficial, que não costuma corresponder à realidade.

Mesmo assim, pouco a pouco, a partir de tudo o que os historiadores foram compilando das inscrições e de outras fontes, entre elas as listas de reis de Mâneton, a história egípcia começou a ser conhecida, e com uma amplitude que, antes ao achado da Pedra de Roseta, ninguém teria imaginado.

UNIFICAÇÃO

Mâneton começa sua lista de reis com o primeiro que uniu sob seu comando os dois Egitos, o Alto e o Baixo. O nome que tradicionalmente se dá a esse primeiro rei é Menés, forma grega do nome egípcio Mena. Antes da unificação, Menés governava, ao que parece, o Alto Egito.

Durante um tempo pensou-se que esse Menés fosse apenas lendário e que não tivesse existido. Mas alguém precisou ser o primeiro a unificar o Egito, e se não foi Menés, deve ter sido algum outro.

Apesar de as antigas inscrições terem sido meticulosamente estudadas, existe uma complicação adicional pelo fato de ser costume os reis adotarem novos nomes quando assumiam o trono, diferentes dos que recebiam ao nascer. Às vezes, eram-lhes até impostos outros nomes após a morte. Há referências a um rei chamado Narmer em um antigo trecho de lousa, desenterrado em 1898; nele, o monarca aparece em um primeiro momento com a coroa relacionada ao governo do Alto Egito e depois com a coroa do Baixo Egito. Parece, portanto, uma referência a um monarca que unificou os dois Egitos, e cabe ainda a possibilidade de que Narmer e Menés sejam apenas nomes alternativos de uma mesma pessoa.

De qualquer modo, Menés, ou Narmer, chegou a dominar todo o Egito por volta de 3100 a.C., bem no fim da pré-história egípcia. Não há como não se perguntar de que maneira teria ele conseguido esse feito. Teria sido Menés um grande guerreiro ou um astuto diplomata? Chegara a essa condição por acidente ou seguira algum plano? Teria se aproveitado de alguma "arma secreta"?

Em primeiro lugar, existem dados a respeito de importantes imigrações de origem asiática que teriam chegado ao Egito nos séculos que precederam o reinado de Menés. É possível que a população tenha fugido de suas terras, pouco seguras e arrasadas pela guerra, em busca da paz e da exuberante fertilidade do vale do Nilo (até os últimos momentos da época pré-histórica, era possível ver elefantes no rico vale do Nilo graças à grande extensão, à fertilidade e à escassa população da região).

Cabe atribuir a esse período algumas sutis influências asiáticas. Por exemplo, certas técnicas arquitetônicas e artísticas egípcias que vemos surgir depois de 3500 a.C. parecem ter clara relação com as utilizadas na Ásia nessa época. Do mesmo modo, essas migrações asiáticas devem ter levado consigo o conceito de escrita procedente da civilização do Tigre e do Eufrates.

Ao que parece, nesse período, o Alto Egito sofreu maior influência asiática do que o Baixo Egito, e talvez seja por essa razão que o Alto Egito, e não o Baixo, recebeu o primeiro impulso na espiral do desenvolvimento.

Por outro lado, isso pode ser mera aparência, fruto de um acidente arqueológico. O Baixo Egito está profundamente enterrado por séculos de sedimentação, e por isso é muito mais difícil encontrar restos antigos ali do que nas regiões menos inundadas do lago Moeris e do alto Nilo. Talvez seja essa, e apenas essa, a razão da nossa subvalorização do Baixo Egito. De qualquer modo, quando o Egito foi unificado em um só estado, o conquistador veio do Alto Egito.

Será que os imigrantes asiáticos trouxeram algo além de uma nova arte e do conceito de escrita? Teriam trazido também uma tradição bélica e conquistadora antes inexistente entre os pacíficos egípcios dos tempos primitivos? Seria Menés de origem asiática, com uma tradição familiar que falava de poderosas cidades armadas, cujos soldados acabavam dominando os vizinhos? Teria ele a intenção de imitar seus antepassados e, como eles, criar um império?

Em algum lugar, nos séculos anteriores a Menés, a humanidade havia aprendido a obter cobre dos veios da península do Sinai, a noroeste do Egito, e de outras partes. Na realidade, a prata, o ouro e o ferro haviam sido descobertos muito antes, sob a forma de pepitas metálicas que não exigiam fundição (é possível datar alguns objetos de cobre achados entre restos do período badariano por volta de 4000 a.C.).

Também foram encontrados pedaços de ferro que às vezes caíam do céu sob a forma de meteoritos. De qualquer modo, os achados de metal puro eram pouco comuns, e o metal obtido dessa maneira estava disponível em parcas quantidades, sendo utilizado geralmente em adornos.

No entanto, com o desenvolvimento das técnicas de fundição era possível obter cobre das jazidas desse mineral, em quantidades suficientes para usá-lo em todo tipo de finalidade. O cobre não tem dureza suficiente para ser usado em armas e armaduras; em liga com estanho, entretanto, produz o bronze, que tem a dureza necessária. O período em que o uso do bronze se generalizou e pôde ser empregado para equipar os exércitos é denominado de Idade do Bronze.

A Idade do Bronze só alcançaria seu apogeu vários séculos depois de Menés; não obstante, não se pode descartar a possibilidade de que ele dispusesse de bronze em quantidades suficientes para equipar seus exércitos. Teria sido com essas novas armas que Menés implantou seu domínio sobre todo o Egito? Talvez nunca venhamos a saber.

Segundo Mâneton, Menés nasceu na cidade de Tinis (ou Tine), situada no Alto Egito, a meio caminho entre a Primeira Catarata e o Delta. Menés e seus sucessores governaram o país a partir dessa cidade.

Talvez, no entanto, Menés tenha percebido que, se quisesse conservar seu poder sobre o Baixo Egito, teria de parecer menos estrangeiro e governar mais perto dessa zona. Só que com essa medida acabaria sendo um estranho para o Alto Egito, de onde era originário. O problema foi resolvido com a construção de uma nova cidade na fronteira entre os dois territórios – em uma zona em que qualquer um dos dois poderia reclamar como própria – e a conversão dela em capital por algum tempo. (Nos Estados Unidos, ao se adotar a Constituição, foi sugerida uma solução semelhante: já que era evidente que os estados do norte e do sul não nutriam muita simpatia mútua, a nova capital, Washington, foi construída ali onde ambas as partes se encontram.)

A nova cidade de Menés foi construída 25 quilômetros ao sul do extremo do Delta. Ao que parece, os egípcios chamaram a cidade de Jikuptáh (que significa "casa de Ptah"), e é possível que tenha sido desse nome que os gregos derivaram o de Aigyptos, e nós, o de Egito. Mais tarde, a cidade passou a se chamar Menfe, o que levou os gregos a conhecê-la como Mênfis, nome que ela conservaria ao longo da história.

Mênfis foi uma importante cidade egípcia durante cerca de três mil e quinhentos anos, e por boa parte desse período foi a capital e a sede da realeza.

A VIDA ALÉM-TÚMULO

Mâneton dividia os governantes egípcios em *dinastias* (nomenclatura originada de uma palavra grega que significa "ter poder"). Cada dinastia era composta por membros de uma família que governava e tinha poder sobre todo o Egito. Mâneton elaborou uma lista de trinta dinastias que se sucederam por um período de três mil anos.

A lista de dinastias contém apenas os monarcas que reinaram depois da unificação, e por isso Menés é o primeiro rei da Dinastia I. O período anterior a Menés costuma ser chamado de Egito pré-dinástico, o que é quase sinônimo de Egito pré-histórico.

As duas primeiras dinastias, cujos reis eram nativos de Tinis, são chamadas dinastias tinitas, e o período em que reinaram costuma receber a denominação de Arcaico; durou de 3100 a.C. a 2680 a.C., isto é, mais de quatro séculos.

Os túmulos nos fornecem uma valiosa informação sobre a crescente importância de Mênfis, inclusive nos primeiros tempos do Egito Arcaico. A especial utilidade dos túmulos para o conhecimento da história deriva, por sua vez, da natureza da religião egípcia.

A antiga religião dos egípcios originou-se, provavelmente, dos velhos tempos da caça, quando a vida dependia da sorte de encontrar um animal e conseguir matá-lo. Daí a tendência de se adorar uma espécie de deus animal, na esperança de que, pelo culto a esse deus, houvesse grande abundância dos animais por ele controlados. Se os animais eram perigosos, a adoração a um deus, em parte representado pela forma do animal em questão, evitaria que causassem danos demais. Essa parece ser a razão pela qual os deuses egípcios, mesmo em épocas posteriores, ostentavam cabeças de falcão, chacal, íbis e até mesmo de hipopótamo.

No entanto, quando a agricultura se converteu na principal forma de vida, foram introduzidos novos deuses e crenças religiosas ao lado das antigas. Existia o culto natural ao Sol, que, no ensolarado Egito, era uma poderosa força e, é evidente, o doador de luz e calor. Da mesma forma, como as cheias do Nilo aconteciam sempre no momento em que o Sol alcançava certa posição entre os demais astros, acabou-se atribuindo o controle de todo o ciclo vital do rio a ele, que foi considerado o doador de toda vida. Sob diversos nomes, os egípcios adoraram o Sol durante milênios. O nome mais conhecido do deus-Sol era Re ou Rá.

É possível que o culto ao Sol tenha levado naturalmente à noção do ciclo de vida, morte e renascimento. Toda tarde o Sol se punha a oeste, e toda manhã se elevava de novo. Os egípcios imaginavam o Sol como uma criança que aparecia a leste, crescia depressa e chegava ao pleno desenvolvimento ao meio-dia; alcançava, então, a maturidade ao cair a oeste, e a velhice e a morte ao se pôr e desaparecer. Mas, depois de sua perigosa viagem pelas cavernas do mundo subterrâneo, reaparecia a leste, na manhã seguinte, com o aspecto fresco e jovem de um garoto, renovando assim a própria vida.

Nas comunidades agrícolas é difícil deixar de constatar que os grãos também seguem um ciclo semelhante, embora mais lento. Eles amadurecem e são ceifados, e parecem morrer; mas de suas sementes pode nascer novo grão na estação de semeadura seguinte.

Com o tempo, esse ciclo de nascimento, morte e renascimento foi incorporado à religião egípcia. Ela era centrada no deus da vegetação, Osíris, sempre representado com uma forma humana, sem atributos animais. Segundo o mito, Osíris ensinara aos egípcios as artes e os ofícios, entre eles a prática da agricultura. Em outras palavras, era a civilização personificada.

De acordo com a lenda, Osíris foi morto por seu irmão mais novo, Set (é possível que Set seja a personificação do deserto árido e seco, sempre à espreita para acabar com a vegetação, se, por alguma razão, a cheia do Nilo não ocorresse). Ísis, a leal e amorosa esposa de Osíris, representada também em forma humana, recolheu o corpo do marido e o devolveu à vida, mas Set esquartejara o corpo, e um dos fragmentos havia se perdido. Incompleto, Osíris não pôde continuar a governar os vivos e desceu ao mundo subterrâneo, onde reinou sobre as almas das pessoas, que ali desciam após a morte.

Hórus, filho de Osíris e de Ísis (representado geralmente como um deus com cabeça de falcão, o que leva a crer que esse seja um traço sobrevivente dos mitos primitivos incorporados à nova lenda agrícola), completou a vingança e matou Set.

A narrativa também se encaixa no ciclo do Sol. Osíris representava o Sol poente, morto pela noite (Set). Hórus é o Sol nascente, que, por sua vez, mata a noite. O Sol agonizante desce ao mundo subterrâneo, como Osíris.

Era natural que se chegasse a associar esses ciclos à humanidade. São poucos os que aceitam a morte, e quase todos nós gostaríamos que a vida continuasse de alguma maneira, ou que se "reavivasse" após a morte, como ocorre com o trigo e com Osíris.

Para garantir esse renascimento do homem era preciso prestar o devido culto e buscar o favor dos deuses (em particular o de Osíris), que são os que têm pleno poder sobre esses assuntos.

Os egípcios preservavam com muito zelo seus diferentes rituais, orações, hinos e cânticos, que precisavam ser repetidos ou entoados a fim de garantir a sobrevivência da alma após a morte. Tais ritos foram se acumulando ao longo dos séculos, como é natural, mas provêm essencialmente dos tempos arcaicos e talvez até do Egito pré-dinástico.

Um documento que contém uma lista dessas fórmulas – uma compilação relativamente heterogênea, sem uma inter-relação ou ordenação mais precisa que a que encontramos, por exemplo, no Livro dos Salmos da Bíblia – foi publicado em 1842 pelo egiptólogo alemão Karl Richard Lepsius. O manuscrito lhe fora vendido por um indivíduo, que o teria encontrado ao saquear um velho túmulo.

O documento costuma ser referido como *Livro dos mortos*, embora não seja esse o nome que os egípcios lhe deram. A parte principal do livro é uma lista de fórmulas e encantamentos para que a alma alcance e atravesse sã e salva a grande sala do juízo. Se absolvida de todo o mal (e a ideia egípcia de bem e mal é bem parecida à de qualquer sujeito honrado de nossos dias), poderia entrar na glória eterna com Osíris.

A impressão é que a salvação, na outra vida, exigia também a presença física do cadáver. É provável que essa ideia tenha surgido em razão de os corpos se decomporem lentamente no solo seco do Egito, de modo que os egípcios talvez imaginassem que prolongar a duração da forma física do corpo fosse algo natural e até desejável, e procurassem os meios necessários para consegui-lo.

O *Livro dos mortos*, portanto, contém instruções para a conservação de cadáveres. Os órgãos internos (que se decompõem bem antes do restante do corpo) eram extraídos e colocados em jarros de pedra, embora o coração, como núcleo principal da vida, fosse colocado de volta no corpo. Depois, o morto era tratado com produtos químicos e envolto em faixas que, para se tornar resistentes à água, eram untadas com piche. Os cadáveres embalsamados eram chamados de "múmias", termo derivado da palavra persa para "piche". Mas por que persa? Porque os persas dominaram o Egito durante um tempo no século V a.C.; a palavra passou, em seguida, para os gregos, e dos gregos chegou a nós.

O interesse egípcio pela mumificação talvez tivesse um fundo de superstição, mas produziu resultados muito úteis: incentivou, por exemplo, os egípcios a estudarem produtos químicos e o comportamento que tinham, levando-os a alcançar grande conhecimento prático nessa área. Alguns estudiosos defendem que a palavra "química" deriva de Jem ou de Khem, a antiga denominação egípcia para o próprio país.

Caso a conservação falhasse ou a múmia não tivesse o resultado esperado, eram usados também outros métodos para imitar a vida, a título de "apoio". Assim, colocavam-se na tumba estátuas do morto junto com vários objetos que usava em vida: instrumentos, enfeites, modelos reduzidos de móveis e de servos, e até alimentos e bebidas. Além disso, as paredes da tumba eram cobertas por inscrições e pinturas mostrando cenas da vida do falecido.

Graças a essas inscrições e pinturas é que foi possível obter muitos conhecimentos sobre o cotidiano dos antigos egípcios. Nelas podemos ver cenas de caça de elefantes, hipopótamos e crocodilos, e temos um exemplo gráfico da enorme riqueza do vale do Nilo na Antiguidade. Há cenas de festins, que nos revelam o que esse povo comia. Vislumbramos também situações íntimas da vida familiar e de crianças brincando. É possível perceber o calor e amor familiar, além de se identificar que as mulheres desfrutavam de elevada posição na sociedade (bem maior que a das mulheres gregas), que era costume dispensar mimos às crianças e que havia uma atitude tolerante em relação a elas. É um paradoxo que possamos saber tanto sobre a vida dos egípcios graças ao interesse que demonstravam pela morte.

Os métodos para garantir a vida após a morte foram ficando muito elaborados e dispendiosos, talvez pelo fato de, num primeiro momento, serem aplicados apenas aos reis. O rei (como ocorria em muitas sociedades antigas) era considerado um representante do povo diante dos deuses, e por isso compartilhava os atributos da própria divindade. Se o rei entrasse em contato com os deuses por meio das fórmulas adequadas, o Nilo transbordaria e as colheitas cresceriam, enquanto a doença e os inimigos humanos seriam mantidos a distância. O rei era tudo, pois o rei era o Egito.

Como seria de se esperar, nenhum outro ritual era tão elaborado nem tão belo como o dedicado ao rei quando morria, pois tratava-se, então, de enterrar o Egito, e todos os egípcios que haviam morrido durante o reinado dele alcançariam a vida eterna junto com o rei.

Com o passar do tempo, porém, e à medida que a riqueza do Egito aumentava, os funcionários mais importantes da corte e os governadores provinciais – a nobreza – passaram a almejar tratamento semelhante. Também quiseram ter as próprias tumbas e exigiram ser mumificados a fim de alcançar uma sobrevivência pessoal, independentemente da sobrevivência do rei. Isso conferiu à religião uma base mais ampla, mas também contribuiu para desviar uma perigosa porcentagem do esforço nacional egípcio a um campo relativamente estéril, o dos enterros. Além disso, aumentou o poder da nobreza a níveis às vezes perigosos.

Como os ricos e poderosos tinham enterros custosos, era natural que surgisse a tendência de "não ficar para trás em relação ao vizinho", e que cada um tentasse superar os demais; as famílias, então, procuraram ostentar prestígio por meio da magnificência com que enterravam seus mortos.

As riquezas enterradas com os defuntos sob a forma de metais preciosos naturalmente atraíram ladrões de túmulos. Mesmo os melhores métodos adotados para tentar preservar esses tesouros, ocultá-los, vedar os acessos, protegê-los com o poder da lei e a invisível ameaça de vingança dos deuses, não foram suficientes para salvaguardá-los, e são poucos os túmulos que nos chegaram quase intactos.

Nossa reação inicial, decerto, é condenar com horror os ladrões de túmulos; primeiro porque o roubo com vistas a obter ganhos pessoais é algo reprovável, e fazer isso a um morto indefeso, mais grave ainda; em segundo lugar porque, com isso, os arqueólogos foram privados de restos valiosíssimos para compreender o antigo Egito.

Mesmo assim, é preciso levar em conta que os egípcios, ao enterrar de modo tão insensato grandes quantidades de ouro em uma época em que não existia nada que pudesse substituí-lo, como o papel-moeda, por exemplo, estavam desequilibrando desnecessariamente sua economia. Os ladrões de túmulos, quaisquer que tenham sido seus motivos, foram úteis pelo menos para que as rodas da sociedade egípcia continuassem girando, pois recolocavam em circulação o ouro e a prata depositados nas tumbas.

Além disso, são as tumbas que nos falam da crescente importância de Mênfis na época Arcaica. É uma questão meramente de números, pois há uma enorme quantidade de túmulos antigos perfurando as pedras calcárias dos montes desérticos que bordejam o vale do Nilo, a oeste da antiga localização da cidade de Mênfis. Hoje, naquele lugar, ergue-se uma aldeia chamada Sacara.

As primeiras tumbas eram estruturas oblongas, de formato similar ao das bancadas retangulares construídas no exterior das casas egípcias. São chamadas de *mastabas* em árabe moderno, e é esse o nome que se dá a essas tumbas antigas.

As antigas mastabas foram construídas com tijolos. A câmara mortuária que abrigava os restos do defunto em um ataúde protetor, às vezes feito de pedra, ficava embaixo, e costumava ser lacrada por razões de segurança. Em cima havia um aposento aberto ao público no qual podiam ser apreciadas pinturas sobre a vida do morto, e era aonde as pessoas iam fazer as orações rituais pelo defunto.

Algumas das mais antigas tumbas de Sacara pertencem, ao que parece, a vários reis das dinastias I e II. Se essa informação for verdadeira, significa que Mênfis foi a capital pelo menos durante parte do tempo.

3. O ANTIGO IMPÉRIO

IMHOTEP

Conhecemos poucos detalhes sobre a história política das duas primeiras dinastias. Dispomos dos nomes de uns vinte monarcas que constam na lista de Mâneton, e não muito mais do que isso. Há lendas que afirmam que Menés reinou durante sessenta e dois anos, que enviou exércitos contra as tribos que controlavam as zonas litorâneas do Egito ocidental e foi enfim devorado por um hipopótamo, mas não é fácil aceitar todos esses fatos como historicamente verídicos, sobretudo o último, já que os hipopótamos são vegetarianos.

Seja como for, o período Arcaico presenciou, sem dúvida, um aumento gradual da prosperidade egípcia e, portanto, do poder do rei divinizado, que aos olhos do povo era quem controlava e guiava essa prosperidade.

Os monarcas devem ter tentado, é claro, capitalizar essa interessada devoção popular. Por um lado, era inevitável que quisessem ser estimados pelo povo e vistos como deuses. Por outro, produzia-se em relação a esses assuntos algo como uma "realimentação": quanto mais suntuosas fossem a vida e a morte do rei, mais o povo ficaria convencido do caráter divino dos monarcas e maior seria a segurança com que estes reinariam.

Logicamente, a necessidade de obter essa segurança se fazia mais urgente quando uma nova dinastia assumia o poder. Não sabemos ao certo de qual maneira uma dinastia se encerrava e uma nova começava. É possível que monarcas fracos tenham deixado o poder escapar das próprias mãos; ou que algum poderoso general o tenha arrebatado; ou que algum inteligente funcionário da corte tenha sido convertido primeiro em conselheiro do faraó, depois em sua eminência parda e, enfim, em monarca, enquanto o anterior era afastado ou até executado. Mas também cabe a possibilidade de que a antiga dinastia se extinguisse por falta de herdeiros homens, e que um general ou funcionário se casasse com um membro feminino da família reinante e iniciasse, assim, uma nova dinastia.

É provável que o país oferecesse uma recepção calorosa ao novo e vigoroso monarca que substituía um governante fraco, um velho caduco ou um pequeno rebento desamparado da dinastia anterior. Mesmo assim, o respeito por uma família de caráter divino não é algo fácil de substituir, e por isso era importante que o novo monarca da nova dinastia demonstrasse ao povo sua divindade, com alguma espetacular prova de poder que eclipsasse o que existira antes.

Talvez tenha sido isso o que ocorreu quando a Dinastia III assumiu o trono. As demonstrações de poder que produziu são tão notáveis que o período que ela inaugura é conhecido como Antigo Império (a razão desse adjetivo é a existência, na história egípcia, de períodos posteriores de magnificência e poder real, que receberam os nomes de Médio Império e Novo Império).

O primeiro rei (ou talvez tenha sido o segundo) da Dinastia III foi Djoser. Ele começou a reinar por volta de 2680 a.C. e contou com a imensa sorte de ter como conselheiro um sábio chamado Imhotep.

Imhotep é o primeiro cientista da história de quem sabemos o nome. Com o passar dos séculos, surgiriam lendas de todo tipo a respeito dele; alcançou tamanho prestígio como médico, de faculdades curativas quase mágicas, que muitos séculos mais tarde foi colocado no panteão egípcio como deus da medicina. Além disso, atribui-se a ele o feito de ter protegido o povo egípcio durante anos de seca, ao prever a necessidade de armazenar trigo, e por isso é possível que a história bíblica de José se baseie em parte na lenda de Imhotep.

Além de sua fama lendária como médico, cientista e mago, Imhotep foi, sem dúvida, o primeiro grande arquiteto. Foi quem empreendeu a construção da mastaba de Djoser, a maior das construídas até então, feita em pedra, e não em tijolos. Dessa maneira, foi possível satisfazer a necessidade de Djoser de impressionar os egípcios com o poder dos reis da nova dinastia.

Imhotep construiu a mastaba, que tinha 64 metros de comprimento, e cerca de 7,6 metros de altura, em Sacara. Foi a primeira estrutura de pedra de grandes dimensões do mundo, apesar de mostrar um conservadorismo tipicamente humano em numerosos detalhes, pois a pedra foi trabalhada imitando a madeira e o bambu, que compunham as estruturas mais antigas e mais simples.

Ao que parece, Djoser não ficou satisfeito com sua mastaba; ou quem sabe tenha sido Imhotep mesmo que, descontente com a própria sobriedade, decidiu fazer algo melhor. Qualquer que seja a razão, Imhotep ampliou a estrutura de ambos os lados, até que a base alcançou os 122 metros por 107. Depois colocou outra mastaba menor sobre a primeira, seguida, mais tarde, por outra, menor ainda, e assim sucessivamente. No fim, havia construído seis mastabas de tamanhos decrescentes, uma sobre a outra, até alcançar a altura total de quase 61 metros. Além disso, a mastaba dispunha de outras estruturas em volta dela, das quais sobreviveram alguns restos. O conjunto, rodeado por uma alta muralha construída com painéis de pedra calcária de concepção muito elaborada, tinha 550 metros de comprimento por 275 de largura.

Os detalhes mais refinados da antiga magnificência do monumento desapareceram, mas o edifício central – muito deteriorado pela falta de cuidados – ainda subsiste, quatro mil e seiscentos anos depois de construído. Trata-se não só da primeira construção de pedra de grandes dimensões, mas também da mais antiga edificação humana que ainda sobrevive na face da Terra.

As pessoas hoje ficam perplexas diante da mastaba múltipla de Djoser, e também diante de estruturas posteriores muito mais elaboradas, que não tardaram a ser construídas. Para os arqueólogos do século XIX, essas edificações pareciam ter surgido do nada. A impressão era que o Egito havia sido, em um primeiro momento, uma terra de aldeões neolíticos, não muito mais avançados do que os que hoje são denominados "homens primitivos", e que, de repente, sem prévio aviso, começara a produzir monumentos destinados a maravilhar as épocas posteriores, inclusive nossa grandiosa era tecnológica.

É evidente que Djoser viveu na época da Dinastia III, e que Mâneton nos fala de uma primeira e de uma segunda dinastias, mas não há informações sobre as duas primeiras, e muitos arqueólogos do século XIX suspeitavam que as listas de Mâneton, contendo os nomes dos reis antigos, fossem míticas.

Não é de estranhar, portanto, que românticos e místicos acreditem que a civilização egípcia surgiu já plenamente desenvolvida, do nada, que pudesse ter sido levada às margens do Nilo a partir de outro lugar. Uma origem "lógica" poderia ser a Atlântida, sobre a qual escreveu o filósofo grego Platão, um século antes do nascimento de Mâneton.

Segundo Platão, devemos a primeira versão dessa história aos sacerdotes egípcios. Eles nos falam de uma terra muito antiga, situada a oeste, que, depois de alcançar elevado nível de civilização, fora destruída por um terremoto, que provocara seu afundamento no oceano. Por que não supor, então, que aqueles que conseguiram escapar do desastre tivessem chegado ao Egito e estabelecido ali uma grande civilização (expulsando ou escravizando os primitivos habitantes do lugar), após o total desaparecimento de qualquer rastro de suas origens? Naturalmente, tudo isso são meras fantasias. Nunca existiu uma Atlântida, e Platão tinha apenas a intenção de escrever uma fábula de cunho moral.

Por outra parte, no início do século XX, os arqueólogos (em especial, o inglês *sir* Flinders Petrie) começaram a encontrar vestígios importantes das duas primeiras dinastias. A partir daí, foi possível estabelecer de modo mais sólido a história do desenvolvimento da cultura e da técnica arquitetônica, desde os primeiros tempos até as grandes estruturas de Imhotep.

A construção da mastaba múltipla de Djoser por Imhotep foi uma grande façanha, um avanço inegável para o seu tempo, algo que nunca nos cansaremos de admirar; mas não surgiu do nada. Tampouco deve ser algo atribuído a esforços de refugiados de Atlântida. Foi construída por egípcios que trabalharam sobre bases já estabelecidas, graças a um lento e penoso desenvolvimento das técnicas ao longo de muitos séculos.

Mas o Antigo Império não se desenvolveu apenas na direção da construção de monumentos grandiosos. Na época de Djoser, a escrita egípcia foi aprimorada (segundo alguns, o próprio Imhotep, a quem foram atribuídos posteriormente todos os progressos, introduziu as melhorias na escrita, assim como havia feito na arquitetura). Os símbolos dos hieróglifos deixaram de ser simples desenhos de objetos e começaram a ser usados para expressar abstrações e toda a extensão do pensamento humano.

As plantas de papiro (a palavra "papiro" chegou a nós através dos gregos, mas a origem dela é desconhecida), que cresciam às margens do Nilo, foram utilizadas como suporte para a escrita. Extraía-se o miolo, aplicava-se, sobre ele, cola em diversas camadas até que ficasse devidamente embebido e depois se deixava secar. O resultado era uma superfície admiravelmente lisa e duradoura, sobre a qual se podia escrever com pincéis ou penas feitas com outros caules. Nenhum outro povo da Antiguidade dispôs de material tão adequado para escrever. Na região do Tigre e do Eufrates, utilizavam-se volumosas tabuletas de argila, sobre as quais eram gravados os símbolos gráficos. A escrita sobre argila mostrou-se útil, mas carecia da qualidade e da beleza da escrita egípcia.

As civilizações grega e romana utilizaram também o papiro, até que a provisão de caules começou a diminuir e o uso se tornou menos viável do ponto de vista econômico. Atualmente, usa-se material semelhante, elaborado a partir da madeira, que continuamos chamando de papel (de papiro), embora não provenha mais dos caules dessa planta.

A utilização de uma superfície prática e barata sobre a qual seja possível escrever constitui uma importante contribuição ao progresso do saber, já que é mais simples anotar as instruções do que depender da transmissão oral, um método muito mais impreciso. Isso adquire particular importância quando se trata de instruções complexas e quando eventuais erros podem ter graves consequências (como no caso das técnicas cirúrgicas). Talvez não seja por acaso que entre os mais antigos tratados escritos em papiro já descobertos (que datam do Antigo Império, ou então são cópias de tratados dessa época) possamos encontrar um, o chamado *Papiro de Edwin Smith*, que contém descrições do tratamento de lesões, como as fraturas.

AS PIRÂMIDES

A construção de tumbas de proporções gigantescas acabou se tornando uma obsessão nacional. Os sucessivos monarcas do Egito tinham de erguer tumbas semelhantes, só que maiores e mais grandiosas. As técnicas arquitetônicas progrediram depressa, impulsionadas por esse desejo. Imhotep havia utilizado pedras pequenas, que imitavam os tijolos empregados até então, para construir seu edifício. Isso exigia um esforço enorme, já que é muito mais difícil colocar em fileiras e com cuidado cem pedras e colunas do que transportar e colocar no lugar uma única rocha trabalhada de grande porte. Quanto maior o tamanho das pedras empregadas, menor o tempo requerido para colocá-las juntas, desde que naturalmente as pedras possam ser manejadas.

Foi assim, portanto, que os egípcios aprenderam a lidar com grandes rochas, utilizando trenós, roletes, volumosas quantidades de azeite para reduzir o atrito e baseando-se em um grande esforço humano. Os gigantescos monumentos de pedra construídos ao longo dos dois séculos seguintes despertaram a admiração de todas as épocas. Eles constituem uma espécie de "marca de fábrica" do Antigo Império, e, na realidade, de todo o Egito.

Dois mil anos depois, quando chegaram os curiosos gregos, ficaram admirados e assombrados com essas estruturas que já eram antigas para a época; decidiram dar-lhes o nome de *pyramides* (singular *pyramis*), termo de origem incerta. Herdamos a palavra e adotamos o plural, "pirâmide", para indicar o singular.

A mastaba múltipla de Djoser é a única do seu gênero que chegou até nós. Os monarcas posteriores devem ter concluído que uma pirâmide ganharia um aspecto mais esmerado se seus lados fossem se elevando até o vértice de modo contínuo, em vez de fazê-lo por degraus (por isso a estrutura de Djoser foi chamada de "pirâmide escalonada").

A inovação ocorreu logo depois de 2614 a.C., quando uma nova dinastia, a IV, assumiu o trono egípcio. Sob essa dinastia, o Antigo Império alcançou seu auge cultural.

É provável que o primeiro rei da dinastia, Snefru, desejasse demonstrar a própria divindade e a de sua ascendência eclipsando os predecessores, da Dinastia III. Assim, empreendeu a construção de uma pirâmide escalonada maior que a de Djoser: uma pirâmide de oito andares. Em seguida, preencheu os vãos entre um andar e outro até que os lados apresentassem um aspecto uniforme da base ao vértice. Por fim, o conjunto foi coberto com pedra calcária branca e lisa, que devia brilhar muito sob o esplêndido sol egípcio, superando em magnificência e beleza qualquer monumento anterior.

Infelizmente, a pedra calcária que recobria a pirâmide foi arrancada há muito tempo por sucessivas gerações, usada para outros fins (o mesmo ocorreu com a pedra calcária que revestia as demais pirâmides). De qualquer modo, parte do recheio entre os andares da pirâmide caiu, e ela parece ter sido construída com três degraus desiguais.

Snefru construiu outra pirâmide, na qual cada estrato de pedra é ligeiramente menor que o inferior, o que a fez não ter andares, apresentando, em vez disso, uma inclinação uniforme, mesmo sem o recheio. Na parte superior, de todo modo, a inclinação foi modificada para ficar menos empinada, e com isso o vértice foi alcançado com maior rapidez. Talvez Snefru estivesse envelhecendo rápido, e os arquitetos quisessem terminar a tumba o quanto antes para que estivesse pronta quando o rei morresse. Ela é chamada de "Pirâmide Curvada" ou "Pirâmide Romboidal". Depois de Snefru, todas as pirâmides (restam umas 80, no total) tiveram a forma que conhecemos hoje, com uma inclinação suave nos lados.

A magnificência da Dinastia IV expressa pelas pirâmides e, sem dúvida, pelo esplendor dos palácios que precisavam ser construídos para os monarcas ainda vivos deu impulso ao comércio. As riquezas que o Egito armazenava podiam ser utilizadas no exterior para adquirir materiais e produtos que não era possível obter no país.

A península do Sinai foi ocupada pelos exércitos egípcios a fim de ganhar posse de suas minas de cobre, mineral com o qual fabricavam-se adornos que depois eram transacionados no exterior.

Uma das importações mais necessárias não era possível obter perto do Egito. Tratava-se de troncos de árvores altas e retas, que pudessem servir como pilares fortes e bonitos, muito mais fáceis de manejar para a construção de estruturas não monumentais do que a pedra, pesada demais e difícil de esculpir. Mas árvores desse tipo não cresciam no vale do Nilo, cuja vegetação era semitropical, e sim nas encostas do litoral oriental do Mediterrâneo, precisamente ao norte da península do Sinai.

Essa região tinha vários nomes. Os antigos hebreus chamavam de Canaã a parte meridional desse litoral, e de Líbano a metade setentrional. Os "cedros do Líbano", que eram as árvores que os reis da Dinastia IV desejavam, são mencionados várias vezes na Bíblia como as árvores mais belas e notáveis.

Em séculos posteriores, os gregos chamaram de Fenícia a costa oriental do Mediterrâneo, e deram às terras do interior o nome de Síria. São nomes já familiares e vou usá-los a partir de agora.

Os reis da Dinastia IV poderiam enviar expedições comerciais por terra, através do Sinai, e depois para o norte, onde eram obtidos os cedros. Mas isso exigiria uma viagem de 1.200 quilômetros no total, e viajar por terra era difícil e árduo naquele tempo. Além disso, carregar os gigantescos troncos por essa enorme distância teria sido totalmente inviável.

A alternativa era chegar à Fenícia por mar. Os egípcios, no entanto, não eram um povo marinheiro (e nunca chegaram a ser). A única experiência náutica que tinham derivava da navegação pelo tranquilo e suave curso do Nilo, pelo qual se deslocavam sem problemas. Na época de Snefru existiam barcos de sessenta metros de comprimento que percorriam o Nilo em ambas as direções.

Mas, em caso de tempestades, os barcos adequados para a navegação fluvial não serviriam para navegar águas mais perigosas, como as do Mediterrâneo. Mesmo assim, movido pelo desejo de obter madeira, Snefru enviou frotas de até quarenta barcos ao local desses bosques de cedro. Os barcos, um pouco reforçados, passaram lentamente do Nilo ao Mediterrâneo e, bordejando o litoral, chegaram à Fenícia. Depois de carregados com os gigantescos troncos e outros produtos de valor, iniciaram com extrema cautela a viagem de volta.

Alguns barcos obviamente se perdiam nas tempestades (como ocorre em todas as épocas, até mesmo na nossa), mas restavam barcos suficientes para que a viagem fosse rentável. Os egípcios se aventuraram também no pequeno mar Vermelho, a leste do Egito, abrindo caminho por essa via marítima para chegar à Arábia meridional e à costa da Somália. De lá traziam incenso e resinas.

Também foram enviadas expedições Nilo acima, além da Primeira Catarata, para as misteriosas selvas do sul, das quais eram trazidos marfim e peles de animais. (Já no tempo da Dinastia IV, o crescimento demográfico do vale do Nilo e sua intensiva exploração agrícola tiveram efeitos sobre os animais de maior porte e, portanto, os elefantes já haviam sido empurrados para o sul, para além da Primeira Catarata.)

A GRANDE PIRÂMIDE

O sucessor de Snefru foi Khufu. Com esse monarca, a construção de pirâmides alcançou seu apogeu, pois é a ele que se deve a maior de todas. Isso ocorreu por volta de 2580 a.C., precisamente um século depois de Imhotep lançar a moda. Era com essa rapidez (para aqueles tempos) que a tecnologia egípcia avançava então.

Khufu construiu sua enorme pirâmide em uma elevação rochosa, poucos quilômetros ao norte de Sacara, perto de onde se encontra, hoje, a cidade de Gizé. Quando a pirâmide ficou pronta, a base, quadrada, media quase 245 metros de cada lado, ou seja, cobria uma superfície de mais de cinco hectares. A pirâmide media 135 metros da base ao vértice. Essa Grande Pirâmide é formada por blocos de pedra – dois milhões e trezentos mil blocos, segundo a estimativa, com cada peça pesando em média duas toneladas e meia. Cada um desses blocos foi transportado desde as pedreiras próximas até a Primeira Catarata, por volta de 950 quilômetros de distância, por via fluvial, naturalmente, sobre barcos arrastados rio abaixo pela correnteza do Nilo.

Entre as rochas de granito foram construídas redes de passagens que conduziam a uma câmara próxima ao centro do enorme edifício, a qual abrigaria o ataúde do rei, sua múmia e seus tesouros.

Levando em conta o estado da engenharia naqueles tempos e o fato de a estrutura ter sido erguida praticamente com as mãos (não foi usada sequer a roda), a Grande Pirâmide constitui sem dúvida a mais nobre realização arquitetônica do mundo, excetuando-se, talvez, a Grande Muralha da China.

Os homens jamais deixaram de ficar maravilhados diante da Grande Pirâmide, a maior construção já erguida, que não foi superada nos quatro mil e quinhentos anos de sua existência. Os gregos a consideraram, junto com as pirâmides vizinhas, uma das "Sete Maravilhas do Mundo", e das sete enumeradas por eles só as pirâmides ainda podem ser admiradas.

Talvez continuem em pé até mesmo depois que as nações modernas tiverem, assim como o Antigo Egito e a Antiga Grécia, desaparecido.

A Grande Pirâmide naturalmente atraiu a atenção de Heródoto, que procurou informar-se a respeito dela com os sacerdotes egípcios. Eles lhe contaram várias histórias fantásticas, difíceis de aceitar, embora parte da informação pareça razoável. Disseram-lhe que haviam demorado vinte anos para construir a Grande Pirâmide, e que nela haviam trabalhado cem mil homens. Isso pode muito bem estar correto.

Também informaram o nome do faraó que a havia erguido, mas Heródoto traduziu o estranho nome egípcio para algo que soasse "mais grego" e mais habitual a seus ouvidos, e por isso Khufu acabou se transformando em Quéops; hoje somos muito mais familiarizados com a versão grega, sobretudo em sua ortografia latina (em geral, a versão grega dos nomes egípcios é mais conhecida em sua grafia latina, e de agora em diante adotarei sempre essa ortografia).

Tendemos a acreditar que os cem mil homens que construíram a pirâmide eram escravos, submetidos ao chicote de capatazes impiedosos. Há também quem acredite, pelas leituras da Bíblia, mais especificamente do livro do Êxodo, que muitos dos escravos eram judeus. No entanto, a Grande Pirâmide e suas edificações irmãs foram construídas uns mil anos antes da chegada dos israelitas ao Egito e, de qualquer modo, é muito provável que as pirâmides tenham sido construídas por homens livres, trabalhando por espontânea vontade e que recebiam bons tratos.

Devemos recordar que na cultura egípcia daqueles tempos existiam boas razões, em geral aceitas por todos, para a construção de pirâmides. Elas eram erguidas para satisfazer os reis divinizados e os deuses, e garantir a paz e prosperidade do povo, provavelmente porque os construtores empreendiam a tarefa com o mesmo espírito com que os homens da Idade Média construíam suas catedrais, ou os de hoje erguem suas represas hidrelétricas. Vários historiadores têm sugerido que as pirâmides foram erigidas numa época em que as cheias do Nilo impossibilitavam os trabalhos agrícolas. Uma das razões de sua construção, portanto, teria sido arrumar trabalho e manter o povo ocupado.

O interesse pela Grande Pirâmide nos últimos séculos baseou-se em aspectos místicos. Pelo fato de a estrutura ser tão gigantesca e ter sido realizada com tanta precisão (os lados da base quadrada estão orientados de maneira quase exata na direção norte-sul e leste-oeste), muitos avaliam que os egípcios tinham acesso ao grande saber, à ciência, e que certas medições expressavam grandezas matematicamente importantes. Acreditou-se, também, que alguns detalhes dos corredores internos eram oráculos que previam o futuro em seus mínimos detalhes e que o fim dos corredores assinalava a data do fim do mundo (que não estaria muito distante em nossos dias). Alguns acreditam também que o fato de a Grande Pirâmide ter sido edificada no ponto em que se cruzam os meridianos em trinta graus de latitude norte e trinta graus de longitude leste indica que os egípcios sabiam da esfericidade da Terra, sabiam que trezentos e sessenta graus formam uma circunferência e, o mais importante, que com uma antecedência de milhares de anos o primeiro meridiano seria estabelecido, de maneira arbitrária, sobre a cidade de Londres!

Outros também consideraram que a Grande Pirâmide era um observatório astronômico, e alguém escreveu certa vez um livro (que me foi apresentado em forma manuscrita) no qual o autor sustentava que a estrutura em questão era, na realidade, uma base de lançamento de foguetes espaciais!

Infelizmente, todas essas especulações carecem de fundamento. Os egiptólogos demonstraram de maneira conclusiva que a Grande Pirâmide é exatamente o que se supõe que seja: uma tumba muitíssimo complexa. Nesse sentido, não serviu ao fim a que foi destinada, isto é, proteger o corpo e os tesouros do defunto Quéops. Apesar de os construtores terem situado o ataúde no centro do maior edifício de pedra jamais construído e de os corredores que levavam até a câmara mortuária terem sido camuflados e selados, ladrões foram capazes de penetrá-lo. Assim, quando os exploradores modernos enfim conseguiram chegar ao centro da pirâmide, encontraram apenas um sarcófago sem tampa em um aposento vazio.

A pirâmide de Quéops representa o auge. A partir dela tem início o declínio desse tipo de arquitetura.

Quéops teve como sucessores seu filho mais velho e depois o mais novo, Khafre, que Heródoto chamou de Quéfren. Este construiu uma pirâmide notavelmente menor que a de seu pai, por volta de 2530 a.C. Tentou nos enganar ao construir a própria pirâmide sobre uma elevação maior, de modo que o vértice superava em altura o da pirâmide de Quéops. Boa parte da pedra calcária que a revestia ainda se conserva perto do vértice.

O sucessor de Khafre foi seu filho Menkauré ou, segundo a denominação dada pelos gregos, Miquerinos. Este edificou uma terceira pirâmide, a menor das três, por volta de 2510 a.C.

As três pirâmides estão agrupadas em Gizé, e constituem um silencioso testemunho da grandeza do Antigo Império de quarenta e cinco séculos atrás. Hoje, naturalmente, não podemos contemplá-las como eram na época, e não só porque perderam seu revestimento de pedra calcária. Cada pirâmide era rodeada por outras menores e por mastabas destinadas a outros membros da família real. Havia templos, calçadas, estátuas etc. Ao longo da calçada que conduz à pirâmide de Khafre, por exemplo, erguiam-se nada menos do que vinte e três estátuas do faraó. O que se costumava construir, portanto, não eram pirâmides isoladas, mas conjuntos de pirâmides.

Há um outro monumento, construído durante a Dinastia IV, que rivaliza em fama com as próprias pirâmides. Trata-se de uma gigantesca escultura representando um leão deitado, erigida junto à calçada que leva à pirâmide de Khafre, apenas 350 metros a sudeste da Grande

Pirâmide. É uma rocha que aflora do solo, cuja forma sugeria a de um leão agachado. O cinzel do escultor fez o resto. A cabeça do leão é humana, e representa um homem com a touca real. É considerado uma representação de Khafre, e o conjunto constitui uma demonstração do poder e da majestade do monarca.

Em séculos posteriores, os gregos criaram mitos relativos a monstros com corpo de leão e cabeça humana (de mulher, mais que de homem), que provavelmente se inspiraram nas esculturas egípcias. Os gregos deviam achar que tais monstros eram perigosos para os humanos, pois chamaram essas mulheres-leão de "esfinges", termo derivado da palavra grega que significa "o que estrangula". Existe um famoso mito que faz referência a uma esfinge grega; segundo ele, o monstro obrigava os que passavam pelo lugar a decifrarem enigmas, e matava os que não acertavam a resposta. Por essa razão, toda pessoa que cultiva um ar misterioso é comparada a uma esfinge.

Os gregos aplicaram o mesmo nome às estátuas egípcias que representavam leões com cabeça humana, que existiam em milhares na região. No entanto, apenas uma delas era de grande porte: a construída por Khafre. A Grande Esfinge e seu silencioso meditar no deserto reforçam a ideia de mistério que a palavra evoca. O rosto da Grande Esfinge encontra-se hoje gravemente deteriorado, pois os soldados de Napoleão, ostentando comportamento criminoso, divertiam-se utilizando-o como alvo de suas práticas de tiro.

Também as pirâmides das dinastias posteriores, embora de menor tamanho e mais toscas, têm para nós utilidade, já que as paredes internas estão cobertas de hinos e encantamentos destinados a facilitar a entrada do rei ou da rainha no além. Os *Textos das pirâmides*, como são chamados, são guias valiosos para conhecer o pensamento religioso egípcio. Além disso, os textos em questão, ao lado do *Livro dos mortos*, são os documentos religiosos mais antigos de que dispomos.

DECADÊNCIA

A Dinastia IV terminou seus dias por volta de 2500 a.C., poucos anos após a morte de Menkauré e ao fim de um esplêndido século cheio de feitos grandiosos. Teria o seu fim a ver com a prematura morte do sucessor de Menkauré e com a falta de um herdeiro masculino, ou quem sabe com o triunfo de uma rebelião? Não há como saber. Até as lendas silenciam-se a esse respeito.

Não resta dúvida de que havia facções. O Egito permanecera sob um único poder por cinco séculos antes da Dinastia IV, mas isso não fora o suficiente para acabar de vez com as diferentes tradições das distintas cidades, nem com a rivalidade entre elas. Essa rivalidade ganhava expressão no âmbito religioso, já que cada cidade possuía seus deuses particulares como vestígios dos velhos dias de desunião. Uma mudança dinástica significava, em muitos casos, uma mudança no caráter do culto religioso, o que por sua vez podia induzir os diferentes grupos de sacerdotes a promover intrigas, com o intuito de precipitar a mudança de dinastia ao primeiro sinal de fragilidade do monarca reinante.

Assim, os reis da Dinastia IV rendiam culto particularmente a Hórus e o consideravam o antepassado real. Como o deus da cidade de Mênfis era Ptah, criador do Universo segundo a tradição da cidade e patrono das artes e ofícios, também ele foi tornado objeto de culto especial.

No entanto, por volta de cinquenta quilômetros ao norte de Mênfis ficava a cidade de Onu, onde o deus-Sol Rá gozava de especial consideração. A cidade permaneceu fiel a Rá por milhares de anos, e por isso os gregos, séculos mais tarde, chamaram-na de Heliópolis, isto é, "cidade do Sol".

Os sacerdotes de Rá eram poderosos; tão poderosos que até os grandes reis da Dinastia IV consideraram oportuno elogiá-los e incorporaram o nome do deus-Sol a seus nomes reais, como foi o caso de Kha*fre* e de Menkau*ré*.

Por isso, quando a Dinastia IV foi enfraquecendo – quaisquer que tenham sido as razões disso – após a morte de Menkauré, os sacerdotes de Rá aproveitaram o momento e, de alguma maneira, conseguiram colocar um deles no trono. Começava assim a Dinastia V, que durou um século e meio até ser substituída, por volta de 2340 a.C., pela Dinastia VI.

A construção de pirâmides começou a declinar sob as Dinastias V e VI. Já não se erguiam construções tão enormes, apenas edifícios pequenos. Talvez os egípcios tivessem se cansado de tudo o que fosse muito grande, uma vez que não era mais novidade. Ou quem sabe o motivo tenha sido que sua construção consumia uma proporção excessiva do esforço nacional e se convertera em um claro fator de debilitação do país.

Apesar de tudo, as artes continuaram florescendo, e no campo militar os egípcios fizeram progresso notável. O momento culminante do seu sucesso militar foi alcançado sob Pepi I, o terceiro rei da Dinastia VI, nativo de Mênfis. Pepi I deixou mais monumentos e inscrições do que qualquer monarca do Antigo Império, e há uma pequena pirâmide em Sacara em sua homenagem.

Pepi tinha sob suas ordens um general chamado Uni, que conhecemos por uma inscrição na qual se indica que, de obscuro oficial da corte, passou a chefe de um exército. Por cinco vezes, conseguiu rechaçar para noroeste os nômades do deserto, conservar e reforçar a península do Sinai, possessão egípcia rica em metais, e foi capaz até de penetrar nos territórios asiáticos a noroeste do Sinai. Supervisionou também expedições ao sul da Primeira Catarata.

É possível, no entanto, que as aventuras militares – junto com os efeitos acumulados da construção de pirâmides e templos – tivessem esgotado os recursos egípcios da época, e servido para aprofundar a decadência do país. Entre outras coisas, à medida que os domínios e as obras do reino aumentavam, o rei via-se obrigado a delegar o próprio poder, fazendo crescer proporcionalmente o poder dos funcionários, generais e dirigentes provinciais.

As exigências da aristocracia com vistas a obter o próprio enterro e mumificação, assim como a reivindicação de um acesso também individual ao além, tornaram-se muito mais fortes nessa época. Em certo sentido, cabe considerá-las como demandas progressistas, pois traziam implícita a ideia de salvação individual, baseada no comportamento e nos atos de cada pessoa, independentemente de sua posição social, e tendiam a rechaçar a ideia de que o povo, como parte da alma real, alcançaria o além de modo automático. Só por meio de uma democratização da religião nesse estilo seria possível incluir nela um alto conteúdo ético.

Por outro lado, quando os nobres se tornam poderosos, costumam brigar entre si, e as energias que são despendidas para tanto deixam de ser empregadas na resolução dos problemas comuns da nação. É o povo, em seu conjunto, que sofre as consequências.

No ano 2272 a.C., um filho menor de Pepi I subiu ao trono com o nome de Pepi II, mas devia ser apenas uma criança; sabemos disso porque, em certo sentido, seu reinado foi único na história: durou, com base nos elementos de que dispomos para julgar, noventa anos. Foi o reinado mais longo já registrado.

Justamente a duração desse reinado mostrou-se desastrosa para o Egito.

Em primeiro lugar porque, durante sua primeira década, um monarca tão jovem é incapaz de governar, e o poder fica necessariamente nas mãos de algum regente ou funcionário da corte, que não costuma prestar o devido respeito ao monarca. Além disso, a designação para o cargo costuma dar margem a contínuas intrigas palacianas. A permanência de um garoto no trono por muitos anos (como vimos ocorrer na história moderna) acaba acelerando a tendência geral a transferir o poder do rei à nobreza.

É o que deve ter acontecido no reinado de Pepi II. As tumbas dos aristocratas foram ficando cada vez mais elaboradas, e o comércio egípcio, embora tenha aumentado, estava agora nas mãos de certos nobres, e não nas de um governo central.

Quando Pepi II se tornou rei propriamente dito, a nobreza já era forte demais para ser manejada com facilidade, o que tornou necessário proceder com cautela.

Mais tarde, nas últimas décadas de seu reinado, já velho e enfraquecido – talvez até senil –, seus dedos devem ter deixado escapar de vez as rédeas do poder. Talvez fosse apenas a sombra de um rei, encerrado no palácio e esperando sua hora, enquanto recebia falsos elogios dos nobres, que na realidade aguardavam apenas a morte dele.

Pepi II morreu em 2182 a.C., e em menos de dois anos o Egito se desintegrou. Nenhum outro rei foi capaz de conquistar a litigiosa nobreza. A Dinastia VI e, com ela, o Antigo Império chegavam ao fim após quase cinco séculos. Todas as vantagens da unificação haviam se perdido, e o Egito afundou na mais espantosa anarquia.

Um papiro da época sobreviveu até nossos dias, vindo (provavelmente) dos últimos tempos da Dinastia VI. Nele, seu autor, Ipuver, lamenta dois desastres que afligem o país: o caos e a apatia. Talvez suas queixas tenham sido exageradas de maneira poética, mas trata-se da descrição vívida de um país em decadência e de um povo que sofre.

As descrições de Ipuver[1] são tão intensas que o escritor israelense Immanuel Velikovsky, em um livro publicado em 1950, *Mundos em colisão*, sustenta que elas descrevem as pragas bíblicas contidas no livro do Êxodo, decorrentes de uma gigantesca catástrofe astronômica.

Mas isso é mera fantasia. As catástrofes astronômicas do livro de Velikovsky são cientificamente impossíveis, e Ipuver (cujos exageros

---

1. Ele diz, entre outras coisas: "O riso pereceu e não compareceu mais. A aflição ronda o país, mesclada aos lamentos [...] O país entregou-se ao tédio, [...] o trigo perece por toda parte [...] O celeiro está vazio e quem tomava conta dele jaz em toda a sua extensão no solo".

poéticos não devem ser interpretados de forma literal) descreveu um período que antecede em quase mil anos a data na qual, segundo todos os indícios, foi escrito o livro do Êxodo.

4.

O MÉDIO IMPÉRIO

TEBAS

Seguiu-se então um século de confusão, uma "Idade das Trevas", com guerra civil, agitação e luta entre os pretendentes ao trono. Durante esse período foram saqueadas todas as magníficas tumbas dos faraós construtores das grandes pirâmides.

Não se conhece praticamente nenhum detalhe da história do Egito nesse período. Seus insignificantes governantes tiveram de usar todas as forças disponíveis para sobreviver, e não sobrava energia para preocupar-se com monumentos e inscrições.

Mâneton enumera quatro dinastias nesse período, mas cada um dos reis é uma figura nebulosa, que não deve ter tido muita importância. É provável que se tratasse de chefes locais aspirantes à dignidade real, mas com escasso poder fora de seu território.

As Dinastias VII e VIII operavam desde Mênfis e provavelmente basearam suas pretensões no prestígio da cidade, capital do Antigo Império. As Dinastias IX e X tiveram sua sede em Heracleópolis – como os gregos a chamavam –, no lago Moeris.

Indiscutivelmente, se o Egito fosse qualquer outro país do mundo a essa época (ou de qualquer outro século posterior), esse período de fragmentação teria constituído uma terrível tentação para as nações vizinhas. O país teria sido invadido e ocupado sabe-se lá por quanto tempo. Foi uma sorte para o Egito que sua fragilidade tenha coincidido com uma época na qual nenhum país próximo tinha condições de tirar proveito disso.

A salvação, por fim, veio de uma distante cidade do sul – na realidade, ficava quinhentos quilômetros ao sul de Mênfis e apenas duzentos quilômetros ao norte da Primeira Catarata. O principal deus da cidade era Amon, ou Amen, deus da fertilidade, completamente desconhecido na época do Antigo Império, mas cuja importância ia crescendo à medida que a cidade se fortalecia nesse período de degradação geral. Ela se autodenominava Nuwe, que significa "a cidade", isto é, "a cidade de Amon", e daí provém o nome bíblico No, utilizado para designá-la. Quando os gregos chegaram, alguns séculos mais tarde, a cidade crescera e ganhara ares de importância com seus magníficos templos. Por isso os gregos a chamaram de Dióspolis Magna, ou "grande cidade dos deuses". O nome de um dos subúrbios da cidade soava aos ouvidos gregos como Tebas, que era o nome de uma das cidades gregas. Portanto, aplicaram esse nome também à cidade egípcia. Assim, Tebas é o nome com o qual conhecemos geralmente a cidade, embora não seja uma denominação muito conveniente, pela possível confusão com a cidade grega homônima.

Tebas deve ter prosperado durante as Dinastias V e VI, quando houve a ampliação das rotas comerciais para além da Primeira Catarata. E livrou-se do pior das desordens que enfraqueceram o poder do Baixo Egito, quando Mênfis, Heliópolis e Heracleópolis lutaram com ferocidade pelo poder.

No ano 2132 a.C., em meados desse século obscuro, chegou ao poder em Tebas uma estirpe de governantes mais capazes, que colocou sob seu controle setores cada vez maiores do Alto Egito. Mâneton inclui-os na Dinastia XI. Durante oito anos lutaram contra os monarcas heracleopolitanos e, finalmente, por volta de 2052 a.C., o quinto faraó da dinastia, Mentuhotep II, completou a conquista.

Uma vez mais, cento e trinta anos depois do falecimento de Pepi II, o Egito encontrava-se sob o controle de um único monarca. Pode-se dizer que foi o início do período do Médio Império. O novo período refletiu-se também na religião, pois o deus tebano Amon era agora tão poderoso (já que sua cidade era a sede da dinastia governante) que os sacerdotes do grande Rá viram-se obrigados a reconhecer o novo deus como um segundo aspecto do seu. Os egípcios começaram a falar de Amon-Rá como o mais importante dos deuses.

Também nessa época Tebas começou a crescer e prosperar, e a se enriquecer de tumbas e monumentos. Conseguiu até sobreviver à sua dinastia. Depois de transcorrido apenas meio século da fundação do Médio Império, a Dinastia XI viveu tempos difíceis. Os últimos Mentuhotep (tanto o IV como o V) contaram com um primeiro-ministro competente chamado Amenemhat, que também era de família tebana, o que é possível inferir pelo fato de o deus Amon (ou Amen) formar parte de seu nome.

Os detalhes não são conhecidos, mas Amenemhat certamente se rebelou, e em 1919 a.C. assumiu o trono como Amenemhat I, primeiro rei da Dinastia XII. Retirou de Tebas a condição de capital, pois a cidade ficava muito ao sul para poder garantir um controle efetivo sobre o turbulento norte, e fixou sua capital em Lisht, por volta de quarenta quilômetros ao sul de Mênfis. Apesar de tudo, o impulso de crescimento da cidade de Tebas não foi freado. Ela voltaria a ser capital séculos mais tarde e continuaria como uma das principais cidades do mundo por mais quinze séculos.

NÚBIA

Um Egito unificado voltava a ferver de atividade. Deu-se continuidade à construção de pirâmides, e tanto Amenemhat I como seu filho foram enterrados em pirâmides erguidas perto de Lisht. Amenemhat I reafirmou o poderio egípcio no Sinai, continuou comerciando com o sul e controlou os nobres. Parecia que todos os males do século obscuro haviam sido superados, mas não se pode superar nada por completo. Os monarcas do Médio Império nunca dispuseram de poder total como os do Antigo Império, e os nobres do Médio Império nunca foram completamente domados.

Mesmo assim, a Dinastia XII, bem como a IV, constituiu uma "idade de ouro", e se suas pirâmides eram menores, sua arte foi mais elaborada. Algumas das joias das tumbas do Médio Império conseguiram escapar da ação dos ladrões e sobreviveram até nossos dias, para que pudéssemos hoje admirar a delicada beleza de seus elaborados detalhes. Nas tumbas eram colocadas miniaturas em madeira pintada, que representavam a vida do defunto em três dimensões; em 1920, foi descoberto um esconderijo intacto desse tipo em uma tumba de Tebas. Em muitos sentidos, o refinamento dessas pequenas obras de arte é mais agradável aos olhos do que a magnificência, às vezes opressiva, dos grandes monumentos.

A produção literária do Médio Império alcançou também alto nível; de fato, mais tarde os egípcios consideraram a época da Dinastia XII como o período clássico de sua literatura. Muito pouco chegou até nossos dias. E só Deus sabe até que ponto aquilo que sobreviveu (por meio dos acidentes da história) pode ser comparado ao que desapareceu.

Pela primeira vez, produziu-se uma literatura de tipo secular (isto é, diferente dos mitos e da literatura religiosa). Ou, pelo menos, foi a primeira vez que obras desse tipo conseguiram sobreviver até a nossa época, proporcionando-nos o exemplo mais antigo desse gênero de literatura.

Essas obras narram emocionantes histórias de aventura com toques de fantasia, como ocorre, por exemplo, no conto do náufrago que encontra uma serpente monstruosa. Há, por exemplo, "O conto dos dois irmãos", que lembra um relato de *As mil e uma noites* e pode ter inspirado algumas partes do relato bíblico de José. Existe também "A história de Sinuhé", que chegou até nós quase intacta e narra a trajetória de um exilado egípcio e sua vida entre as tribos nômades da Síria. Seu interesse reside, sem dúvida, na exótica localidade que descreve e no seu registro de costumes que eram estranhos aos egípcios.

A ciência também avançou nesse período. Pelo menos, descobriu-se um documento, chamado *Papiro Rhind*, que, aparentemente, é uma cópia de um original escrito na Dinastia XII. Tal documento explica como operar com frações, calcular áreas e volumes etc. A matemática egípcia era muito empírica e parece ter consistido de expressões simples de regras aplicadas a casos individuais (como as receitas de um livro de culinária), sem a bela generalização desenvolvida treze séculos mais tarde pelos gregos. Mesmo assim, não estamos capacitados a julgá-la, pois conhecemos apenas o *Papiro Rhind*. Não sabemos o que podia estar contido em outros documentos que se perderam para sempre.

Além desses avanços, conhecemos exemplos do que mais tarde seria chamado de "literatura do senso comum", ou "sapiente", que são coleções de sábios refrões e máximas, voltados a orientar os jovens na vida. O nosso exemplo mais familiar é o livro bíblico dos Provérbios. No entanto, há equivalentes egípcios que são no mínimo mil anos mais antigos. Uma dessas séries é atribuída ao próprio Amenemhat I, e supõe-se que é um conjunto de exortações a seu filho, ensinando-o a ser um bom faraó.[2] Nele, Amenemhat faz algumas amargas observações suscitadas talvez por um atentado contra sua vida por parte de alguns funcionários da corte.[3]

É possível que Amenemhat tenha sido assassinado, mas, se foi assim, isso não acarretou nenhuma mudança na dinastia, já que foi sucedido pelo filho, Senusret I; segundo a lenda, foi a ele que Amenemhat dedicou sua coleção de sábios refrões. O novo monarca, que reinou de 1971 a.C. a 1928 a.C., é mais conhecido como Sesóstris, a versão grega de seu nome.

Sesóstris I dirigiu as energias do Médio Império para o exterior e se converteu no primeiro faraó a realizar importantes conquistas fora do Egito.

---

2. "Age melhor que teus predecessores, mantém a harmonia na relação com teus súditos, para que não sucumbas ao temor."

3. "Tem cuidado com teus subordinados [...], não confies em teu irmão, desconhece o amigo e não prives de intimidade com ninguém."

Um lugar lógico de expansão era o sul, nas terras próximas ao curso do rio Nilo, isto é, águas acima da Primeira Catarata. Os reis egípcios mantinham relações comerciais com essas terras desde os tempos de Snefru, sete séculos antes, mas o comércio sofrera interferências intermitentes de tribos hostis. Snefru efetuara incursões ao sul para proteger o mercado, assim como Pepi II, da Dinastia VI.

Sesóstris acreditou que uma conquista em grande escala do território e um controle egípcio completo dele facilitariam o comércio, e, com isso, aumentariam o bem-estar e a prosperidade do Egito.

A decisão de Sesóstris fez as regiões ao sul do Egito conhecerem seu momento histórico mais brilhante até então (embora, provavelmente, tenha sido uma parca compensação pelo fato de terem sido invadidas). Os egípcios e os escritores bíblicos conheciam essas terras do sul pelo nome de Kush. No entanto, para os gregos, eram conhecidas como Etiópia, termo possivelmente derivado de uma expressão que significava "rosto queimado", referência à coloração escura da pele de seus habitantes (por outro lado, o nome pode ser uma distorção da mesma palavra que originou "Egito").

Mas "Etiópia", embora seja bastante utilizada pelos modernos historiadores do Egito ao se referirem a essa região, é uma palavra um tanto enganosa, pois nos tempos modernos é aplicada a um país muito a sudeste da antiga Etiópia dos gregos. Nos tempos modernos, o trecho do Nilo ao sul da Primeira Catarata fica no Sudão (palavra árabe que significa "negro", e por isso a origem desse nome é a mesma que a de Etiópia). Contudo, o Sudão moderno estende-se por grandes áreas além das antigas regiões sobre as quais estamos discorrendo.

O nome apropriado, portanto, e o único que vou usar é Núbia, que se aplica diretamente à região em questão e a nenhuma outra e não pode ser confundido com qualquer outro termo que se refira, atualmente, a algum país contemporâneo. A palavra deriva de um termo nativo que significa "escravo", o que talvez descreva o destino a que foi submetida a população pelos seus primitivos invasores.

Se Sesóstris I pretendia iniciar uma série de conquistas, precisava de um exército, mas não dispunha de grande coisa. O Egito, graças à sua segurança, não contava com uma tradição militar. O exército do Antigo Império era pequeno e precariamente armado, pouco melhor do que a guarda real ou o equivalente a uma polícia local. Mostrava-se suficiente para manter o controle das mal organizadas e primitivas tribos que ocupavam o Sinai. Além disso, no Médio Império, os exércitos – que haviam aumentado em número e melhorado seu equipamento como resultado das lutas civis durante o século de anarquia – não teriam conseguido enfrentar os exércitos das potências asiáticas do leste, para além dos horizontes egípcios. Mas a Núbia era habitada por povos primitivos, incapazes de rechaçar mesmo exércitos tão pouco impressionantes como os egípcios.

Por isso, Sesóstris I conseguiu, com suas forças, ir além da Primeira Catarata, construir fortes ao longo do Nilo e deixar contingentes de ocupação pelo trajeto até a Segunda Catarata, quilômetros rio acima da Primeira. Os reis posteriores da dinastia penetraram mais para o sul, e com o tempo estabeleceram postos comerciais também na Terceira Catarata, que ficava outros 320 quilômetros adiante.

Sem dúvida, os egípcios orgulhavam-se dessa demonstração de poder à custa de um povo vizinho mal armado e incapaz de rechaçá-los. (Parece que toda nação sempre concede grande valor ao fato de derrotar alguém mais fraco.) Quinze séculos depois, quando Heródoto visitou o Egito, a população local ressentia-se da própria fraqueza e os sacerdotes só podiam refugiar-se em um passado mítico. Exageravam as façanhas dos monarcas conquistadores do passado e queriam dar a entender que estes haviam conquistado a totalidade do mundo conhecido. Qual era o nome que davam a esse mítico conquistador egípcio? Sesóstris.

O LABIRINTO

Sob Amenemhat III, filho e sucessor de Sesóstris I, floresceu o comércio com um país chamado Punte. Não sabemos muito sobre o Punte, exceto que era provavelmente um país litorâneo da metade meridional do mar Vermelho, sendo banhado por ele. Tratava-se, talvez, da região que hoje chamamos de Iêmen, no sul da Arábia, ou da Somália, na costa africana oposta. De qualquer modo, nessa região obtinha-se ouro, que podia ser utilizado para o comércio com as cidades cananeias, ao largo da costa da Síria. O poderio egípcio, baseado em parte em seus mercadores e em parte em seu exército, penetrou pela primeira vez na Síria usando a força. E não seria a última vez.

De resto, as tarefas próprias de tempos de paz tampouco foram descuidadas, e os reis da Dinastia XII interessaram-se pela melhoria do lago Moeris. Sua superfície havia diminuído bastante desde a época em que, vinte e cinco séculos antes, os povoados neolíticos haviam florescido às suas margens, e agora não estava mais conectado ao Nilo. Amenemhat I ordenou que o canal do Nilo fosse alargado, afundado e liberado de lodo. A água voltou a fluir, o lago recuperou sua extensão primitiva e a fertilidade da região foi restaurada.

Os faraós do Médio Império também decidiram utilizar o canal do lago Moeris como um depósito natural para as cheias do Nilo. Bloqueando ou desbloqueando o canal, o lago podia ser utilizado para regular a corrente de água, drenando o Nilo quando seu nível subia demais, e conservando a água quando a cheia era muito baixa. Tendo em conta os trabalhos egípcios nesse campo, não surpreende que Heródoto, ao inspecionar o lugar catorze séculos mais tarde, achasse que o lago era obra humana.

A Dinastia XII alcançou o auge de poder e prosperidade sob Amenemhat III, que governou durante cerca de meio século, de 1842 a.C. a 1797 a.C. Em seu reinado, o poderio egípcio estendeu-se da Terceira Catarata até o interior da Síria, isto é, ao longo de 1.400

quilômetros. A população dessa época, segundo a opinião dos estudiosos, era de cerca de um milhão e meio de habitantes. Em nenhum momento, entretanto, o poder pessoal do maior dos reis do Médio Império alcançou o dos construtores de pirâmides do Antigo Império.

(Talvez tenha sido sob o reinado de Amenemhat III, ou de um de seus imediatos predecessores, que o lendário patriarca Abraão viveu na Palestina. Se dermos crédito às histórias da Bíblia, Abraão viajou livremente através de Canaã e do Egito, o que indica que talvez ambas as regiões estivessem sob o mesmo governo nessa época.)

Amenemhat III expressou o poderio arquitetônico de seu reino ao construir duas pirâmides com cerca de setenta metros de altura. Além delas, ergueu estátuas colossais que o representavam e também um complexo palaciano, rodeado por um único muro, ao longo das margens do lago Moeris. Essas construções serviram, em parte, como tumbas. Mas as demonstrações de força e poderio não haviam sido suficientes para preservar as múmias dos construtores de pirâmides, por isso Amenemhat III usou da astúcia e aumentou a complexidade da construção, confundindo potenciais ladrões de tumbas em vez de mantê-los distantes apenas pela magnificência dos edifícios funerários.

Heródoto ficou impressionado com esse complicado palácio, que considerou uma maravilha superior às pirâmides. Ele nos fala de seus três mil e quinhentos aposentos, metade dos quais ficava acima e a outra metade abaixo do nível do solo (não lhe permitiram acesso aos aposentos subterrâneos, que, naturalmente, eram câmaras funerárias). Heródoto também descreve as múltiplas e intrincadas passagens do edifício.

Os egípcios denominaram tal estrutura com uma palavra que significava "o templo à entrada do lago". Os gregos, por sua vez, converteram essa expressão egípcia em *labyrinthos*, isto é, "labirinto". A palavra hoje denomina qualquer intrincado conjunto de passagens.

O tamanho do labirinto egípcio, bem como sua cuidadosa execução, seus brancos mármores, sua rica ornamentação... tudo isso nos faz lamentar ainda mais que não tenha sobrevivido intacto para admiração da nossa época. Contudo, devemos admitir que nem sempre a engenhosidade dos arquitetos do Médio Império cumpriu sua finalidade. Com o tempo, todas as tumbas foram saqueadas, graças à obstinada criatividade dos ladrões.

Sem dúvida, são bem poucas as pessoas que ouviram falar do labirinto egípcio do Médio Império, mas em contrapartida muitos já ouviram falar do labirinto dos mitos gregos. Esse labirinto mítico está situado em Cnossos, capital da ilha de Creta (por volta de setecentos quilômetros a nordeste do Delta do Nilo). Nele, segundo o mito, vivia o Minotauro, um homem com cabeça de touro, morto pelo herói ateniense Teseu.

No início do século XX comprovou-se que os mitos gregos referentes a Creta tinham uma base real. Existiu, de fato, nessa ilha, uma antiga civilização, quase tão antiga quanto a egípcia, e ao longo de todo o período do Antigo Império houve relações comerciais entre ambas (os egípcios não foram grandes navegantes, mas os ilhéus de Creta sim. Na realidade, Creta instaurou o primeiro império naval da história).

A edificação dos palácios de Cnossos foi iniciada por volta da época do Médio Império Egípcio. Em sua construção deve ter havido forte influência dos relatos sobre o labirinto egípcio, e talvez tenha sido isso que inspirou a imitação cretense. Foi ela que passou a fazer parte dos mitos gregos (não obstante, fica evidente que o labirinto do Minotauro se baseia no importante papel que os touros – como símbolo de fertilidade – desempenhavam nos ritos religiosos cretenses).

A Dinastia XII tampouco esqueceu a origem tebana. Essa cidade meridional foi embelezada, e nela foram construídos templos e outros edifícios, embora de menor grandeza, em comparação às atividades de uma dinastia tebana posterior.

Mas após a morte de Amenemhat III deve ter ocorrido algum evento de impacto. Talvez o trono tenha sido assumido por um governante fraco, o que teria levado a nobreza a entrar numa fase de lutas internas diante dessa oportunidade. Quem sabe a construção do labirinto comprometeu a prosperidade egípcia, assim como as pirâmides haviam feito séculos antes.

Seja qual for a razão, poucos anos após a morte do grande monarca, toda a glória e a prosperidade do Médio Império chegaram ao fim. Elas haviam se estendido por dois séculos e meio, apenas metade da duração do Antigo Império.

Mais uma vez, o reino se dividiu em fragmentos governados por nobres que lutavam entre si, e monarcas obscuros foram assumindo o trono.

Mâneton fala de duas dinastias, a XIII e a XIV, que devem ter governado ao mesmo tempo, e por isso nenhuma das duas pôde reivindicar com propriedade a hegemonia sobre o país inteiro. Na realidade, a obra de unificação de Menés viu-se de novo desbaratada temporariamente, e os dois Egitos se separaram. A Dinastia XIII governou o Alto Egito a partir de Tebas, enquanto a XIV governava o Baixo Egito desde Xois, cidade situada no centro do Delta.

De novo, durante um século, produziu-se uma situação de caos e sobreveio uma segunda Idade das Trevas. Só que dessa vez as dinastias em confronto não tiveram a sorte de lutar sozinhas, até que uma delas alcançasse o controle da nação reunificada. Em vez disso, ocorreu algo sem precedentes na história do Egito civilizado: o país foi invadido por estrangeiros dispostos a se aproveitarem da fragilidade egípcia.

Os egípcios, que já tinham uma civilização de mil e quinhentos anos e um país cuja pirâmide mais antiga tinha mil anos, desprezavam os estrangeiros. O comércio estava estabelecido com eles, mas sempre a partir de uma postura de país mais rico, trocando adornos e artefatos habilmente fabricados por matérias-primas como madeira, especiarias, metal bruto… Quando os exércitos egípcios saíram de suas fronteiras para chegar à Núbia ou à Síria, estabeleceram domínio sobre povos muito menos poderosos e de tecnologia menos avançada. Sem dúvida, os egípcios sentiam tanto orgulho do próprio país quanto os ingleses da Grã-Bretanha nos dias da rainha Vitória, ou os americanos dos Estados Unidos hoje em dia.

Como foi possível, então, que um bando de miseráveis estrangeiros tenha conseguido arrasar o Egito – mesmo se tratando de um país dividido – e dominá-lo sem enfrentar resistência?

OS HICSOS

Os historiadores egípcios posteriores, totalmente envergonhados desse episódio, parecem ter feito o possível para suprimir de seus livros tudo o que se referisse ao período, e o triste resultado é que não sabemos quase nada sobre esse tempo ou sobre os invasores. Na verdade, mal sabemos algo além do nome deles.

No século I d.C., o historiador judeu Flávio Josefo cita Mâneton, que foi quem revelou que os invasores eram chamados de "hicsos". O nome costuma ser traduzido como "reis pastores". A informação que extraímos disso é que eram nômades cuja subsistência dependia do pastoreio de animais como as ovelhas, uma forma de vida que os egípcios civilizados, havia muito tempo ligados à agricultura, consideravam bárbara.

Talvez as coisas tenham ocorrido desse jeito, mas atualmente pensa-se que o verdadeiro sentido do termo é outro, e que a palavra provém do egípcio *hik shasu*, que significa "governantes das montanhas", ou "governantes estrangeiros".

Por outro lado, é certo que os hicsos entraram no Egito pelo nordeste, através da península do Sinai; e que eram asiáticos e fruto do poderio militar relativamente complexo desse continente. No passado, o Egito visitara a Ásia, embora de maneira não muito extensa, e agora a Ásia retribuía essa suposta cortesia.

Até 1720 a.C., o povo da região do Tigre e do Eufrates, militarmente o mais avançado da Ásia, não havia entrado em choque direto com o Egito. Os contatos foram do tipo comercial e cultural, mas não militar. Os 1.500 quilômetros que separavam as duas civilizações fluviais haviam atuado como um isolante efetivo durante o primeiro período de sua história.

Na época arcaica do Egito e nos primeiros séculos do Antigo Império, as cidades do Tigre e do Eufrates permaneceram desunidas. Lutavam entre si sem cessar, edificavam muralhas à sua volta para defender-se e mais tarde desenvolveram a arte da guerra de cerco para derrubar e transpor tais muralhas. Em suma, estavam muito ocupadas entre elas para complicar-se com aventuras no exterior.

No entanto, por volta de 2400 a.C., um governante chamado Sargão, da cidade de Acádia, impôs seu poder sobre toda a região, criando um Império que com o tempo chegou à Síria e ao Mediterrâneo. Nessa época, o Egito era forte e a Dinastia V reinava em paz. Nem Sargão nem seus sucessores se aventuraram a estender suas precárias linhas de comunicação até um ponto em que fosse possível atacar as terras do Nilo.

O Império de Sargão declinou e desapareceu em menos de dois séculos, e quando o Antigo Império se desintegrou no caos, a região do Tigre e do Eufrates já voltara a ser um mero agrupamento de cidades em conflito constante, e o Egito não pôde auferir nenhum tipo de vantagem dessa situação.

Coincidindo com a época em que o Médio Império Egípcio chegava ao auge do seu poder, um grupo de nômades chamados amoritas estabeleceu-se na Mesopotâmia. Adotaram como capital uma cidade (então sem importância) às margens do rio Eufrates, chamada Bab-ilu ("a porta de Deus"). Para os gregos, o nome da cidade se transformou em Babilônia, e é dessa forma que a conhecemos. Babilônia chegou a ser uma grande cidade sob os amoritas e continuou assim quinze séculos mais tarde. Por essa razão, quando se trata de história antiga, costumamos nos referir à região do Tigre e do Eufrates pelo nome de Babilônia.

Por volta de 1800 a.C., o rei babilônio Hamurabi governava um império quase tão extenso quanto o de Sargão. No entanto, nessa época, o Médio Império Egípcio estava em ascensão, e uma vez mais os asiáticos, que viviam então um período de grande poderio, não se atreveram a guerrear com o Egito nem sequer impediram que esse país lançasse seus tentáculos no sul da Síria.

Os ciclos de ascensão e queda de impérios no Egito e na Ásia haviam se sincronizado, e o Egito foi quem se saiu melhor. Contudo, esse período de sorte terminaria em breve.

Em todas as guerras que aconteceram na Ásia, em zonas relativamente amplas, havia se desenvolvido uma importante arma: o cavalo, junto ao carro de guerra. O cavalo fora domesticado em algum lugar das grandes pradarias que se estendem entre a Europa e a Ásia, ao norte dos centros civilizados babilônicos.

Sempre chegavam nômades do norte, mas na maioria das vezes era possível rechaçá-los. Contavam com a vantagem da surpresa, e estavam mais habituados a combater. Os habitantes das cidades eram geralmente pacíficos, mas haviam formado exércitos e construído muralhas. Tinham condições de resistir. Os amoritas penetraram na Babilônia, mas se fixaram primeiro nas pequenas cidades, e só tomaram as grandes depois de estabelecer a civilização babilônica.

No entanto, após o reinado de Hamurabi, os nômades do norte chegaram com uma nova arma: a vanguarda de seu exército era formada, agora, por ágeis carros de duas rodas puxados por cavalos. Sobre o carro iam dois homens em pé, um guiando o cavalo e o outro concentrado em manejar uma lança ou um arco. As armas deles, projetadas para utilização enquanto o carro corria velozmente, eram mais longas, mais robustas e tinham maior alcance que as utilizadas pelos lentos soldados a pé.

Podemos imaginar o efeito produzido por uma massa de cavalaria a galope sobre um grupo de infantes que nunca tinha visto nada semelhante. Os fogosos cavalos, com cascos estrepitosos e crinas esvoaçantes, formavam, sem dúvida, uma imagem aterradora. Nenhum soldado a pé, sem o menor preparo para resistir à cavalaria, poderia fazer frente aos velozes animais sem sentir temor. E se os soldados debandavam e fugiam, como era comum acontecer, os ginetes conseguiam cercá-los num instante, convertendo sua retirada em uma derrota completa.

Na época posterior a Hamurabi, os ginetes nômades conquistaram todos os lugares em que penetraram, desconsiderando os casos em que a cobiçada presa se tornava ágil o bastante para unir-se a eles, adotando também o cavalo e o carro de guerra ou buscando refúgio no interior das cidades muradas.

As cidades da Babilônia conseguiram mantê-los a distância por um tempo, mas uma tribo, conhecida pelos babilônios pelo nome de *kashshi* e pelos gregos como "casitas", avançava sem cessar. Em 1600 a.C., haviam conseguido um domínio sobre a Babilônia que duraria quatro séculos e meio.

A oeste, as cidades sírias, mais desorganizadas, não conseguiram resistir aos ginetes do norte por tanto tempo quanto as cidades babilônicas. Os nômades conquistaram a Síria. Algumas das cidades cananeias foram também tomadas; outras se aliaram a eles.

Uma horda composta por nômades e cananeus desceu então sobre o Egito. Não formavam um só povo ou tribo e não se autodenominavam hicsos. O nome lhes foi posto pelos egípcios, e o fato de serem designados por um único nome não implica que formassem um só povo. Os hicsos tampouco foram a vanguarda de um império conquistador. Foram qualquer coisa menos isso. Tratava-se mais de uma horda diversa de invasores equipados com cavalos e carros (e por certo com arcos e flechas melhores que os dos egípcios).

Os egípcios não dispunham de cavalos. Para o transporte utilizavam asnos, muito mais lentos. Tampouco possuíam carros. Talvez um rei inteligente pudesse ter adotado rapidamente as armas do inimigo, mas nessa época o Egito encontrava-se desmembrado e constituía uma mera junção de principados. A boa sorte dos egípcios havia se esgotado.

Diante da chegada dos ginetes, os infantes egípcios fugiram. O país sucumbiu sem lutar em 1720 a.C., menos de oitenta anos após a morte do grande Amenemhat III.

Mas não foi todo o Egito que sucumbiu. Os hicsos não eram muito numerosos e não se atreveram a se dispersar demais ao longo do Nilo. Desinteressaram-se do distante sul e concentraram-se no rico Delta e nas zonas circundantes. Governaram um império formado pelo Baixo Egito e pela Síria.

Estabeleceram sua capital em Avaris, na margem nordeste do Delta do Nilo, uma zona crucial para um reino que tinha um pé no Delta e outro na Síria. Duas linhagens de reis hicsos governaram o Egito, e Mâneton se refere a elas como as Dinastias XV e XVI (é importante lembrar que os governantes estrangeiros também eram catalogados nas dinastias). Não sabemos praticamente nada dessas dinastias, pois os egípcios de épocas posteriores preferiram ignorá-las, deixando de incluí-las em seus escritos. Quando mencionadas em alguma inscrição, é sempre com extrema hostilidade.

Daí surgiu a crença de que os hicsos eram cruéis e tirânicos e que devastaram o Egito sem piedade. No entanto, parece que não foi bem assim, e que governaram com razoável probidade.

O que na verdade ofendeu os egípcios foi que os hicsos conservaram os próprios costumes asiáticos e não deram nenhuma atenção aos deuses locais. Para os egípcios, que por milhares de anos haviam seguido os próprios costumes, considerando-os a única forma de vida decente, e que não conheciam quase nada dos costumes estrangeiros, era difícil aceitar que outros povos tivessem modos de vida diferentes, e que os prezassem tanto quanto eles prezavam os próprios. Os hicsos eram vistos pelos egípcios como um povo ateu e sacrílego, e, por isso, jamais foram aceitos.

Na realidade, segundo todos os indícios, os reis da segunda dinastia dos hicsos, a XVI, acabaram ajustando-se aos modos egípcios. Não devem ter feito essa integração com profundidade suficiente para ganhar os corações dos egípcios, que se mantiveram, então, afastados dos asiáticos. Talvez isso tenha sido um importante fator no enfraquecimento do domínio dos hicsos.

É provável que muitos imigrantes asiáticos provenientes do sul da Síria (Canaã) tenham entrado no Egito durante o período de hegemonia dos hicsos. Se fosse sob um governo nativo, uma imigração desse tipo teria despertado grandes receios e não se teria permitido a entrada dos imigrantes no país. Mas os reis hicsos devem ter acolhido esses imigrantes como compatriotas asiáticos, com os quais poderiam contar para suas intenções de manter os nativos egípcios dominados.

Na realidade, a história bíblica de José e seus irmãos talvez reflita esse período da história egípcia. O benévolo monarca egípcio que converteu José em seu primeiro-ministro, que deu boas-vindas a Jacó e destinou aos hebreus um lugar em Goshen (no Delta, a leste de Avaris) jamais poderia ter sido um egípcio nativo. Foi, sem dúvida, um rei hicso.

O historiador Flávio Josefo, que tentou demonstrar a grandeza passada da nação hebreia, atribuiu ao seu povo uma história de conquistas, sustentando que os hicsos eram os hebreus e que conquistaram o Egito nesse período. Essa afirmação, no entanto, não é corroborada pelos fatos.

5. O RESSURGIMENTO DO IMPÉRIO

DE NOVO TEBAS

Na época em que os hicsos dominavam o norte, Tebas era governada pelos sacerdotes de Amon com os recursos do glorioso Médio Império. Eles foram, aos poucos, consolidando o poder, habituaram-se a não ter uma autoridade superior à qual precisassem prestar contas – pelo menos não no Alto Egito – e começaram a fazer planos para aumentar o poder que já tinham.

Por volta de 1645 a.C., setenta e cinco anos após a chegada dos hicsos, os governantes de Tebas reclamaram o título de reis e, na realidade, consideravam-se os legítimos monarcas de todo o Egito. Desta forma, iniciou-se uma linhagem de governantes que Mâneton registrou como Dinastia XVII, e que coexistiu com a Dinastia XVI dos hicsos.

A condição dos "reis" tebanos não conseguiu ser especialmente grandiosa no início. O opulento norte era governado por invasores. As fortalezas núbias haviam sido incendiadas e destruídas. Os reis possuíam apenas a própria cidade e um estreito trecho do Nilo, 150 quilômetros ao norte e outros 150 ao sul. Mesmo assim, souberam defender bem suas posições.

Dois fatores operaram em seu favor. Quando um povo guerreiro, habituado a viver de modo simples e rústico, conquista e ocupa uma região civilizada, adapta-se logo ao conforto e ao luxo e fica cada vez menos inclinado a complicar sua vida com as dificuldades e penalizações da atividade militar. Em resumo, deixa de ser guerreiro. (Os historiadores tendem a considerar essa perda do gosto pela guerra como sinal de "decadência", como se fosse algo desprezível não ser um brutamontes e não querer mais participar de assassinatos coletivos. Ao contrário, talvez devêssemos pensar que ao deixar de experimentar prazer na guerra é que se começa a ser civilizado e decente.)

Seja como for, os hicsos se sedentarizaram e se "suavizaram". Os governantes deles converteram-se em egípcios no que se refere à cultura e aos costumes, e deixaram de ser os guerreiros tão formidáveis que haviam sido.

O segundo fator é que as "armas secretas" perderam essa condição a partir do momento em que foram utilizadas. Assim, os egípcios do sul aprenderam também a empregar cavalos e carros de guerra e tornaram-se capazes de enfrentar os hicsos quase em igualdade de condições.

Os monarcas da Dinastia XVII lutaram contra os hicsos e fizeram progressos, estendendo seu poder para o norte e tomando as terras dominadas pelos invasores. Na época de Camósis, o último rei da dinastia, os hicsos possuíam apenas os territórios ao redor da própria capital.

Nem Camósis nem a Dinastia XVII duraram o bastante para presenciar a vitória final. Não sabemos ao certo o que ocorreu. É provável que Camósis tenha morrido sem deixar filhos para sucedê-lo, e supõe-se que o poder tenha sido assumido por alguém de fora, mas temos razões para achar que foi um irmão que subiu ao trono; nesse caso, não haveria motivo suficiente para iniciar uma nova dinastia. De todo modo, não sabemos quais foram os critérios que Mâneton adotou para classificá-las. Pode ter achado que o Egito ganhava novo impulso com a expulsão final dos hicsos e, portanto, merecia uma nova dinastia, independentemente das definições baseadas em relações familiares.

A Dinastia XVIII (tebana como a XVII) estava destinada a ser a mais importante da história egípcia. Chegou ao poder em 1570 a.C., e seu primeiro representante foi Ahmés (Amósis, em grego), que completou a obra de seu predecessor, Camósis, que talvez fosse também seu irmão.

Na última batalha no Delta, Ahmés derrotou Apófis III, o último dos reis hicsos, e expulsou-o do Egito. Em seguida, perseguiu os hicsos que fugiam para a Palestina e derrotou-os de novo.

Portanto, os hicsos, que haviam entrado de uma hora para outra nas páginas da história e governado um rico império durante um século e meio, saíram dessas páginas também repentinamente, desaparecendo de maneira tão silenciosa e misteriosa quanto haviam entrado. Mas isso é apenas ilusório, pois o que apareceu e desapareceu foi só o nome – e não o povo. Os hicsos constituíam uma aliança difusa de tribos semíticas, formada por populações da Síria e de regiões vizinhas, para onde agora voltavam. Deixaram de existir como hicsos, mas continuaram existindo como tribos semíticas – cananeus, fenícios, amoritas –, e por um longo tempo disputaram com o Egito as margens orientais do Mediterrâneo.

Depois de resolver as coisas com os hicsos, Ahmés dedicou-se a restabelecer o poder egípcio no norte da Núbia e a impor-se sobre a nobreza com mão firme. O período dos hicsos pelo menos ensinou aos egípcios uma lição, e a turbulenta nobreza dobrou-se perante o trono. O mundo tornara-se perigoso demais para que eles se envolvessem em jogos de ambição. Assim, a situação egípcia voltou a ser muito similar à que era sob a grande Dinastia IV, e por isso o governo de Ahmés marca o início de um novo período de poder, após um lapso de dois séculos. A parte da história egípcia que vem a seguir costuma ser designada como Novo Império.

Sem dúvida, alguns dos asiáticos que entraram no Egito durante a dominação dos hicsos permaneceram depois que os egípcios reassumiram o poder. Os egípcios dificilmente veriam esses asiáticos com bons olhos, pois sentiam ter sido tiranizados por eles durante cinco gerações. O normal, pelos costumes da época, era que escravizassem aqueles odiados e antes temidos estrangeiros que ainda restavam, agora derrotados.

Poderia haver até uma justificativa lógica, pois, se acaso os asiáticos tentassem invadir de novo o Egito, os que tivessem ficado em território egípcio poderiam servir como "quinta coluna". Assim, por razões de segurança, precisariam ser despojados de todo poder. Talvez tenha sido isso que deu lugar às posteriores lendas israelitas sobre seu período de escravidão no Egito, após a ascensão do faraó que "não conheceu José".

Mas o Novo Império diferia dos Impérios Antigo e Médio em um aspecto importante. Os egípcios haviam aprendido que não estavam sós no mundo, que não constituíam a única potência civilizada, rodeada de seres inferiores. Havia outras potências militares, que eram perigosas. O Egito, portanto, precisava esmagá-las se não quisesse ser esmagado por elas.

E agora o Egito tinha também carros de guerra, e contava igualmente com uma tradição vitoriosa sobre um inimigo poderoso. Os reis que vieram a seguir mostraram-se orgulhosos de conduzir seus exércitos à conquista fora das fronteiras egípcias. O rei já não era apenas sacerdote e deus; era também um grande general. De algum modo, isso enaltecia ainda mais o monarca aos olhos do povo e o tornava símbolo de um poder maior e mais efetivo. Como deus, sua obtenção de boas colheitas era silenciosa, pouco espetacular; como general, porém, os troféus, despojos e prisioneiros que trazia constituíam um testemunho palpável de façanhas que serviam para enriquecer não só a ele próprio, mas também aos seus soldados e povo.

No Novo Império, o rei egípcio ganharia um novo título. Todo povo reluta em se dirigir ao monarca de maneira direta. Ele parece ter uma posição relevante demais para que seu brilho seja maculado pelo trato com gente comum. Nos tempos modernos, ao nos dirigirmos a um rei, costumamos dizer "Vossa Majestade" ou "Sua Majestade" em vez de "senhor" e "ele". Mesmo na democrática América, dificilmente nos atreveríamos a usar uma fórmula comum de tratamento com um presidente; ele é chamado de "Senhor Presidente". E com frequência dizemos "a Casa Branca opina que…", quando na realidade isso significa que é o presidente que está opinando.

De forma similar, os egípcios costumavam referir-se ao rei pelo seu lugar de residência, seu enorme palácio, que chamavam de *per-o* ("a grande casa"). A versão que fizemos desse nome é "faraó".

A rigor, esse título não deveria ser aplicado aos reis anteriores à Dinastia XVIII, mas costumamos fazer isso por influência da Bíblia. Os primeiros livros da Bíblia são baseados em lendas que foram transcritas após o término do Novo Império. O título de "faraó" utilizado nesse período tem sido aplicado, de maneira anacrônica, a reis anteriores, especificamente aos da Dinastia XII, com quem Abraão tratou, e ao rei dos hicsos, a quem José serviu.

A EXPANSÃO

Amenhotep I, filho e sucessor de Ahmés I, assumiu o trono em 1545 a.C. (Alguns egiptólogos preferem o nome Amenófis, pois embora não costume haver desacordo quanto ao sentido das palavras egípcias, é frequente haver discrepância em relação à pronúncia delas.)

Sob Amenhotep I ficou evidente o novo caráter do Egito. Seus exércitos penetraram fundo na Núbia e o poderio egípcio foi estabelecido em zonas remotas que jamais haviam sido alcançadas nos dias de Amenemhat III, três séculos antes. Amenhotep consolidou as posições egípcias para lá do Sinai e, além disso, avançou até o oeste do Nilo.

A oeste do Egito fica o deserto do Saara, mas, na época do Médio Império, a região não era tão árida, nem tão despovoada como é hoje. As áreas do litoral continuavam sendo férteis o suficiente para manter uma população de porte considerável. Havia vinhedos, oliveiras e gado em quantidade nas zonas que agora são secas demais para que cresça algo além de mato e para que possam viver mais do que algumas cabras. Naqueles dias, havia até oásis interiores, em volta dos quais as pessoas podiam se agrupar; esses oásis eram mais extensos que qualquer um dos existentes hoje.

Séculos mais tarde, os gregos colonizaram parte da costa africana mediterrânea a oeste do Egito. Com base na denominação que determinada tribo nativa se atribuiu, os gregos cunharam a palavra "Líbia", aplicando-a a todo o norte da África a oeste do Egito. Consequentemente, em nossos livros de história, os habitantes dos oásis e da costa ocidental do Egito são chamados de "líbios". (A região ainda hoje é conhecida por esse nome, e desde 1951 faz parte da República Independente da Líbia.)

Os líbios, apesar de terem raça e língua semelhantes às dos egípcios, eram comparativamente muito atrasados em termos culturais. A produção agrícola garantida pelos periódicos transbordamentos do Nilo proporcionara ao Egito um bem-estar suficiente para que florescesse uma civilização. Nada disso podia ocorrer na muito marginal economia líbia, em que os pastores se organizavam em tribos dispersas e a civilização existente era, em suma, um pálido reflexo daquela do Nilo.

Para os líbios era rentável organizar incursões ocasionais contra as pacíficas comunidades agrícolas do Nilo. Quando essas comunidades eram tomadas de surpresa, eles obtinham abundantes frutos da rapina, e as expedições punitivas enviadas ao deserto pelos encolerizados egípcios eram esquivadas facilmente por homens que, afinal, conheciam cada palmo daquele terreno.

Tais incursões aumentavam em número e efetividade nas épocas em que o Egito estava desunido e ocupado com guerras internas, pois os egípcios não tinham como manter um sistema efetivo de postos avançados para vigiar os intrusos líbios. No período dos hicsos, quando o Egito atravessava o momento de maior confusão de sua história, as incursões Líbias mostraram-se muito mais contundentes.

Amenhotep I viu que o freio mais efetivo para evitar os líbios seria um avanço sistemático para oeste. Os oásis a oeste do Nilo e os pontos mais próximos da costa precisavam estar permanentemente ocupados por contingentes do exército egípcio. Se, apesar de tudo, as incursões líbias continuassem, teria de ser a partir de lugares mais afastados a ocidente, obrigando-os a percorrer maior distância para alcançar a presa e também para voltar. Além disso, teriam de atravessar um perigoso corredor egípcio. Ou seja, precisariam superar riscos muito elevados para que esses intentos fossem rentáveis.

Amenhotep I levou adiante o plano com tanto êxito que o Novo Império estendeu o poderio egípcio em todas as direções e sobre regiões muito mais extensas que as controladas pelo Antigo Império e pelo Médio. O Egito estabeleceu seu domínio sobre os núbios ao sul, os líbios a oeste e os cananeus a noroeste. Por isso faz sentido referir-se ao Novo Império como o período do "Império Egípcio".

O sucessor de Amenhotep I não foi seu filho, e ao que parece tampouco pertencia à família real. É provável que não se tratasse de um usurpador, pois Mâneton não o faz iniciar uma nova dinastia, e vincula o novo rei, assim como seus sucessores, à Dinastia XVIII. Talvez Amenhotep não tenha deixado filhos, sendo sucedido por um genro, cujo status legal e pertinência à dinastia teriam sido determinados graças à esposa.

Seja como for, seu sucessor foi Tutmósis I, nome que com frequência aparece como Tutemés. Ao assumir o poder em 1525 a.C., Tutmósis I deu vigoroso impulso à política de Amenhotep. Penetrou mais ao sul, alcançando a Quarta Catarata, e com isso o Egito sob seu governo passou a dominar por volta de 1.900 quilômetros do Nilo, um trecho enorme para os padrões da época.

Mas as maiores façanhas do novo faraó tiveram lugar a noroeste, onde a costa mais oriental do grande mar Mediterrâneo passou a fazer parte da esfera de poder egípcio durante três séculos.

Os cananeus, habitantes das terras que os gregos tornariam conhecidas como Síria, haviam criado uma civilização importante. Jericó, ao norte do mar Morto, era uma das cidades mais antigas do mundo, pois sua origem como comunidade agrícola remonta a 7000 a.C., época na qual nem o Nilo nem a Mesopotâmia sabiam o que era civilização. As cidades cananeias, porém, não contavam com vias fluviais adequadas que as conectassem, e nunca estiveram efetivamente unidas. Continuaram sendo cidades-Estado separadas, até o fim de sua história. Por isso, nunca puderam competir com os impérios unificados do Egito e da Babilônia. Exceto nos casos pouco frequentes em que tanto o Egito como a Babilônia ficaram enfraquecidos ao mesmo tempo, não foram capazes de preservar a própria independência por longos períodos, muito menos erigir um império próprio.

Os exércitos egípcios já haviam estado na Síria antes. Amenemhat III, no apogeu do Médio Império, conquistara uma cidade que alguns têm identificado com Siquém, a 160 quilômetros ao norte das fronteiras da península do Sinai. Ahmés I penetrara na Síria perseguindo os hicsos, e Amenhotep I vencera importantes batalhas naquele território.

Tutmósis I decidiu ir mais longe. Penetrou com um grande exército na Síria e avançou para o norte até chegar a Karkemish, no alto Eufrates, a 650 quilômetros ao norte da península do Sinai. Ali erigiu um pilar de pedra para atestar sua presença.

Os soldados egípcios, filhos da ensolarada terra do Nilo, ficaram fascinados com a chuva: "um Nilo que cai do céu". Assombraram-se também com a direção da corrente do Eufrates: o Nilo corria para o norte, e por isso "rio abaixo" significava para eles "fluir para o norte"; aqui, entretanto, encontraram o Eufrates, um rio que, "fluindo para o norte, fluía para o sul".

Sob o Novo Império, passou a vigorar um novo estilo de arquitetura grandiosa. Não eram mais as pirâmides dos Impérios Antigo e Médio (na realidade, não foi edificada nenhuma pirâmide nesse período). Ao contrário, os faraós dirigiram seus esforços para pilares gigantescos e estátuas colossais.

A ornamentação alcançou seu máximo desenvolvimento em Tebas, capital dos faraós da Dinastia XVIII. Nessa época, a tendência não foi avançar para o Delta ou para o lago Moeris, como ocorrera nas dinastias tebanas XI e XII. Talvez o Baixo Egito tivesse perdido prestígio por ter ficado sob o domínio dos hicsos, enquanto Tebas permanecera livre para, finalmente, constituir a vanguarda da libertação. Além disso, o extenso território núbio, agora sob domínio egípcio, tornou a localização de Tebas mais central em comparação à que tivera nos séculos anteriores.

Tutmósis I e seus sucessores edificaram enormes templos em Tebas. Cada faraó tentava eclipsar seu predecessor aumentando a quantidade de pedra e a complexidade da ornamentação. Tutmósis I ampliou o templo de Amon no bairro norte de Tebas, onde se ergue a moderna cidade de Karnak. No sul de Tebas, ocupado hoje pela cidade de Luxor, seria edificado, com o tempo, outro enorme e magnífico templo.

Tebas ficava na margem oriental do Nilo. Na margem ocidental havia um grande cemitério real. Ainda era preciso esconder o cadáver do rei para poder preservar os tesouros enterrados com ele. Os métodos previamente utilizados para isso haviam falhado, e Tutmósis I tentou fazer algo diferente: em vez de edificar uma pirâmide em forma de montanha e situar a tumba no meio dela, passou a usar formações naturais de rocha. Escavavam-se profundos poços no solo de uma grande rocha e projetavam-se corredores em forma de labirinto para desnortear eventuais ladrões de sepulcros; as tumbas, com seus tesouros, foram colocadas em câmaras, protegidas, à medida do possível, por todo tipo de falsas pistas e de corredores sem saída. Uma das tumbas chegou a ser disposta a noventa metros de profundidade, e o acesso a ela era feito por tortuosas passagens de duzentos metros de extensão.

Tutmósis I foi o primeiro a ser enterrado nas rochas, mas depois dele cerca de sessenta faraós o imitaram. No fim, a colina converteu-se em uma cidade dos mortos.

Tudo isso, porém, não adiantou de nada. Os tortuosos túneis, as engenhosas pistas falsas, as entradas ocultas, os poderosos feitiços... tudo falhou. Todas as tumbas, exceto uma, foram saqueadas poucas décadas após a inumação. A única que permaneceu intacta até data recente foi poupada por mera casualidade, porque os escombros de uma tumba posterior ocultaram sua entrada, e durante trinta e cinco séculos ninguém pensou em olhar o que haveria embaixo.

A partir do reinado de Tutmósis I, e por vários séculos, Tebas se converteu na maior e mais suntuosa cidade do mundo, maravilhando todos que a contemplavam. Não se deve desvalorizar esse embelezamento como mera ostentação (embora esse seja um aspecto importante); uma capital tão incrivelmente refinada, além de encher o povo de orgulho e de um sentimento de poder, também desencorajava possíveis inimigos, pois levava-os a julgar o poder com base na magnificência. Cidades de beleza estonteante transmitem uma "imagem" de importância e têm um papel na guerra psicológica. Foi por essa razão que, na época moderna, Napoleão III embelezou Paris, e durante muitos anos as potências ocidentais promoveram deliberadamente – e, sem dúvida, com notável êxito – a prosperidade de Berlim Ocidental, a fim de minar a moral da Alemanha Oriental.

A GRANDE RAINHA

Tutmósis I foi sucedido por um monarca ainda mais notável. Não foi Tutmósis II, seu filho e sucessor imediato, quem governou junto com o pai até o fim do reinado deste e em nome próprio durante tempo muito breve, se é que chegou a fazê-lo. O verdadeiro sucessor foi uma mulher, filha de Tutmósis I e esposa de Tutmósis II.

Era bastante comum os príncipes egípcios casarem-se com as irmãs, costume que hoje nos parece bizarro. Podemos atribuir isso a todo tipo de razões. Talvez a herança da terra fosse originalmente transmitida pela linhagem das filhas, procedimento antigo, proveniente de um período primitivo anterior ao estabelecimento da ideia da paternidade, ou até de uma época na qual as mulheres controlavam os trabalhos agrícolas (enquanto os homens se dedicavam à caça) e por isso eram consideradas proprietárias da terra. Os antiquados e ultraconservadores egípcios talvez tivessem perseverado nessa antiga ideia e achado que o filho do rei nunca seria de fato rei enquanto não se casasse com a filha do monarca, que seria a autêntica herdeira.

Pode ser também que os príncipes egípcios achassem necessário casarem-se apenas com suas iguais – atitude presunçosa que costuma ocorrer nas casas reais. Tal atitude com certeza era comum entre a realeza europeia, e manteve-se, em parte, até nossos dias. Os casamentos reais europeus costumavam ser realizados entre primos-irmãos, ou entre tios e sobrinhas. O dogma da Igreja não permitia essas alianças às pessoas comuns, mas o escasso número de indivíduos de sangue real tornava isso, neste caso, necessário; por isso a Igreja concedia dispensas especiais.

No entanto, a casa real egípcia não contou com outra de igual status em todos os seus dias de glória. Por isso, a presunção acabou levando ao casamento entre irmão e irmã, ou meia-irmã, quando o pai tinha mais de uma esposa, algo bastante frequente.

Tutmósis II havia se casado com sua meia-irmã Hatshepsut. Quando Tutmósis morreu, em 1490 a.C., era o seu jovem filho, nascido de uma concubina (e não de Hatshepsut), que deveria, em tese, ser o novo faraó, com o nome de Tutmósis III. Entretanto, ele era jovem demais para reinar, e Hatshepsut, sua tia e madrasta, atuou como regente.

Hatshepsut foi uma mulher enérgica e logo assumiu os plenos poderes de um faraó. Nos monumentos que construiu, representa a si mesma com vestes masculinas e aparência de homem – omitindo os seios e acrescentando uma barba postiça. Foi a primeira mulher importante, cujo nome conhecemos na história, que chegou a governar.

Claro que uma barba falsa não podia resolver tudo. Hatshepsut não era capaz de comandar adequadamente um exército, nem poderia esperar que os generais (e, talvez, menos ainda os soldados) obedecessem a uma mulher. Ou, quem sabe, nem teve desejo de que lhe obedecessem. O fato é que seu reinado representa um intervalo de paz na belicosa história da dinastia, e Hatshepsut dedicou-se a enriquecer o país por meio da indústria, e não do saque. Interessou-se, por exemplo, pelas minas do Sinai, e procurou expandir o comércio egípcio.

Edificou um belo templo do outro lado do rio, em frente a Tebas, e pintou com esmero sobre seus muros cenas de uma expedição comercial ao Punte, que ela havia patrocinado. Os produtos importados estão representados de maneira meticulosa, e há também uma pantera e alguns macacos (será que desejava tê-los como bichos de estimação ou dispunha talvez de um zoológico real?). As cenas também mostram a grande rainha supervisionando o transporte de dois obeliscos que saíam das pedreiras próximas à Primeira Catarata.

Os obeliscos eram estruturas originalmente erigidas em homenagem a Rá, o deus Sol; altos, estreitos, compostos por pilares de pedra um pouco afunilados, eram posicionados na vertical e coroados por um remate em forma de pirâmide, originalmente recoberto por um metal brilhante para capturar os raios do sagrado Sol. (Cabe especular se não foram também utilizados para projetar uma sombra que servisse como relógio de Sol.)

O nome "obelisco" provém de uma palavra grega que significa "agulha", e foi o termo utilizado pelos posteriores turistas gregos, em certo tom humorístico.

Ergueram-se obeliscos pela primeira vez no Antigo Império, mas nessa época não eram muito altos. Lavrados a partir de um único bloco de granito vermelho, eram peças incrivelmente difíceis de manejar, ainda mais quando o comprimento aumentou. Quer tenham sido utilizados nos primeiros tempos como relógios de Sol ou como monumentos funerários, obeliscos que superavam os três metros de altura já eram considerados altos o suficiente.

No entanto, durante o Médio Império, quando as pirâmides passaram a ser menores, foi possível dedicar mais atenção a esses monumentos. Eles foram, então, posicionados diante dos templos, um de cada lado da porta principal, e após um tempo quase todos os templos tinham vários deles, imponentes, à sua entrada. Heliópolis foi particularmente rica nesse tipo de construção. Os obeliscos ficavam dispostos em fileiras, com as faces recobertas de hieróglifos, trazendo o nome e título do faraó sob cujo reinado haviam sido erigidos, além de todos os vaidosos autoelogios que o soberano desejasse incluir. Um dos obeliscos do Médio Império tinha mais de 20 metros de altura.

No Novo Império, quando a construção de novas pirâmides desapareceu de vez, erigir enormes obeliscos virou quase mania. Tutmósis I construiu um com mais de 24 metros de altura, e Hatshepsut erigiu dois que superavam os 29 metros. O obelisco mais alto que sobreviveu até nossos dias ergue-se a pouco mais de 32 metros, e está agora em Roma. Outro obelisco, com 29 metros de altura, erigido no reinado de Hatshepsut, foi transportado ao Central Park de Nova York em 1881; ali é conhecido popularmente como "a Agulha de Cleópatra", a mais famosa rainha do Egito, que, no entanto, só reinaria cerca de mil e quinhentos anos depois que se ergueu esse obelisco. Há outra "Agulha de Cleópatra" em Londres.

Restam, hoje, no Egito apenas três de todos os obeliscos construídos: um em Heliópolis e dois na antiga localização de Tebas. Desses dois últimos, um é da época de Tutmósis I e o outro, dos tempos de Hatshepsut.

Os obeliscos constituem um interessante quebra-cabeça para os estudiosos modernos. São extremamente pesados (o maior deles pesa 450 toneladas). Como foi possível colocar na vertical uma peça única de pedra com esse peso, sem que sua quebradiça estrutura se rompesse, ainda mais com as limitadas ferramentas dos antigos egípcios? Diversos métodos podem ter sido usados para isso, mas os egiptólogos não estão de acordo quanto aos detalhes. (Temos o mesmo problema em relação aos primitivos bretões, com suas imensas rochas planas do Stonehenge, que, aliás, são mais ou menos da mesma época em que Hatshepsut ocupou o trono do Egito.)

As pirâmides egípcias não foram imitadas e muito menos superadas por culturas posteriores, mas os obeliscos sim. O mais conhecido dos obeliscos modernos é o do Monumento de Washington, concluído em 1884, em homenagem a George Washington. Como seria de se esperar, considerando os avanços da tecnologia e da energia desde a época da Dinastia XVIII, o Monumento de Washington é maior do que qualquer um dos construídos pelos egípcios. Tem mais de 169 metros de altura e sua base quadrada mede 17 metros de lado (na realidade, 555 pés e 55 pés e meio, respectivamente, e todos esses "cincos" não são mera coincidência).

No entanto, devemos admitir que, no nosso caso, lançamos mão de um truque: o Monumento de Washington não foi construído a partir de uma única e imensa rocha, mas de alvenaria comum, e nunca nos impusemos a tarefa de erigir uma peça longa e frágil de pedra como os egípcios arriscaram fazer.

NO AUGE

A rainha Hatshepsut morreu em 1469 a.C. Naquela época, Tutmósis III tinha por volta de 25 anos e ansiava pela oportunidade de demonstrar suas qualidades. Ao considerarmos tudo o que logo iria realizar, é difícil compreender como concordara em ficar tão absolutamente submetido ao domínio de sua despótica tia e madrasta enquanto ela viveu. Podemos fazer ideia do tipo de mulher que Hatshepsut deve ter sido ao vermos que foi capaz de dominar o tipo de homem que Tutmósis III demonstrou ser quando se viu livre dela.

Não restam dúvidas a respeito do amargo ressentimento do novo faraó e da longa opressão a que foi submetido por ela, já que retribuiu com a mesma moeda, profanando de modo sistemático os monumentos deixados por Hatshepsut. O nome dela foi apagado de todos os lugares em que era possível fazê-lo, e o faraó substituiu-o pelo próprio nome, ou colocou o de um dos primeiros Tutmósis. Foi ao extremo de deixar a tumba dela inconclusa, o maior ato de vingança que poderia ser realizado segundo a mentalidade egípcia.

Além disso, determinou-se a ser brilhante em uma área de que Hatshepsut havia descuidado: a militar. Não foi por mera questão de vaidade, mas de necessidade. A situação da Síria havia se deteriorado muito desde os grandes dias de seu avô Tutmósis I. E uma nova potência surgira.

Dois séculos antes, um povo não semita, os hurritas, havia chegado do norte. Talvez tivesse sido a pressão feita por eles que empurrara as tribos semíticas da Síria para o sul, para o Egito, instaurando assim o período da dominação dos hicsos. Sem dúvida, havia entre estes alguns contingentes hurritas.

Os hurritas, porém, se assentaram principalmente ao norte do alto Eufrates, onde consolidaram, aos poucos, um forte reino conhecido como Mitani, ao longo dos trechos superiores dos rios Tigre e Eufrates. Sua esfera de influência chegou quase aos enclaves sírios do Império Egípcio, o que representou um novo e grande perigo para o domínio egípcio da região.

Um faraó forte talvez tivesse avançado para o norte em uma espécie de guerra preventiva para evitar que isso acontecesse, mas a política pacifista de Hatshepsut, por benéfica que fosse para o próprio Egito, estimulou potenciais distúrbios nas diversas fronteiras do Império.

Quando Tutmósis III assumiu o trono, os príncipes cananeus da Síria acharam que era hora de acabar com o domínio egípcio. A história anterior do novo faraó, que o apresentava como um títere dominado por uma mulher, deu-lhes todas as razões para imaginá-lo como um incompetente para a guerra. Além disso, por trás deles, incentivando-os com dinheiro e promessas de ajuda militar, encontrava-se o novo e brilhante reino de Mitani, fortalecido por recentes conquistas.

Mas Tutmósis III reagiu imediatamente e com violência. Marchou para o interior da Síria e enfrentou a coalizão armada das cidades cananeias em Megido, o Armagedom bíblico, localizado por volta de oitenta quilômetros de uma cidade que ficaria famosa no mundo inteiro: Jerusalém. Nesse lugar, Tutmósis obteve uma grande vitória, e a seguir iniciou um sistemático e infatigável esforço para concluir o trabalho de uma vez por todas.

A cidade de Cades, a uns duzentos quilômetros ao norte de Megido, era o coração e o espírito da coalizão, e combatia encarniçadamente. Embora tenha lhe custado seis campanhas, enfim Tutmósis III alcançou e tomou Cades em 1457 a.C.

Depois de Cades, havia ainda a forte ameaça do próprio reino de Mitani. Tutmósis III efetuou onze campanhas a mais, avançou até o Eufrates, tal como havia feito Tutmósis I (mas enfrentando uma oposição muito maior), atravessou o rio, algo que seu avô não conseguira fazer, e invadiu Mitani. Vitorioso como sempre, submeteu Mitani ao seu tributo.

Este foi o ponto mais alto do prestígio militar egípcio, e por isso Tutmósis é, às vezes, chamado de "Tutmósis, o Grande", ou mesmo de "Napoleão do Egito". Se tudo se resumisse à habilidade militar, Tutmósis poderia ser considerado apenas um general competente. Sua administração nacional foi firme e eficiente, e a prosperidade do Egito aumentou na mesma medida que o poderio militar. Por isso, Tutmósis III pode ser considerado o maior faraó de todos.

Tutmósis morreu em 1436 a.C., depois de reinar por trinta e três anos. O impulso que conseguiu dar ao Egito permitiu que o país mantivesse esse magnífico auge durante três quartos de século, e que sua população chegasse possivelmente a cinco milhões de pessoas.

Amenhotep II, Tutmósis IV e Amenhotep III foram, respectivamente, o filho, o neto e o bisneto de Tutmósis, o Grande, e salvaguardaram com sucesso a herança do grande faraó. Não fizeram tentativas de estender o Império e talvez não fosse prudente tentá-lo, já que o Egito dessa época muito provavelmente já se estendia até o ponto máximo em que poderia fazê-lo sem correr riscos. As linhas de comunicação não teriam resistido a uma expansão adicional.

Para manter essa estabilidade, Tutmósis IV procurou estabelecer uma deliberada política de paz com Mitani, abandonando o exclusivismo egípcio, a ponto de casar-se com uma princesa de Mitani. Concluiu também o último obelisco planejado por Tutmósis III, o monstro que se encontra hoje em Roma.

Sob o governo de Amenhotep III, filho da rainha de Mitani e de Tutmósis IV, a prosperidade egípcia alcançou seu nível mais elevado. Amenhotep III, que assumiu o trono em 1397 a.C. e reinou por trinta e sete anos, preferiu o luxo interno à luta no exterior, o que também beneficiou o Egito. Seus predecessores haviam embelezado Tebas continuamente e ampliado o templo de Amon. Amenhotep deu sequência a esse trabalho, utilizando, para isso, o dinheiro dos tributos que chegavam de todos os cantos do Império.

Ao que parece, era muito apaixonado por sua rainha Tiye, originária também de Mitani, acrescentando o nome dela às inscrições monumentais e construindo para a rainha um lago de lazer de 1.600 metros de comprimento, na margem ocidental do Nilo.

Após a morte do faraó, foi edificado um esplêndido templo em sua homenagem, com a entrada flanqueada por duas grandes estátuas com sua imagem. A situada mais ao norte tinha a propriedade de emitir uma nota aguda logo após o amanhecer. Devia ter algum dispositivo embutido, colocado ali pelos sacerdotes de Amon para impressionar os incautos. Com toda certeza, os devotos se impressionavam com isso, assim como os posteriores viajantes gregos.

Fica evidente que os gregos logo souberam de alguns rumores sobre essas assombrosas estátuas, que parecem ter inspirado um de seus mitos. Entre as lendas gregas sobre a guerra de Troia (que teria acontecido um século e meio após a época de Amenhotep III), há uma sobre um rei da Etiópia. Esse nome pode muito bem ter sido utilizado para se referir a Tebas e aos distantes trechos meridionais do Nilo, que naquela época estavam sob domínio egípcio. O rei dessa lenda, chamado Mêmnon, lutou em favor dos troianos e seria filho de Eos, deusa do amanhecer. Foi morto por Aquiles, e segundo a lenda, o som da estátua norte de Amenhotep III é a voz do próprio Mêmnon, que "canta" para chamar sua mãe todas as manhãs.

6.
A QUEDA DO IMPÉRIO

O REFORMADOR RELIGIOSO

A glória do Egito foi desafiada pela rainha Tiye, esposa de Amenhotep III e mãe do novo faraó, Amenhotep IV. Era uma mulher de Mitani e, ao que parece, não simpatizava com o sistema religioso egípcio, por achá-lo complexo demais. Preferia os próprios ritos, mais simples.

É possível que seu dedicado esposo (também ele originário, em parte, de Mitani) a ouvisse com afeto, e até concordasse com ela. Mas pouco podia fazer, já que isso significaria opor-se ao poderoso clero que governava os piedosos egípcios havia séculos e que agora acumulara tanto poder que nem mesmo um faraó podia confrontá-los.

Mas Tiye deve ter convertido algumas pessoas, pois os ares de uma nova religião se faziam sentir nos últimos anos de Amenhotep III. Naturalmente, o primeiro a ser convertido por Tiye foi seu próprio filho, e alguns outros devem ter seguido esse caminho, pelos benefícios que poderiam obter ao ficar do lado da "verdadeira religião" quando o novo faraó assumisse.

Durante o tempo de vida de Amenhotep III, seu filho pouco pôde fazer, mas quando o velho faraó morreu, em 1370 a.C., o novo monarca (de ascendência de Mitani por três dos quatro costados) começou a colocar em prática as novas ideias que recebera da mãe e que talvez já viesse refinando.

Chegou a abandonar o próprio nome, Amenhotep, pois era uma homenagem a Amon (significava "Amon está comprazido"), um dos deuses egípcios que ele desprezava, considerando-o mera superstição. Seu deus era o glorioso Sol, que ele adorava de modo distinto dos egípcios. Adorava-o não como se cultua um deus, no sentido habitual de representá-lo sob forma humana ou animal, mas venerando o próprio disco do Sol, o fulgurante e redondo Sol, que imaginava emitindo raios que se transformavam em mãos; mãos que derramavam os favores divinos da luz, do calor e da vida sobre a Terra e seus habitantes (o que, de um ponto de vista científico atual, não é uma ideia despropositada).

O faraó chamou o disco solar de Áton, e nomeou a si mesmo Aquenáton (também chamado de Iknaton ou de Ajenaton), que significa "Agradável a Áton".

Aquenáton, como ficou conhecido na história, pretendia impor suas crenças aos egípcios. Foi o primeiro "fanático" religioso da história, a menos que contemos Abraão, que segundo a lenda judaica destruiu os ídolos de Ur, sua cidade natal, movido por convicções religiosas, seis séculos antes de Aquenáton.

Aquenáton construiu templos para Áton e preparou um ritual completo para o novo deus. Existe um belo hino ao Sol, esculpido na tumba de um dos seus cortesãos, que a tradição atribui à imaginação do próprio faraó, e que soa quase como um salmo bíblico.[4]

Na realidade, o entusiasmo do faraó por Áton era tão grande que ele não se contentou em simplesmente o acrescentar aos demais deuses egípcios, ou mesmo em convertê-lo no principal deus do panteão. Decidiu que Áton seria o *único* deus, e que todos os demais deviam ser eliminados. Trata-se, portanto, do primeiro monoteísmo conhecido da história, a menos que, de novo, aceitemos o monoteísmo de Abraão.

---

4. Assim reza uma tradução parcial do hino: "Tu estás em meu coração / E não há ninguém mais que te conheça / Salva, pois, teu filho... / O mundo existe por tua mão... / És a vida para ti mesmo / E todos vivem através de ti... / Pois criaste a Terra / E todos crescem por ti, e para o teu filho, / Este que emergiu de teu corpo: / O rei... Aquenáton... / E sua Esposa Principal... Nefertiti...".

Há quem argumente que o Moisés bíblico viveu na época de Aquenáton e que o faraó egípcio colheu daquele grande profeta uma espécie de versão distorcida do judaísmo. Mas podemos assegurar que não foi assim, pois não é possível que Moisés vivesse na época de Aquenáton; se de fato existiu, foi pelo menos um século mais tarde. Também há quem afirme que Moisés adotou a ideia monoteísta de Aquenáton e depois lhe acrescentou alguns refinamentos.

Quer Aquenáton tenha ensinado Moisés ou não, no que ele fracassou sem dúvida foi em ensinar o povo egípcio. Os sacerdotes tebanos recuaram horrorizados diante de um homem que só conseguiam considerar ateu e vil, profanador de tudo o que era sagrado; um faraó mais estrangeiro do que egípcio, que podia ser comparado aos próprios hicsos.

Como seria de se esperar, os sacerdotes trouxeram o povo para o seu lado. Os egípcios haviam sido educados no amor à beleza e à magnificência dos templos, e sob o aterrador ritual criado pelos sacerdotes. Portanto, não queriam, de modo algum, substituir o que já tinham por uma estranha miscelânea de ideias a respeito de um disco solar.

Aquenáton teve de se conformar em render culto ao Sol no seio da própria corte, dentro da sua família e entre seus cortesãos mais fiéis. O principal consolo veio de sua esposa Nefertiti, mulher mais conhecida hoje pela maioria das pessoas do que seu régio marido, e isso em razão apenas de uma obra de arte. Como podemos ver, a própria arte sofreu também uma total revolução no reinado do "monarca herege". Desde os tempos do Antigo Império, os egípcios vinham empregando certos métodos estilizados em seus retratos: a cabeça tinha de ser representada de perfil, mas o corpo de frente, com os braços estendidos bem colados ao corpo e com as pernas e os pés também de perfil. As expressões eram de tranquila dignidade.

Com Aquenáton, um novo realismo se impôs. Ele e Nefertiti são representados em poses informais, em momentos de afeto, brincando com os filhos... Não houve nenhum esforço para ocultar que Aquenáton era um homem bastante feio, de rosto largo, barrigudo e de coxas grossas. Toda essa "arte moderna" deve ter causado impacto nos egípcios convencionais, quase tanto quanto as excêntricas opiniões religiosas do faraó. É possível que Aquenáton sofresse de alguma doença glandular, pois morreu ainda jovem.

A melhor obra de arte do período é um retrato que hoje se encontra no Museu de Berlim, um busto de pedra calcária pintada encontrado em 1912 entre os restos de uma oficina de escultor, nas ruínas do que já foi a capital de Aquenáton. Acredita-se que é de Nefertiti, e constitui uma das obras de arte egípcias mais belas. Foi copiada e fotografada muitas vezes, e um imenso número de pessoas pôde admirar algum tipo de reprodução dela em alguma ocasião, pois chegou quase a se fixar na mente de todos como a representação ideal da beleza egípcia. Isso é irônico, pois provavelmente Nefertiti era uma princesa asiática (vale mencionar o triste fato de que o matrimônio formado por Aquenáton e Nefertiti, tido como idílico, não parece ter sido muito duradouro; em sua última fase, Nefertiti caiu em desgraça e o rei se divorciou dela e a exilou).

Contrariado e desanimado diante da obstinada resistência dos tebanos, Aquenáton decidiu abandonar a grande cidade real. Com a família e os cortesãos que havia conseguido converter, construiu uma nova capital, em 1366 a.C.: uma cidade pura, dedicada desde o início ao novo culto. Escolheu um lugar na margem oriental do Nilo, a meio caminho entre Tebas e Mênfis, e ali construiu Aquetáton (o "Horizonte de Áton").

Nessa cidade edificou templos, palácios e mansões para si e para a nobreza leal. O templo de Áton era um edifício muito pouco convencional, pois não tinha teto, a fim de que o Sol que ele adorava pudesse brilhar livremente no interior do recinto construído em sua homenagem.

Em Aquetáton, o faraó se retirou do mundo real e rodeou-se de um mundo artificial – um mundo no qual sua versão da religião havia triunfado. Dedicou-se a perseguir o antigo clero para que o nome de Amon fosse apagado dos monumentos e para que toda referência aos "deuses", no plural, fosse eliminada.

A ideia fixa de Aquenáton afastou-o de qualquer outro interesse que não fosse religioso, levando-o a negligenciar os assuntos militares e os problemas externos. Esses últimos eram urgentes, pois as incursões dos nômades já chegavam à Síria pelo leste. Aquenáton recebia constantes mensagens de seus generais e governadores da Síria, informando-o da perigosa situação e solicitando reforços.

Ao que parece, Aquenáton ignorou todos os pedidos de auxílio. Talvez fosse um pacifista convicto e sincero, que não quisesse lutar. Talvez achasse que a única batalha verdadeira era a religiosa e que todo o resto era secundário. Quem sabe, ainda, acreditasse que se o Egito sofresse, seria merecido, por ter se recusado a aceitar o que ele considerava a verdadeira fé.

Qualquer que fosse a razão, o prestígio do Egito no exterior experimentou um declínio desastroso, e tudo o que fora conquistado e conservado por Tutmósis III e seus sucessores no século anterior se perdeu. Ao que parece, foi durante o reinado de Aquenáton que diversas tribos de fala hebraica se uniram nas fronteiras da Síria. Essas tribos eram os moabitas, amonitas e edomitas,[5] nomes com os quais estamos familiarizados graças à Bíblia.

Mais importante do que esses exíguos grupos tribais do deserto, que constituíam apenas pequenos incômodos para o poderoso Egito, foi o surgimento, no norte, de uma nova grande potência.

Na Ásia Menor oriental, um povo que falava uma língua indo-europeia (família linguística à qual pertence a maioria dos atuais idiomas europeus) vinha construindo um estado forte. Eram os *hatti*, como eram chamados pelos babilônios, ou os hititas da Bíblia, que é como são geralmente conhecidos.

---

5. Respectivamente das cidades de Moabe, Amom e Edom. (N.T.)

Durante o tempo em que o Egito viveu sob o jugo hicso, os hititas desfrutaram de um período de poderio, sob monarcas competentes. É o período do Antigo Império Hitita, que se prolonga de 1750 a.C. a 1500 a.C. No entanto, o surgimento de Mitani provocou a decadência desse antigo império, e nos tempos de Hatshepsut os hititas pagavam tributo a Mitani. Quando o poderio desse reino foi suplantado por Tutmósis III, os hititas tiveram outra oportunidade de recuperar o terreno perdido e foram conquistando-o à medida que Mitani o perdia.

Em 1375 a.C., um monarca, com o "líquido" nome de Supiluliuma, assumiu o trono hitita. Ele reorganizou o país com extremo cuidado, estabelecendo um poder central e reforçando o exército. Quando Aquenáton subiu ao trono egípcio e começou a se preocupar apenas com controvérsias religiosas – o que despertava apreensões no povo egípcio –, Supiluliuma viu que sua oportunidade havia chegado. Iniciou, então, uma enérgica campanha contra o reino de Mitani, que na época era aliado ou, na realidade, títere do Egito. Mitani solicitou a ajuda do Egito, que nunca chegou. Foi assim que o reino de Mitani declinou rapidamente e no decorrer de um século desapareceu da história, deixando lugar para o poderoso Novo Império Hitita, que agora passava a ser uma ameaça ao Egito.

O FRACASSO DA REFORMA

Aquenáton morreu em 1553 a.C., deixando seis filhas, mas nenhum filho. Dois de seus genros reinaram por breve tempo após sua morte, e mesmo nesses curtos períodos, as transformações tentadas pelo reformador começaram a malograr e a desaparecer como se nunca tivessem existido; restava, sim, o dano irreparável que a controvérsia religiosa havia causado ao Egito.

Os que haviam sido convertidos à religião de Aquenáton não demoraram a abandoná-la. A cidade de Aquetáton foi, aos poucos, abandonada também, desmantelada e deixada para afundar no pó como uma morada de perversos demônios.

Os sacerdotes da antiga religião recuperaram gradualmente seu poder e mudaram tudo de novo. Tutankáton, o segundo genro de Aquenáton, que chegou a reinar e foi faraó de 1352 a.C. a 1343 a.C., mudou de nome e passou a se chamar Tutankâmon, o que constituiu um testemunho oficial de que Amon havia recuperado seu posto de deus principal.

Contudo, restou um eco de Aquenáton que repercutiria até tempos recentes. No lugar da desaparecida Aquetáton, encontra-se hoje a cidade de Tell el-Amarna. Em 1887, uma camponesa descobriu um esconderijo que continha cerca de trezentos tabletes de argila com inscrições cuneiformes (a escrita da Babilônia, que então os arqueólogos já compreendiam bem). Tratava-se de mensagens dos reis asiáticos da Babilônia, da Assíria e de Mitani à corte real egípcia, e também dos príncipes vassalos da Síria, que pediam ajuda ante a pressão dos nômades invasores. Poucos anos depois foram iniciadas cuidadosas escavações na área. Como Aquetáton fora edificada do zero em território virgem e abandonada para sempre com a morte de Aquenáton, e considerando que não se erguera nenhuma edificação posterior naquele lugar, o achado revestiu-se de valor inestimável para determinar a extensão da reforma religiosa tentada por Aquenáton, sem falar da abundância de detalhes relativos à diplomacia e aos acontecimentos militares da época.

Na realidade, o desejo clerical de vingança foi tão completo e houve um empenho tão grande em remover todos os vestígios de Aquenáton das estruturas monumentais do Egito que se tais registros não tivessem sido encontrados, saberíamos muito pouco, quase nada, sobre essa importante época da história do Egito e da religião. As chamadas "Cartas de Tell el-Amarna" são a descoberta mais importante da egiptologia depois da Pedra de Roseta.

O genro de Aquenáton, Tutankâmon, possibilitou outra grande descoberta: um tesouro gigante – e, nesse caso, no sentido literal. Na verdade, ele foi um faraó sem muita expressão; tinha apenas 12 anos ao subir ao trono e pouco mais de 20 ao morrer. Mesmo assim, após seu falecimento recebeu os suntuosos funerais de praxe.

Seu túmulo foi saqueado uma vez, mas, por sorte, os ladrões foram flagrados em pleno roubo e obrigados a devolver o saque. É provável que a notícia da devolução forçada tenha se espalhado, porque a tumba não sofreu nenhuma outra tentativa de assalto. Dois séculos mais tarde, por ocasião da construção de um jazigo para outro faraó, pedras foram dispostas de maneira a cobrir a entrada do túmulo de Tutankâmon.

Assim ele permaneceu, coberto e intacto. Por volta de 1000 a.C., já haviam sido saqueadas todas as pirâmides conhecidas e todos os túmulos escavados na rocha. Nenhum tesouro ficou intacto, exceto o de Tutankâmon.

Em 1922, uma expedição arqueológica britânica, sob a direção de Lorde Carnarvon e Howard Carter, descobriu acidentalmente o túmulo e desenterrou o tesouro, suntuoso e magnífico. Além de sua grandiosidade e de sua utilidade para o estudo da cultura do antigo Egito, o principal interesse da descoberta foi ter dado lugar ao mito da "maldição de Tutankâmon". Lorde Carnarvon morreu menos de um ano após a descoberta, em decorrência de uma picada de mosquito infectada, complicada por uma pneumonia. Todos os suplementos dominicais da época reproduziram a notícia e suscitaram, atemorizados, uma polêmica sobre o assunto, mas é bastante improvável que a morte tenha tido alguma relação com essa suposta maldição do faraó.

Depois do desastroso fracasso de Aquenáton, a Dinastia XVIII, que proporcionou ao Egito dois séculos de glória, foi se encaminhando para um triste fim. Tutankâmon foi sucedido por um faraó chamado Ay, que procurou manter as crenças de Aquenáton, mas tratava-se de uma tentativa sem qualquer perspectiva de sucesso.

A liquidação final do culto de Áton foi encomendada pelo implacável clero a um general. Normalmente os generais são uma força conservadora que se opõe às mudanças sociais. A isso somava-se, nesse caso, a exasperação pela perda do prestígio militar egípcio.

Um general chamado Horemheb converteu-se em faraó em 1339 a.C., sucedendo Ay, e foi sob seu governo que os velhos costumes voltaram com força total. Na realidade, Horemheb não pertencia à Dinastia XVIII, mas costuma ser incluído como último membro dessa linhagem por ter sido um oficial importante de Aquenáton e não ter fundado uma dinastia reinante própria.

A ordem foi restaurada e enviaram-se expedições para restabelecer a autoridade egípcia na Núbia. No entanto, não se fez nenhuma tentativa em relação à Síria. Supiluliuma havia morrido em 1335 a.C., mas deixara atrás de si um poderoso estado hitita, com o qual Horemheb preferiu não entrar em choque.

Horemheb morreu em 1304 a.C. e um de seus generais subiu ao trono, com o nome de Ramsés I (ou Ramessés I); já era bem velho e reinou apenas cerca de um ano. Mesmo assim, fundou uma dinastia, e por isso é considerado o primeiro rei da Dinastia XIX. Seu filho Seti I sucedeu-o em 1303 a.C., e por fim os egípcios recuperaram todo o seu poderio.

O novo faraó invadiu a Síria e fez sentir uma vez mais a força do Egito naquela região. Entretanto, não encontrou a mesma facilidade com os hititas, com os quais teve de chegar a uma paz conciliatória. Conseguiu também vencer os líbios. No interior, edificou templos muito elaborados em Tebas e Abidos, cidade situada por volta de 160 quilômetros de Tebas rio abaixo. Construiu também um elaborado túmulo para si nas rochas onde dormiam os reis da Dinastia XVIII (ou melhor, onde ainda dormiriam, caso seus túmulos não tivessem sido saqueados).

Tudo era como nos velhos tempos; ou melhor, poderia ter sido como nos velhos tempos, não fosse a herança deixada pelo instável período de Aquenáton. Os hititas continuavam presentes e era preciso enfrentá-los. Isso se tornaria um problema para o filho e sucessor de Seti I, um faraó que, sem dúvida, seria o mais vistoso de todos os que haviam sentado no trono egípcio.

O GRANDE PERSONALISTA

O filho de Seti I foi Ramsés II, que o sucedeu mais jovem ainda, em 1290 a.C., e reinou durante setenta e sete anos, o mais longo reinado da história egípcia, excetuando o de Pepi II.

Seu reinado caracterizou-se por uma excepcional autoexaltação. O poder de Ramsés era absoluto, e ele cobriu o Egito, de um extremo a outro, de monumentos em sua homenagem e de inscrições que relatavam de maneira presunçosa suas vitórias e sua grandeza. Tampouco hesitou em colocar seu nome em monumentos mais antigos e em se apropriar das façanhas de seus predecessores.

Ampliou as já vastas estruturas do enorme e complexo templo de Tebas em Karnak e levantou obeliscos e estátuas colossais em seu louvor. Quando o complexo templo em Karnak alcançou sua forma praticamente definitiva, era o maior (em tamanho) já construído até então, e jamais foi superado. Uma das salas, a hipostila, é a maior nave do templo, com 15.400 metros quadrados. Seu teto era sustentado por um verdadeiro bosque de gigantescas colunas – 134 no total –, algumas das quais tinham 3,5 metros de diâmetro e cerca de 20 metros de altura.

Sob seu reinado, Tebas alcançou o auge, estendendo-se de ambos os lados do Nilo com um contorno de muralhas de 22 quilômetros de comprimento e um grande acúmulo de riquezas trazidas de todos os confins do mundo civilizado. Outros povos, que viram ou ouviram rumores a respeito, foram tomados por um temor reverencial.

Tebas é mencionada, por exemplo, na *Ilíada*, poema épico no qual o poeta grego Homero (que possivelmente o compôs três séculos após a época de Ramsés II) cantou os feitos da guerra de Troia, que aconteceu não muito tempo depois da morte de Ramsés.

No poema, Homero diz pela boca de Aquiles, enquanto este recusa os subornos para voltar à guerra, que nenhuma quantidade de dinheiro poderia induzi-lo a fazê-lo:

> Não, nem que me oferecessem... tudo o que contém a Tebas egípcia, que conserva os maiores tesouros do mundo; Tebas, com suas cem portas, de onde duzentos homens saem de cada uma com cavalos e carros...

Mas o tempo tudo pode: Tebas já desapareceu há muito tempo e o magnífico templo de Karnak está em ruínas, que mesmo imponentes não deixam de ser ruínas. Uma das estátuas de Ramsés, a maior construída no Egito, está hoje quebrada e derrubada. Foi sua cabeça caída (ou os relatos a respeito dela) que inspirou o poeta inglês Percy Bysshe Shelley a compor seu arrepiante poema irônico "Ozymandias":

> Encontrei um viajante vindo de antigas terras
> Que disse: — Duas vastas e desmembradas pernas de pedra
> Erguem-se no deserto. Próximo a elas, sobre a areia,
> Meio enterrado, jaz um rosto esfacelado, com carranca
> e lábio enrugado, e zombeteiro sorriso de sóbrio comando,
> Que atestam quão bem seu escultor soube ler tais paixões
> Que ainda sobrevivem, estampadas nessas coisas sem vida,

A mão que escarneceu delas e o coração que as nutriu.
E sobre o pedestal sobressaem as palavras:
"Meu nome é Ozymandias, rei dos reis:
Contemplai minha obra, ó poderosos, e afligi-vos!"
Nada mais resta aqui: pois ao redor da degradação
Dessas colossais ruínas, ilimitadas e desnudas,
Solitárias e planas areias estendem-se ao longe.

Não foi apenas em Karnak que Ramsés II colocou em prática seu enorme egocentrismo. Mais para o sul, duzentos quilômetros rio acima, em direção à Primeira Catarata, onde os construtores egípcios não costumavam aventurar-se, foi edificado um templo notável. Atualmente, ergue-se ali a cidade de Abu Simbel, adormecida ao longo de séculos de esquecimento.

Essa grande relíquia do passado foi descoberta em 1812 pelo explorador suíço Johann Ludwig Burckhardt. Em uma depressão da encosta, encontrou quatro enormes figuras sentadas de Ramsés II, cada uma com dezoito metros de altura. Estavam em companhia de estátuas menores de outros membros da família real. São parte do templo erguido em homenagem a Rá, o deus Sol, a divindade favorita de Ramsés; o próprio nome do faraó significa "filho de Rá". O templo está orientado de maneira que o Sol nascente penetre em seu interior e ilumine as estátuas de Rá, e de Ramsés (de quem mais poderia ser?), que está no centro.

Em 1960, teve início a construção de uma enorme represa perto da Primeira Catarata, para a formação de um grande lago corrente acima. O templo e as colossais estátuas de Abu Simbel teriam ficado submersas caso não se tivesse tomado nenhuma providência: com tremendos esforços e enormes gastos, foi possível transportar a maior parte desse complexo para terreno mais elevado. Se o espírito de Ramsés tivesse conseguido contemplar essa operação, sem dúvida ficaria muito satisfeito.

A autoexaltação de Ramsés foi tão impressionante e a propaganda a seu favor tão eficiente que ele, às vezes, é chamado de "Ramsés, o Grande". Na minha opinião, seria mais adequado chamá-lo de "Ramsés, o Egomaníaco".

Militarmente, Ramsés II dá a impressão de ter restaurado o grande Império de Tutmósis III, mas essa impressão é falsa. Sem dúvida, a Núbia encontrava-se sob domínio egípcio até a Quarta Catarata, e os líbios continuavam dominados. Mas ainda restavam a Síria e, ao norte, os hititas.

Nos primeiros tempos de seu reinado, Ramsés II marchou contra os hititas, e em 1286 a.C. enfrentou-os na grande batalha de Cades, cidade que um século antes havia encabeçado a coalizão dos cananeus formada para enfrentar Tutmósis III.

O desenrolar dessa batalha é obscuro. O único relato que possuímos é a versão oficial das inscrições de Ramsés. Ao que parece, o exército egípcio foi pego desprevenido e esteve prestes a ser esmagado pela avassaladora cavalaria hitita. A retirada já fora iniciada, e o próprio Ramsés II e sua guarda pessoal estavam sendo atacados. De repente, porém, Ramsés, descartando qualquer precaução, determinou que era vencer ou morrer, e atacou o inimigo sem nenhuma ajuda, detendo seu avanço até a chegada de reforços. Reanimado pela fantástica coragem de seu faraó, o exército se recuperou e transformou uma derrota já cantada em vitória, arrasando os hititas.

Perdoem-me, mas resisto a acreditar nessa história. Ramsés era perfeitamente capaz de contar todo tipo de mentira a respeito de si mesmo, e não se pode levar a sério essa imagem do faraó no papel de um Hércules ou de um Sansão, lutando sozinho contra todo um exército. Nem há razão para crer que a batalha de Cades tenha sido de fato uma grande vitória egípcia. É muito improvável que tenha sido, pois o poderio hitita não diminuiu nem um pouco depois do combate, e Ramsés precisou combater os hititas durante dezessete anos.

O mais provável é que a batalha de Cades não tenha sido decisiva, ou, na melhor das hipóteses, que tenha sido apenas uma vitória apertada dos hititas. Apesar da desmedida fanfarronice de Ramsés II, o Egito acabaria firmando um tratado de paz em 1269 a.C., pelo qual ficava reconhecida a dominação hitita ao sul do Eufrates, e a soberania egípcia ficava restrita à porção da Síria mais próxima do Egito. Ramsés contentou-se em incorporar uma princesa hitita ao seu harém como forma de selar o contrato, e o resto de seu reinado desenrolou-se sob o signo da paz.

Portanto, apesar da impressão de que Ramsés II pudesse ser um Tutmósis III renovado, e que com ele o Egito tenha conseguido recuperar seu máximo poderio, na realidade não foi isso o que aconteceu. Tutmósis tinha ao norte um reino Mitani derrotado e tributário, enquanto Ramsés II tinha ali um poderoso e invicto Império Hitita.

De qualquer modo, a longa e sangrenta guerra entre as duas potências foi fatal para ambas. Embora ainda parecessem fortes, seu vigor interno ficara absolutamente exaurido pela prolongada luta, e nenhuma das duas estava mais em condições de resistir aos golpes de qualquer adversário novo e robusto.

Segundo a tradição, Ramsés II é o "Faraó do Cativeiro", aquele que segundo o livro do Êxodo da Bíblia escravizou os israelitas, submetendo-os a pesadas tarefas. Uma das razões para pensar assim é o comentário de que os israelitas "construíram para o faraó as cidades de Pitom e Ramsés, que deviam servir de entreposto" (Êxodo 1:11).

Isso soa bastante plausível. A Dinastia XIX parece ter se originado na porção oriental do Delta, onde os israelitas, segundo a lenda bíblica, viviam em Goshen. Ramsés dedicou naturalmente atenção ao seu território pátrio, edificando um templo em Tânis, perto da foz mais oriental do Nilo, e ergueu no seu interior um colosso de 25 metros que (é claro) representava o próprio faraó. Construiu também elaborados palácios e celeiros (e não "cidades de tesouros", como se traduziu de maneira equivocada na versão da Bíblia do Rei Jaime), aos quais a Bíblia se refere. Decerto Ramsés usou esses celeiros para abastecer seus exércitos durante as campanhas contra os hititas na Síria. Não há dúvida, além disso, de que para a sua construção empregou mão de obra local forçada.

A longa duração do reinado de Ramsés II, como no caso de Pepi II, foi funesta para o Egito. O vigor de Ramsés declinou; ele queria descansar. A nobreza aumentara seu poder e o exército perdera força. Cada vez mais, Ramsés optava por equipar seus exércitos com estrangeiros mercenários, que combatiam em troca de um soldo, em vez de fazê-lo por noção do dever ou por patriotismo.

Essa é a armadilha em que nações prósperas e seguras têm caído repetidamente ao longo dos séculos. Os cidadãos, ricos e acomodados, não veem nenhuma utilidade em suportar as agruras da vida militar, já que há estrangeiros ansiosos para fazê-lo em seu lugar em troca de pagamento. É mais simples dar-lhes um pouco de dinheiro, do qual há abundância, do que privar-se de tempo e comodidade, dos quais nunca acham que têm o bastante. Para os governantes, além disso, os mercenários são preferíveis até mesmo aos soldados nativos, já que podem enfrentar com maior firmeza e sem piedade os distúrbios internos.

Mas todas as possíveis vantagens são infinitamente inferiores às grandes desvantagens. Em primeiro lugar, se a nação atravessa tempos difíceis e não consegue pagá-los, os mercenários podem saquear alegremente o que estiver a seu alcance e provocar maior terror e perigo no país do que um inimigo invasor. Em segundo lugar, quando os governantes começam a depender de mercenários para suas guerras e para formar sua guarda pessoal, acabam tornando-se instrumentos desses mercenários, e não conseguem dar um passo sem a aprovação deles. No fim, veem-se reduzidos à condição de marionetes ou cadáveres, como já ocorreu várias vezes ao longo da história.

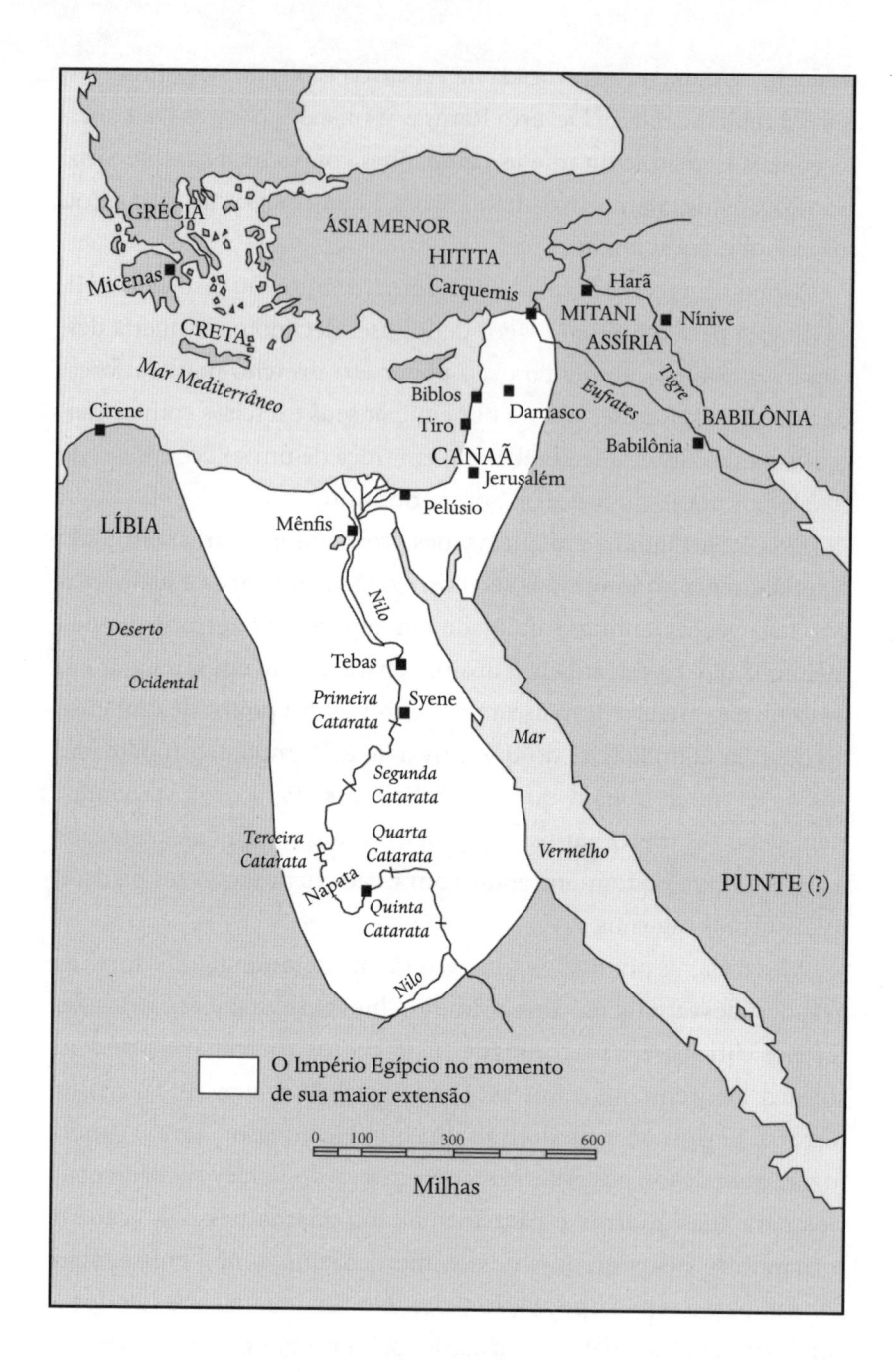

Figura 2: Mapa do Egito faraônico.

O FIM DA GLÓRIA

Finalmente, Ramsés II terminou seu longo reinado no ano de 1223 a.C., morrendo numa idade próxima dos 90 anos. Sua morte parecia ter chegado num grande momento. O império estava mais ampliado do que nunca, e justamente aquele que era seu inimigo mais importante começava a enfraquecer de maneira inesperada, não por algum esforço direto do Egito, mas pelos efeitos da própria instabilidade interna e da guerra civil. Por outro lado, o Egito era rico, próspero e estava em paz. O próprio Ramsés, que tivera numerosas esposas, deixou uma verdadeira multidão de filhos e filhas.

O sucessor de Ramsés foi Merenptá, seu décimo terceiro filho. Merenptá, que já tinha 60 anos, tentou dar continuidade à política do pai. Reprimiu as rebeliões da porção egípcia da Síria e, ao fazer isso, inscreveu o nome de Israel na história pela primeira vez.

Ao que parece, como nos tempos de Aquenáton, nômades do deserto, provenientes do leste, aproximavam-se em massa das cidades cananeias. Esses nômades eram o povo que posteriormente entraria para a história com o nome de israelitas. Em seu caminho até as cidades cananeias, depararam com os reinos de Amom, Moabe e Edom, fundados na época de Aquenáton por populações aparentadas aos israelitas. Dessa vez, o sangue não se revelou mais forte que a água, e os reinos já estabelecidos se opuseram aos recém-chegados. Ao que parece, o exército egípcio tomou parte na luta e obteve uma vitória, pois, na inscrição de Merenptá, o faraó vangloria-se: "Israel está arrasada e não deixou sementes". Em outras palavras, proclama que seu potencial humano foi destruído. É claro que se tratava apenas de um dos exageros próprios de todos aqueles que se envolvem em guerras.

Ao que parece, Merenptá dirigiu campanhas vitoriosas também na Líbia. Mas a faísca se acendeu e veio de onde menos se esperava. Os invasores se abateram sobre o Egito vindos de um lugar que por milhares de anos fora considerado seguro: o mar.

Os egípcios nunca haviam sido um povo marinheiro e sempre viveram em paz com os cretenses, estes, sim, um povo de navegantes. No entanto, a civilização cretense difundira sua cultura pelo continente europeu, especialmente em direção ao norte, na região que hoje conhecemos como Grécia. Durante o período da dominação dos hicsos sobre o Egito, povos de fala grega haviam construído belas cidades no continente e adotado as formas de vida cretenses.

Mas enquanto Creta, cuja riqueza dependia do monopólio do comércio Mediterrâneo, seguira sempre caminhos pacíficos, o mesmo não ocorreu com as tribos gregas do continente. Lutavam entre si de maneira violenta e viviam sob a constante ameaça de invasão por outras tribos do norte. Ergueram cidades com muralhas muito sólidas; a principal foi Micenas, e por isso esse primeiro período da história grega é denominado Época Micênica.

Os micênicos, envolvidos em contínuas guerras, desenvolveram apuradas técnicas militares e, depois de aprimorarem a construção de barcos, aventuraram-se pelos mares; nem mesmo Creta foi capaz de enfrentá-los. Enquanto o Egito vivia um período de poderio, no auge da Dinastia XVIII, os piratas micênicos completaram a conquista e ocupação de Creta.

Para os egípcios, entretanto, os piratas achavam-se muito distantes, do outro lado daquilo que viam como um vasto e intransponível trecho de água salgada. No tranquilo Egito dos dias imperiais, ninguém temia que algo pudesse vir dali.

Os egípcios continuaram sentindo-se seguros diante dessa gente do norte pelos dois séculos posteriores à ocupação micênica de Creta. Essa situação podia ter continuado por mais tempo, mas os próprios micênicos sofriam pressões do norte, onde habitavam outras tribos de fala grega mais primitivas, que ainda não haviam sentido o influxo suavizante da civilização cretense. O que sentiam, ao contrário, era o duro empuxo do ferro.

Durante dois mil anos, as armaduras haviam sido fabricadas com bronze, e o ferro era usado em escudos mais rígidos, em pontas mais afiadas e duráveis e em fios mais cortantes. Porém, o ferro era um metal extremamente raro, obtido apenas em ocasiões esparsas, quando eram encontrados meteoritos. Embora fosse possível obtê-lo em minas de terreno rochoso, como ocorria com o cobre, a extração do ferro não era tão simples. Exigia altas temperaturas e o domínio de uma técnica mais complexa.

Ao que parece, foram os hititas os primeiros a idealizar um método prático de fundir o minério de ferro. Os conhecimentos relativos a essa técnica logo se difundiram, e os exércitos começaram a contar com pequenas remessas de armas de ferro. As primitivas tribos gregas, chamadas dóricas, possuíam algumas armas de ferro, o que redobrava a pressão que faziam sobre os micênicos.

Estes, vendo que as coisas ao norte se afiguravam cada vez mais difíceis, encontraram um alívio na expansão para o sul e para o leste. A guerra de Troia ocorreu nos tempos de Merenptá, ou pouco depois, e provavelmente deveu-se a um impulso micênico em direção ao leste. Outros bandos de piratas se deslocaram para o sul, desembarcando na costa líbia. Com a decisiva ajuda de tribos líbias, começaram a realizar incursões nas ricas terras egípcias. (As lendas gregas nos contam como Menelau, rei de Esparta, ao voltar da guerra de Troia, passou algum tempo no Egito, o que talvez seja uma recordação nebulosa das antigas façanhas realizadas nas costas africanas.)

Na realidade, toda a margem oriental do Mediterrâneo estava em chamas. Os frígios, povo do oeste da Ásia Menor, avançaram para o leste contra uma nação hitita fragmentada e ensanguentada, quase à beira do suicídio em razão de uma guerra civil. Os frígios completaram a tarefa de exterminá-los e, por volta de 1200 a.C., o Império Hitita, que por algum tempo disputara com o Egito a liderança do mundo civilizado, chegava ao fim e desaparecia da história como força de importância. (Contudo, algumas cidades hititas sobreviveram na Síria, e um dos soldados do exército do rei Davi de Israel foi, dois séculos mais tarde, Urias, o Hitita.)

O Egito atravessava um período de caos em razão das incursões desses "povos do mar", único nome que os confusos egípcios souberam dar-lhes. Ao contrário do que ocorreu com o reino hitita, o Egito, vacilante e ressentido em consequência dos esforços realizados para rechaçá-los, conseguiu sobreviver aos "povos do mar". As coisas, entretanto, jamais voltariam a ser como antes.

Segundo a tradição, Merenptá foi o "Faraó do Êxodo", aquele sobre o qual se abateram as pragas rogadas por Moisés, e que se afogou no mar Vermelho.

Talvez algo disso seja certo, e a história das pragas tenha se originado das obscuras recordações da catástrofe que abalou o Egito após o desembarque dos piratas e o saque do país.

Na realidade, durante essas conturbações, alguns dos escravos asiáticos do país souberam aproveitar muito bem a oportunidade para fugir e unirem-se a seus parentes que tentavam conquistar Canaã.

Embora muitos aceitem as narrativas bíblicas ao pé da letra, o fato indiscutível é que em nenhum dos escritos históricos egípcios conhecidos há qualquer menção aos israelitas escravizados, nem a Moisés ou às pragas bíblicas. Tampouco há referência a um faraó afogado no mar Vermelho.

Embora detalhes bíblicos sejam considerados exageros lendários decorrentes da transmissão oral das histórias, é possível que o núcleo básico seja real; isto é, que os asiáticos tenham entrado no Egito na época dos hicsos, que foram escravizados durante o Novo Império e tratados com especial rigor sob Ramsés II, escapando na época de Merenptá para unirem-se aos israelitas que atacavam as cidades cananeias.

Na realidade, podemos até especular se o culto de Áton estabelecido por Aquenáton conseguiu sobreviver ao longo do século e meio que havia transcorrido desde a época do rei herético. Teria sido possível que uma minoria religiosa, desprezada e perseguida tivesse sobrevivido em condições tão humildes e vis a ponto de nem sequer ser mencionada nos anais e inscrições oficiais? Teria encontrado acolhimento entre os escravos asiáticos, também desprezados e perseguidos? E quando os asiáticos partiram, teriam levado embora com eles a noção de um deus único, que chegaria a criar raízes entre os israelitas e que, através deles, iria se difundir entre centenas de milhões de pessoas ao longo dos séculos? Quem poderia dizer?

Merenptá morreu em 1211 a.C., e pelos vinte anos seguintes foi sucedido por vários reis fracos e obscuros.

Mesmo assim, uma vez mais, surgiu um egípcio adequado à ocasião; e, de novo, Tebas foi o núcleo de um renascimento. O governador de Tebas, que se dizia descendente de Ramsés II, assumiu o trono em 1192 a.C., fundando, assim, a Dinastia XX. Conseguiu neutralizar os nobres e estabelecer seu domínio sobre todo o Egito, deixando um país unificado para seu filho Ramsés III, que subiu ao trono em 1190 a.C.

Ramsés III reinou por trinta e dois anos, e representou um último alento de vigor autóctone, que era exatamente o que se necessitava naquele momento, pois o Egito teria de enfrentar outra invasão dos "povos do mar". Dessa vez, os invasores vinham reforçados por um grupo que nas inscrições é chamado de *peleset*, e que eram, quase com certeza, os filisteus da Bíblia. Esse contingente desembarcou na costa meridional da Ásia Menor, proveniente talvez de Chipre, ilha situada a 110 quilômetros ao sul dessa costa.

Os invasores saquearam, em sua passagem, a costa oriental do Mediterrâneo, entrando no Egito pela Síria, como os hicsos haviam feito no passado. No entanto, não conseguiram pegar Ramsés III de surpresa, e foram totalmente derrotados por ele. Para celebrar a vitória, gravaram-se cenas da batalha nas paredes dos templos. Um desses altos-relevos mostra navios egípcios combatendo contra as embarcações dos filisteus numa das primeiras representações de uma batalha naval. Os derrotados filisteus foram obrigados a se estabelecer na costa a nordeste do Egito.

Mas essa vitória representou o último suspiro do Egito e o fim de sua glória. A partir desse momento, o país retrocedeu, exausto, até o Nilo, e seu Império se desvaneceu. Foi o fim do Novo Império, após quatro séculos de poder, e não haveria mais um "Novíssimo Império" que mostrasse igual poderio.

Com um Egito impotente, os israelitas irromperam pelo rio Jordão e começaram a dominar as cidades cananeias. Durante dois séculos, israelitas e filisteus lutariam pelo domínio de um território às portas de um Egito que se mostrava incapaz de mover um dedo para intervir na luta em favor de qualquer um dos lados.

7.

DOMÍNIO ESTRANGEIRO

OS LÍBIOS

Ramsés III morreu em 1158 a.C. e foi sucedido por uma confusa série de reis, todos chamados Ramsés (de Ramsés IV a Ramsés XI), todos fracos e pouco importantes. São os reis Ramésidas.

Nos oitenta anos de reinado dos Ramésidas (1158 a.C.-1075 a.C.), todos os túmulos de Tebas, exceto um, foram saqueados. Os roubos vitimaram até os tesouros funerários do próprio Ramsés II. Por ocasião do enterro de um dos Ramésidas – Ramsés IV, em 1138 a.C. –, o túmulo de Tutankâmon, que havia governado dois séculos antes, ficou muito bem coberto, o que lhe permitiu permanecer intacto até os tempos modernos.

À medida que o poder dos faraós declinava, o dos sacerdotes aumentava. A vitória do clero sobre Aquenáton lançara, desde então, uma sombra sobre a coroa. Até mesmo Ramsés II precisou proceder com cautela em relação aos direitos dos sacerdotes. Durante as dinastias XIX e XX, cada vez mais terras, camponeses e riquezas foram parar nas mãos deles. E como o poder de uma religião há muito tempo arraigada tende a ser conservador e intransigente, isso revelou-se um aspecto negativo para o país.

Os Ramésidas foram marionetes nas mãos do clero, e provavelmente tinham bem gravado na memória que sob o domínio dos hicsos os sacerdotes de Amon haviam governado Tebas e o Alto Egito. Quando, por fim, Ramsés XI morreu em 1075 a.C., o trono não foi ocupado por nenhum sucessor direto. Em vez disso, o sumo sacerdote de Amon, que era também chefe do exército, pôs em prática o que já era uma realidade e se autoproclamou governante do Egito. Mas não chegou a ser soberano de um reino unificado.

Na região do Delta surgiu um segundo grupo de governantes, que tinha sua capital em Tânis, a cidade de Ramsés II. Essa linhagem de príncipes tanitas é o que, segundo Mâneton, forma a Dinastia XXI.

O Egito estava nesse momento mais fragilizado do que nunca em razão dessa divisão, e a obra que Menés havia realizado dois mil anos antes parecia de novo destruída.

A única coisa que sabemos com certeza sobre o Egito da Dinastia XXI é uma isolada menção bíblica que, por si mesma, destaca a deterioração a que havia chegado a poderosa terra de Tutmósis III e de Ramsés II.

Nessa mesma época, terminaram as contendas na Síria. Os israelitas haviam encontrado seu líder no judeu Davi e, sob o comando dele, os filisteus foram completamente derrotados e as pequenas nações em volta, subjugadas. Foi um dos raros momentos na história em que as duas civilizações do Nilo e da região do Tigre e do Eufrates atravessaram um período de fragilidade, dando ao rei Davi a oportunidade de fundar um reino israelita que chegaria a abranger desde a península do Sinai até o curso superior do Eufrates, incluindo praticamente toda a margem oriental do Mediterrâneo. Até mesmo as cidades costeiras cananeias (isto é, fenícias), apesar de manterem sua independência, foram aliadas subordinadas a Davi e a seu filho Salomão.

Sob os reinados de Davi e Salomão, Israel foi mais forte do que a parte do Egito governada pelos monarcas da Dinastia XXI. O Egito chegou a considerar-se afortunado por se aliar a Israel, e o faraó cedeu uma de suas filhas ao harém de Salomão (1 Reis 3:1). O nome do faraó não aparece na Bíblia, mas Salomão reinou entre 973 a.C. e 933 a.C., o que coincide quase que exatamente com os anos de reinado de Psusenés II, o último faraó dessa dinastia.

Psusenés teve suas dificuldades. Durante o tempo em que a fragilidade egípcia foi se acentuando, o exército passou a depender cada vez mais de tropas mercenárias, e em particular de comandantes líbios para dirigi-las. É praticamente inevitável que um exército formado por mercenários seja dócil apenas às ordens de outro mercenário; é praticamente inevitável, também, que os generais mercenários dominem o regime que os contratou, e que às vezes o derrubem.

Durante o reinado de Psusenés II, o comandante era um líbio chamado Sisaque. Seu apoio era absolutamente necessário a Psusenés, que foi obrigado a aceitar alianças matrimoniais entre as duas famílias. A filha do faraó casou-se com o filho de Sisaque – um sinal fatal, pois demonstrava com clareza que o general abrigava intenções em relação ao trono. É provável que Psusenés tenha dado outra de suas filhas a Salomão na esperança de contar com o apoio israelita contra a possível usurpação do general.

Se foi esse o caso, o faraó teve seus planos frustrados. Em 940 a.C., com a morte de Psusenés II, Sisaque ocupou o trono tranquilamente. Na realidade, quem seria capaz de se opor a ele, cujo exército mercenário controlava Tânis?

O novo faraó assumiu o nome de Sisaque I, primeiro monarca da Dinastia XXII. Às vezes ela é chamada de "dinastia líbia", embora essa denominação seja enganosa. Não houve de fato uma conquista Líbia do Egito, e os soldados líbios que reinaram já haviam assimilado os modos de vida egípcios.

Sisaque estabeleceu sua capital em Bubastis, a 56 quilômetros de Tânis rio acima. Ele voltou a unificar o vale do Nilo, recuperando o controle de Tebas. Após um século e um quarto de divisão, o Egito voltava a ser uma potência unida. Sisaque tentou vincular Tebas ao Delta, convertendo o próprio filho em sumo sacerdote de Amon.

Mais tarde, voltou a atenção para Israel, cuja aliança com seu antecessor provavelmente o havia ofendido. Em um primeiro momento, não recorreu ao ataque direto, e decidiu valer-se da intriga. O norte de

Israel não se sentia à vontade com o domínio de uma dinastia da Judeia e tentou rebelar-se. A rebelião foi sufocada, mas seu líder, Jeroboão, teve asilo concedido por Sisaque. Com a morte de Salomão em 933 a.C., Sisaque enviou Jeroboão de novo a Israel, onde dessa vez a rebelião triunfou.

O breve Império de Davi e Salomão desmoronou de vez. A porção setentrional de seu território, a mais extensa e rica, conservou o nome de Israel e foi governada por reis que não descendiam de Davi. No sul ficava o pequeno reino de Judá, em volta de Jerusalém, onde a dinastia de Davi manteria o poder por mais de três séculos.

Sisaque encontrou um reino, o de Judá, muito debilitado, agitado pelas revoltas, e avaliou que não haveria nenhum risco em se lançar a uma aventura no exterior. Como Tutmósis III e Ramsés II, cruzou o Sinai, mas dessa vez o enfrentamento não era com um poderoso Mitani ou com um Império Hitita. O Egito não se atreveria a fazê-lo nessa etapa de sua história. Estava agora atacando apenas o frágil Reino de Judá. Em 929 a.C., Sisaque invadiu esse país, com resultados que foram registrados na Bíblia (onde o monarca egípcio é chamado de Shishak). O faraó ocupou Jerusalém, saqueou o Templo e, sem hesitar, submeteu Judá a pagar tributos durante algum tempo.

O resultado de tudo isso foi que Sisaque passou a considerar-se um conquistador, e erigiu monumentos em Tebas que enumeravam suas conquistas. Até ampliou o templo de Karnak, e talvez tenha sido durante seu reinado que foram dados os toques finais à imensa sala hipostila.

Sisaque foi não apenas o primeiro rei de sua dinastia, mas o único que demonstrou algum vigor. O sucessor dele, Osorkon I, assumiu o trono em 919 a.C., e encontrou um Egito bastante rico e próspero, mas pouco conseguiu fazer além de se manter no poder. Após sua morte, em 883 a.C., a inevitável decadência prosseguiu.

O exército era ingovernável, e os generais estavam empenhados em se apoderar de tudo o que estivesse ao alcance deles. Tebas separou-se uma vez mais em 761 a.C., e seus governantes foram incluídos por Mâneton na Dinastia XXIII.

Essa era a triste situação do Egito naqueles momentos quando, pela primeira vez na história, o impulso conquistador veio da Núbia em direção ao norte, em vez de partir do Egito em direção ao sul.

OS NÚBIOS

Sob o Novo Império, a Núbia havia sido, na prática, um prolongamento meridional do Egito. Todos os achados arqueológicos desse período são inteiramente de tipo egípcio.

No entanto, durante alguns séculos, já em plena decadência egípcia, a Núbia parece desaparecer de vista. Indiscutivelmente, com um Egito fragmentado a maior parte do tempo e com governos rivais em Tebas e no Delta, não havia oportunidade para os faraós dominarem os extensos trechos do Nilo situados além da Primeira Catarata. O resultado foi que os núbios precisaram se encarregar do próprio território.

O centro de seu poder foi estabelecido, ao que parece, em Napata, cidade situada logo depois da Quarta Catarata. Essa cidade representa o limite concreto da penetração egípcia (Tutmósis III deixou nela uma coluna com inscrições), e havia experimentado a influência da refinada civilização egípcia; mesmo assim, ficava suficientemente distante do Egito para que sua segurança não estivesse em risco, salvo em casos extremos.

No entanto, a Núbia continuou egípcia em sua cultura. Quando Sisaque ocupou Tebas, um grupo de sacerdotes de Amon refugiou-se em Napata, onde foram bem recebidos. Sem dúvida alguma, consideravam-se uma espécie de "governo no exílio", e incitaram os príncipes núbios a invadir o Egito e levar de novo o clero leal ao poder.

Certamente sob a influência dos sacerdotes, a Núbia tornou-se ainda mais egípcia em matéria de religião do que o próprio Egito;

mostrava-se mais ortodoxa no culto a Amon. Acrescentou-se, aos naturais desejos de seus monarcas nativos de obterem a glória por meio da conquista, a ideia de que buscar essa glória teria um tom piedoso. Por volta de 750 a.C., o avanço núbio para o norte era um fato.

A conquista não foi difícil, pois o Egito, desorganizado como estava, era uma presa fácil. O monarca núbio Hashta conquistou Tebas praticamente com uma única investida, e foram então reinstaurados por lá os descendentes do clero exilado. O sucessor de Hashta, Pianji, aventurou-se mais ao norte, adentrando o Delta por volta de 730 a.C.; é considerado o primeiro monarca de uma nova dinastia (chamada com frequência de "dinastia etíope", que deriva do nome que os gregos davam à pátria de Pianji). Em algumas partes do Delta, dois governantes egípcios resistiram durante algum tempo. Mâneton coloca os egípcios na Dinastia XXIV, e os conquistadores núbios na XXV.

O irmão de Pianji, Shabaka, sucedeu-o no trono em 710 a.C., transferindo a capital de Napata para a distante Tebas, maior e mais prestigiosa.

Aqui, de novo, seria um erro considerar a dinastia etíope como um exemplo de domínio estrangeiro. Os monarcas sem dúvida eram nativos de regiões exteriores ao território do Egito, mas assim como a dinastia Líbia, eram totalmente egípcios no aspecto cultural.

Surgia, porém, na Ásia ocidental, um novo Império, que iria eclipsar os antigos reinos de Mitani e dos hititas e estabelecer novos recordes de crueldade.

OS ASSÍRIOS

Esse novo Império era o da Assíria.

A Assíria teve origem no alto Tigre durante a época do Antigo Império Egípcio. Tomou emprestada sua cultura das cidades-Estado da Mesopotâmia inferior e erigiu uma próspera nação mercantil.

Durante alguns séculos, a Assíria foi dominada pelas nações vizinhas, mais bem organizadas militarmente. Assim, por exemplo, pagou tributos a Mitani e participou da derrota que foi infligida a essa nação por Tutmósis III. Um século depois, caiu sob o domínio hitita.

Após o fim dos hititas, em 1200 a.C., por algum tempo as coisas ficaram bastante difíceis para a Assíria, já que o caos provocado pelas migrações dos "povos do mar" produziu uma espécie de "idade das trevas" que afetou todo o Ocidente asiático.

Mas ocorreu então algo singular e de consequências espetaculares. Os assírios haviam aprendido o segredo da fundição do ferro com os hititas, assim como outros povos da época, mas foram os primeiros que de fato souberam tirar pleno proveito do novo metal: em vez de equipar os exércitos apenas com alguns elementos de ferro, como fizeram os dóricos que invadiram a Grécia, foram aos poucos criando um exército totalmente "férreo", o primeiro do gênero na história. Uma vez mais, o resultado foi uma nova "arma secreta", como haviam sido, mil anos antes, o cavalo e o carro de guerra.

Os assírios tiveram seu primeiro esboço de vitória militar quando o rei Tiglate-Pileser I conduziu seus exércitos pelo ocidente até o Mediterrâneo, por volta de 1100 a.C., na época dos Ramésidas.

Contudo, a Assíria viu-se obrigada a retroceder quando novas invasões de nômades cruzaram as regiões ocidentais da Ásia. Dessa vez tratava-se de tribos arameias, que acabariam instaurando um reino ao norte de Israel e do Reino de Judá. Eram do reino de Aram, assim denominado pelos próprios arameus e pelos israelitas, mas que na Bíblia recebe o nome grego de Síria.

Mais ou menos na época em que a dinastia Líbia governava o Egito, a Assíria conseguiu recuperar-se. Seus exércitos foram equipados com máquinas de guerra até então nunca vistas, como aríetes maciços concebidos para a invasão de cidades com muralhas. Por volta de 854 a.C., os exércitos assírios ocuparam a Síria e só foram rechaçados, com dificuldade, por uma coalizão sírio-israelita.

Mas a fragilidade das civilizações fluviais, que tornara possível o surgimento do Império de Davi e de Salomão, era coisa do passado. O fim dos pequenos reinos da costa mediterrânea estava próximo.

Em 732 a.C., enquanto os núbios conquistavam o Egito, o rei assírio Tiglate-Pileser III destruiu o reino sírio e ocupou Damasco, sua capital. Dez anos depois, um de seus sucessores, Sargão II, destruiu Israel e ocupou Samaria. Em 701 a.C., o filho e sucessor de Sargão, Senaqueribe, cerceou a própria Jerusalém.

Os faraós núbios, recém-instalados no Delta, tentaram desesperadamente afastar a ameaça assíria. Nada semelhante havia ocorrido desde o tempo dos hicsos. O reino de Mitani e os hititas não haviam se afastado demais do Eufrates, mas os assírios fizeram um avanço direto até as fronteiras do próprio Egito. Além disso, praticavam um tipo de guerra deliberadamente sádico e cruel, mas muito efetivo (a curto prazo) quando o objetivo é paralisar o ânimo de resistência e infundir presságios ameaçadores mesmo nos espíritos mais temperados.

O Egito sabia que tinha poucas chances de enfrentar os terríveis exércitos encouraçados assírios. O faraó núbio Shabaka procurou, em contrapartida, infundir um espírito de resistência nos sírios, israelitas, judeus e fenícios. Seus emissários esparramaram dinheiro e palavras agradáveis por toda parte, tentando fazer o possível para criar desordem atrás das fileiras assírias. O Egito reunia cuidadosamente as próprias forças e esperava que, de algum modo, a Assíria corresse para o desastre ou ficasse ocupada demais com qualquer outro assunto, de modo a permitir que o Egito ganhasse tempo.

Enfim, enquanto o exército assírio invadia Jerusalém, Shabaka avaliou que era chegada a hora de combater e enviou seu sobrinho Taharka contra Senaqueribe. Os egípcios foram derrotados, mas a luta foi dura, e Senaqueribe, com um exército já muito debilitado e diante das notícias de rebeliões em seu império, decidiu bater em retirada por algum tempo e deixar a luta para outra ocasião. O Egito se salvou, e Jerusalém alegrou-se com isso, pois desse modo obteria mais um século de vida.

Senaqueribe foi assassinado em 681 a.C., depois de conseguir reprimir todas as desordens e pacificar o Império Assírio por meio do terror.

Seu filho, Assarhadão, pôde dar-se ao luxo de voltar a olhar para o exterior. A boa lógica indicava que era preciso tomar alguma medida: enquanto o Egito pudesse utilizar da própria riqueza para fomentar intrigas contra a Assíria, esta teria de combater uma revolta atrás da outra. Por isso, Assarhadão fez seu exército marchar para oeste.

Àquela altura, o trono egípcio era ocupado por Taharka, e Assarhadão sentia muita satisfação em poder cruzar espadas com o homem que havia desbaratado a primeira investida assíria contra o ocidente.

Taharka e seus egípcios combateram com a coragem do desespero. Em 675 a.C., derrotaram os assírios em uma batalha, mas isso só serviu para retardar o fim inevitável. Após corrigir seu primeiro excesso de confiança, Assarhadão voltou à luta com uma decisão maior. Em 671 a.C., tomou Mênfis e o Delta e obrigou Taharka a fugir para o sul. Taharka, entretanto, não estava aniquilado. Preparou um contra-ataque e voltou rio abaixo de maneira mais efetiva. Assarhadão morreu em 668 a.C., antes de poder organizar uma nova expedição, mas seu filho Assurbanípal fez isso por ele. Capturou de novo Mênfis, e, além disso, fez algo que nem os próprios hicsos haviam conseguido: perseguiu Taharka até seu refúgio em Tebas.

Em 661 a.C., conquistou e saqueou Tebas, pondo fim à dinastia de faraós núbios. Eles continuaram reinando na Núbia por mais mil anos, mas tal civilização declinou e seu breve século de grandeza desapareceu, aos poucos e para sempre.

8.

O EGITO
SAÍTA

OS GREGOS

A segunda ocupação semita do Egito (a assíria) teve lugar mil anos após a primeira (dos hicsos). A invasão assíria penetrou mais profundamente, pois chegou a Tebas, mas não foi tão intensa. Os assírios contentaram-se em governar por meio de delegados egípcios nomeados em função da hostilidade em relação aos núbios. O escolhido deles foi um príncipe do Baixo Egito chamado Necao. Prisioneiro de guerra dos assírios, convivera com eles por tempo suficiente para saber bem quem eram seus amos e aceitou servi-los como vice-rei. Cumpriu sua tarefa com lealdade, e por fim morreu ao lado dos exércitos de Assurbanípal na guerra contra os núbios. Seu filho, Psamtik – chamado Psamético pelos gregos –, sucedeu-o no trono.

Psamético esperou com cautela uma oportunidade para romper com a Assíria, pois era evidente que seus dias de glória haviam terminado. Assurbanípal encontrava-se às voltas com uma série de problemas: a Babilônia vivia em perpétuo estado de rebelião; o país independente de Elam, a leste da Babilônia, lutava tenazmente contra a Assíria; e uma nova leva de nômades, os cimérios, fizera uma acelerada invasão da Ásia Menor, vindos das terras ao norte do mar Negro e devastando o país todo como se fossem um tornado.

O hábil Assurbanípal arrumou uma maneira de reverter tudo em seu benefício. Acabou com os elamitas em duas campanhas, aniquilando, assim, um reino de vinte séculos de existência de modo tão completo que hoje não sabemos quase nada a respeito dele. Venceu também os cimérios. Mas precisou pagar um preço por tudo isso, pois não podia estar em todos os lugares ao mesmo tempo. Por estar ocupado em outros territórios, Assurbanípal não conseguiu conservar o Egito.

Psamético, que procedia com cautela, conseguiu libertar-se do conquistador. Contratou mercenários na Ásia Menor ocidental, onde acabava de ser fundado o Reino da Lídia sobre as ruínas deixadas pelos nômades cimérios. Assim como o Egito, a Lídia encontrava-se nas fronteiras ocidentais do Império Assírio e também estava ansiosa para libertar-se de seu jugo.

Os mercenários lídios lutaram ao lado de Psamético, e em 652 a.C., apenas nove anos após o saque de Tebas, a última guarnição assíria foi expulsa do Egito. O episódio assírio durara breves vinte anos, e o Egito, que havia se unido diante do perigo externo, ressurgiu mais forte do que antes. Psamético acabou governando como Psamético I. O Egito contava de novo com um faraó nativo.

Psamético fundou a Dinastia XXVI, segundo o cômputo de Mâneton. Estabeleceu a capital em Saís, no braço mais ocidental do Nilo, que fica por volta de cinquenta quilômetros do mar. É por isso que a dinastia de Psamético é, por vezes, denominada dinastia saíta, e o Egito da época, Egito Saíta.

Psamético foi um soberano capaz, e sob seu governo o Egito experimentou não só uma renovação econômica, mas um renascimento artístico. Produziu-se uma volta deliberada aos tempos passados. Era como se o Egito estivesse ansioso para sacudir a poeira de um mundo confuso no qual os impérios asiáticos se mostravam mais fortes do que ele e no qual para engrossar os exércitos era preciso recorrer a bárbaros recrutados em ultramar. Apesar disso, pretendia-se voltar aos grandes dias em que existia apenas o Egito, e nos quais era possível ignorar o resto do mundo. Os tempos dos construtores de pirâmides foram exaltados, retomou-se o estudo dos salmos e rituais religiosos que apareciam nesses túmulos antigos, houve um revigoramento dos clássicos literários do Médio Império e foram reparados os danos causados a Tebas pelos assírios. Em tudo isso, na realidade, a dinastia saíta seguia as diretrizes religiosas ortodoxas dos faraós núbios que a haviam precedido.

No entanto, a realidade não podia ser ignorada. Se Psamético aspirava a salvar o Egito, não tinha outro remédio a não ser encontrar alguma fórmula de convivência com o mundo ao redor.

O novo fator mais importante era a presença dos gregos, que haviam atravessado a idade das trevas que se seguira à guerra de Troia e surgiam, agora, com crescente glória. O poder e a cultura deles floresciam rapidamente, e tinham herdado de seus predecessores micênicos e cretenses duas coisas que os egípcios consideravam muito valiosas.

As constantes guerras, defensivas e internas, haviam ensinado aos gregos técnicas militares que os tornavam inigualáveis como soldados na luta corpo a corpo. Por cinco séculos, os gregos foram, portanto, os melhores mercenários do mundo, e nenhum exército não grego jamais foi grande a ponto de não precisar experimentar alguma melhora com a incorporação de contingentes gregos, utilizados geralmente como ponta de lança. As coisas foram assim a partir do momento em que os gregos desenvolveram corpos de infantaria pesada que, em comparação com os asiáticos e egípcios (que costumavam levar armamento leve), constituíam quase um tanque andante.

Em segundo lugar, os gregos amavam o mar. Contavam com uma tradição marítima só superada pela dos fenícios. Durante sua idade das trevas, os gregos haviam atravessado o mar Egeu e fundado cidades na Ásia Menor, que às vezes superavam até as que eles haviam deixado atrás de si. No século VIII a.C., em um momento no qual o Egito encontrava-se em decadência, os marinheiros gregos alcançaram a costa do mar Negro e, indo para ocidente, as da Itália e da Sicília.

Psamético sabia de tudo isso e decidiu tirar partido da situação. Para tanto, era necessário ousadia, mas Psamético era o faraó mais heterodoxo desde Aquenáton, e, diferentemente deste, possuía uma sensibilidade especial para compreender o que era possível e o que não era possível fazer.

Psamético já empregara mercenários gregos em seus exércitos, lotando-os em guarnições fortalecidas no leste do Delta, prontas para receber o embate mais duro proveniente de qualquer possível invasor oriental.

Já que em certa medida esse perigo estava contido, por que não utilizar o talento grego para fins pacíficos, além dos bélicos? Os egípcios eram, sem dúvida, tão bons comerciantes quanto os gregos, mas careciam de navios (ou do desejo de construí-los e utilizá-los) para transportar as mercadorias através dos mares. Por volta de 640 a.C., Psamético incentivou os gregos a se instalarem no Egito como colonos (para horror, sem dúvida, dos conservadores egípcios, que sempre tinham receio dos estrangeiros). Apenas dezesseis quilômetros ao sul de Saís, comerciantes gregos fundaram a base comercial de Náucratis, palavra que significa "dominador do mar".

Por outro lado, por volta de 630 a.C., os gregos colonizaram a costa da Líbia. Por volta de oitocentos quilômetros a oeste de Saís, fora da esfera de influência egípcia, os gregos fundaram uma cidade que chamaram Cirene. Seria por muitos séculos o núcleo de uma próspera região de fala grega.

Psamético governou por cinquenta e quatro anos, morrendo em 610 a.C. Foi o mais longo reinado egípcio e o mais próspero desde o de Ramsés II, seis séculos antes. Psamético viveu o suficiente para ver a total destruição da Assíria, embora seus últimos dez anos tenham ficado obscurecidos por novos problemas externos.

OS CALDEUS

Assurbanípal, que havia dominado o Egito por um breve tempo, morreu em 625 a.C., e pela primeira vez em um século e um quarto a

Assíria carece de um rei forte. A Babilônia, ainda invicta e rebelde, encontrou sua oportunidade.

A cidade de Babilônia e a região circundante estavam sob o controle dos caldeus, tribo semítica que penetrara na região por volta do ano 1000 a.C. No último ano do reinado de Assurbanípal, o príncipe caldeu Nabopolassar governou a Babilônia como vice-rei assírio. Assim como Psamético, ele decidiu tomar a iniciativa ao ver que o poderio assírio havia declinado o suficiente para que pudesse atacá-lo sem muitos riscos; e, também como Psamético, buscou aliados no exterior.

Nabopolassar encontrou-os entre os medos. Eram um povo de língua indo-europeia que se estabeleceu em uma região a leste da Assíria em 850 a.C., nos primórdios do Império Assírio. Durante o apogeu da Assíria, a Média pagava-lhe tributos.

Na época em que Assurbanípal morreu, um chefe medo chamado Ciaxares havia conseguido juntar certo número de tribos sob seu comando e formar um forte reino. Foi com Ciaxares que Nabopolassar firmou uma aliança.

A Assíria, bloqueada, viu-se confrontada com os medos a leste e os babilônios ao sul. Os exércitos assírios reagiram atacando, mas a força deles, muito desgastada ao longo de dois séculos de combates praticamente sem pausa, já não era a mesma. A Assíria se fragmentou, ficou arruinada e acabou desabando.

Em 612 a.C., Nínive, capital da Assíria, foi conquistada, e um grito de júbilo fez-se ouvir entre os povos submetidos, que tanto haviam sofrido sob seu domínio. (Entre esses gritos triunfais, um dos mais importantes foi o de um profeta de Judá chamado Naum, cujo jubiloso poema aparece na Bíblia.)

Apenas dois anos após esse acontecimento crucial, Necao II (com o mesmo nome do avô) sucedeu o pai no trono egípcio. Necao deparou com uma situação difícil. Sem dúvida, uma Assíria fraca era ideal para o Egito, mas o fato de ela ter sido substituída por potências novas, vigorosas e sedentas de criar um império podia revelar-se nefasto.

Apesar disso, Necao concluiu que nem tudo estava perdido. Depois da queda de Nínive, várias tropas assírias haviam se refugiado em Harã, sessenta quilômetros a oeste de Nínive, onde conseguiram resistir por vários anos.

Necao decidiu fazer algo a respeito. Podia atacar a costa oriental do Mediterrâneo, seguindo as rotas do grande Tutmósis III. Seria, na sua maneira de ver, uma política duplamente acertada, pois, embora não tivesse tempo para socorrer Harã, pelo menos poderia proteger a costa oriental do Mediterrâneo e conter os caldeus – esses novos criadores de Impérios –, mantendo-os a uma considerável distância do Egito.

No caminho de Necao, no entanto, encontrava-se o pequeno estado de Judá. Haviam transcorrido já quatro séculos desde que Davi instaurara seu breve reino, e o que restava dele, isto é, Judá, subsistia ainda, governada por Josias, descendente de Davi. Judá sobrevivera à queda do reino setentrional de Israel, resistira às tropas de Senaqueribe e, na verdade, dera um jeito de sobreviver à Assíria.

Agora enfrentava Necao. Josias não podia permitir a passagem de Necao sem opor resistência. Se o faraó fosse vitorioso, facilmente os dominaria; se fosse derrotado, os caldeus desceriam até o sul em busca de vingança contra Judá por ter deixado passar os egípcios. Então Josias decidiu preparar seu pequeno exército.

Necao teria preferido não perder tempo em Judá, mas não tinha opção. Em 608 a.C., enfrentou Josias em Megido, mesmo lugar em que Tutmósis III derrotara a coalizão de príncipes cananeus quase quinze séculos antes. A história se repetiu. Os egípcios venceram de novo, e o rei de Judá morreu. Pela primeira vez em seis séculos, o poder egípcio dominava a Síria.

No entanto, os caldeus também haviam feito progressos. Na época, já controlavam toda a região do Tigre e do Eufrates. Nabopolassar estava velho e doente, mas tinha um filho chamado Nabucodonosor, muito hábil, que conduziu os exércitos caldeus para oeste. Josias fora derrotado e morto por Necao, mas atrasara a marcha do exército egípcio pelo tempo necessário para que Nabucodonosor pudesse chegar a Harã e sitiá-la. Em 606 a.C. ele tomou a cidade, e os últimos restos do poderio assírio se desvaneceram. A Assíria desaparecia da história.

Isso colocava caldeus e egípcios frente a frente. Confrontaram-se em Karkemish, ali onde, em certa ocasião, Tutmósis I erguera um marco para celebrar a primeira vez que os exércitos egípcios haviam chegado às margens do Eufrates.

Se esse sinal ainda preservava algum poder mágico até aquele momento, o fato é que não foi suficiente para revertê-lo em favor do Egito. Necao podia derrotar o exíguo exército de Judá, mas as poderosas hostes de Nabucodonosor eram farinha de outro saco. Os egípcios foram arrasados, e Necao saiu da Ásia cambaleando um pouco mais rápido do que havia entrado. O sonho de Necao de restaurar o poder imperial do Egito durou apenas dois anos, e ele nunca mais faria outra tentativa.

Na realidade, Nabucodonosor, militar muito vigoroso, poderia ter perseguido Necao até o Egito e ocupado o país se Nabopolassar não tivesse morrido naquele momento, obrigando Nabucodonosor a voltar à Babilônia para assegurar a sucessão.

Na relativa paz gerada por esse afortunado evento, Necao teve oportunidade de amadurecer planos em prol da economia egípcia. Seu principal interesse foram as vias navegáveis. O Egito era um país de um rio só, que tinha centenas de canais, mas também fazia fronteira com dois mares, o Mediterrâneo e o Vermelho. Ao longo da costa de ambos, os navios egípcios haviam se aventurado, com precaução, por dois mil anos ou mais, até a Fenícia no primeiro caso e até o Punte no segundo.

Vez ou outra, os monarcas egípcios pensavam na conveniência de escavar um canal do Nilo até o mar Vermelho. Desse modo, o comércio poderia ser estendido de um mar a outro, e os barcos iriam da Fenícia ao Punte diretamente.

Nos primeiros tempos da história egípcia, a região entre o Nilo e o mar Vermelho era menos seca do que viria a ser mais tarde, e nos confins do Sinai havia alguns lagos que agora não existem mais. É provável que nos Impérios Antigo e Médio existisse algum tipo de canal fazendo uso desses lagos, exigindo cuidados constantes, e que quando o Egito atravessou épocas de agitação, ele tenha sido obstruído e desaparecido. Sua recuperação, além disso, em razão da crescente aridez do clima, teria se tornado cada vez mais difícil.

Ramsés II já havia considerado sua reconstrução, mas sem chegar a nada concreto, talvez pelo disparatado dispêndio de energia que fizera na construção de estátuas em homenagem a si próprio. Também Necao sonhou com isso, mas fracassou, talvez porque a aventura asiática tenha exaurido parte de suas forças.

No entanto, parece que Necao teve outra ideia. Se os mares Mediterrâneo e Vermelho não podiam se conectar por meio de um canal artificial, talvez a conexão pudesse ser feita por uma via natural: pelo mar. Segundo Heródoto, Necao quis descobrir se era possível ir do Mediterrâneo ao mar Vermelho circum-navegando a África. Para isso, contratou navegantes fenícios (os melhores do mundo) e obteve o êxito desejado; a viagem durou três anos. Pelo menos, é o que conta Heródoto.

Mas o grego, apesar de narrar essa história, afirma com convicção não acreditar nela. As razões para seu ceticismo são que, segundo fora informado, os marinheiros fenícios acreditaram ter visto o sol de meio-dia ao norte do zênite, ao cruzar o extremo sul da África. Heródoto indica que isso seria impossível, já que em todas as regiões conhecidas do mundo o sol fica ao sul do zênite ao meio-dia.

O desconhecimento de Heródoto quanto à forma da Terra levou-o a conclusões errôneas. É claro que, na zona temperada setentrional, o Sol do meio-dia fica sempre ao sul do zênite, mas, na zona temperada meridional, o Sol está sempre ao norte do zênite.

Na verdade, o extremo meridional da África fica na zona temperada do sul. O fato de os marinheiros fenícios informarem a posição norte do Sol do meio-dia, o que é algo que pareceria pouco provável à luz do "sentido comum", é uma prova evidente de que haviam de fato presenciado o fenômeno, e, consequentemente, que haviam circum-navegado a África. Em outras palavras, é improvável que tivessem contado uma mentira tão grosseira se não fosse, de fato, verdade.

A circum-navegação, apesar de bem-sucedida como aventura, foi um fracasso em fornecer informações sobre as possibilidades de novas rotas comerciais. A duração da viagem era longa demais. Ainda se passariam dois mil anos até que fosse possível levar a cabo a viagem em torno da África.

OS JUDEUS

Nabucodonosor continuou sendo uma ameaça para o Egito ao longo de seus quarenta e quatro anos de reinado. No entanto, depois de Karkemish, o Egito não ousou aventurar-se externamente para enfrentá-lo. Em vez disso, Necao e seus sucessores imediatos mantiveram a política que os faraós núbios haviam adotado contra a Assíria. Com dinheiro e promessas, incentivaram as nações submetidas da costa mediterrânea a promover constantes intrigas e rebeliões para desestabilizar os temidos caldeus.

Essa política, um século antes, permitira ao Egito manter-se livre por um tempo, mas havia custado a existência da Síria e de Israel. O Reino de Judá, que sobrevivera ao Império Assírio, não conseguira extrair uma lição do destino sofrido por seus vizinhos setentrionais. Ao preferir o frágil Egito à poderosa Caldeia, predispunha-se a enfrentar os caldeus, confiando nas frágeis promessas de ajuda egípcias.

Em 598 a.C., o Reino de Judá recusou-se a pagar tributo a Nabucodonosor, e Jerusalém foi cercada, obrigada a capitular, e certo número de seus homens mais destacados, incluindo o próprio rei, foi levado ao exílio na Babilônia.

Contudo, durante o reinado de um novo monarca, o mesmo jogo foi mantido apesar dos eloquentes alertas do profeta Jeremias, que solicitava à nação não dar ouvidos ao Egito. Ele pedia que, em vez disso, chegassem a um entendimento com os caldeus. Uma década depois, Judá voltou a rebelar-se, e dessa vez Nabucodonosor tomou Jerusalém, destruiu o Templo e levou consigo para o cativeiro quase toda a aristocracia. O reino judeu chegou ao fim, e o mesmo aconteceu com a dinastia de Davi.

Nem assim Nabucodonosor ficou com as mãos livres para voltar-se contra o Egito. A cidade fenícia de Tiro continuou resistindo, e isso o fez avaliar que não seria conveniente marchar para o sul enquanto essa poderosa cidade continuasse sendo um inimigo às suas costas.

Ezequiel, o profeta judeu, previa a destruição de Tiro com convicção em seu exílio na Babilônia, predizendo que o Egito seria, então, arrasado de um extremo a outro (suas palavras constam da Bíblia), mas as previsões do profeta não se cumpriram.

Tiro, construída sobre uma ilha rochosa a certa distância da costa fenícia, com uma poderosa frota que a abastecia de alimentos e uma população capaz de lutar com a obstinação característica das populações semíticas, manteve Nabucodonosor a distância por treze anos. De 585 a.C. a 573 a.C., Nabucodonosor aferrou-se à garganta da cidade com a sua própria obstinação semítica, mas não conseguiu sufocá-la. Com o tempo, o assunto foi abandonado, talvez por cansaço, e fez-se um acordo conciliatório, pelo qual Tiro dava por concluída sua política anticaldeia, mas conservava seu autogoverno. Nabucodonosor estava farto de tanta guerra.

Não temos muitas informações sobre a segunda metade de seu reinado, mas há indícios de que tentou invadir o Egito; se tentou, deve ter fracassado. A política do Egito mostrava-se, por enquanto, bem-sucedida em sua intenção de salvaguardar a própria independência, apesar do alto preço pago por seus aliados.

Necao morreu em 595 a.C., enquanto Jerusalém ainda existia. Foi sucedido pelo filho, Psamético II. O conflito entre Nabucodonosor e o

Reino de Judá permitiu a Psamético voltar sua atenção, pelo menos em parte, para outras direções, especificamente para o sul. Em Napata ainda governavam os reis núbios, e sempre havia a possibilidade de que relembrassem que seus antepassados haviam governado o Egito um século antes e sentissem a necessidade de voltar a fazê-lo. Era, também, uma questão de orgulho para os egípcios: queriam castigar os núbios por sua presunção.

Assim, Psamético enviou um exército para o sul, que penetrou no interior da Núbia numa expedição bem-sucedida e talvez tenha chegado até Napata. No entanto, não houve nenhuma tentativa de permanecer no país. O Egito da Dinastia XXVI não era o Egito do Novo Império. Com a invasão, já se dava por satisfeito, e os monarcas núbios, depois de assimilarem certa dose de humildade, foram deixados em paz.

Temos notícia hoje dessa expedição graças a um acontecimento singular que ocorreu durante seu retorno. O exército expedicionário egípcio contava, entre suas fileiras, com certo número de mercenários gregos. Ao que parece, o exército ficou um tempo acampado nas proximidades de Abu Simbel, onde há seis séculos e meio Ramsés II havia erguido um elaborado templo dedicado a si mesmo e ao deus Sol (nessa ordem de importância, tenho certeza), junto com quatro estátuas sentadas. Os gregos não tinham o mesmo respeito temeroso dos egípcios por tais monumentos do passado, e alguns deles gravaram seus nomes aqui e ali nos pilares, em escrita grega antiga. Os arqueólogos modernos ficaram fascinados pelo poder elucidativo que isso teve sobre o desenvolvimento do alfabeto grego, e nós nos sensibilizamos por esse testemunho da puerilidade que nos une, pessoas do passado e do presente.

Psamético II tomou também prudentes medidas contra uma possível tentativa núbia de promover represálias. A Primeira Catarata criava dificuldades, mas não era intransponível. Psamético, portanto, estabeleceu uma guarnição permanente na ilha de Elefantina, localizada Nilo abaixo logo depois da catarata, e que serviu como linha defensiva para o sul do Egito.

A guarnição de Elefantina era composta fundamentalmente por mercenários judeus. Os reveses sofridos pelo Reino de Judá nas mãos de Nabucodonosor desencadearam um constante fluxo de refugiados judeus que iam para o Egito. Eram rudes e bons combatentes, e Psamético contratou-os de bom grado.

Em 1903, foi descoberto em Elefantina um esconderijo repleto de documentos e, com eles, grande quantidade de informações interessantes sobre o desenvolvimento do modo de vida judeu durante os dois séculos posteriores ao estabelecimento da guarnição. Em Judá, os descendentes dos homens levados ao cativeiro da Babilônia haviam regressado aos poucos, a partir do ano 538 a.C. Em 516 a.C., foi construído um novo Templo. Os judeus de Elefantina, em contrapartida, viviam afastados desses acontecimentos. O judaísmo havia se desenvolvido durante o exílio da Babilônia até adotar sua forma moderna, e foi no novo Templo em que essa forma se enraizou e se converteu em uma ortodoxia elaborada. Os judeus de Elefantina, alheios a tudo isso, tinham os próprios rituais tradicionais, que deram lugar a uma insólita heresia, ignorada com desdém pelos sumos sacerdotes do Templo de Jerusalém.

Psamético II foi sucedido, em 589 a.C., por seu filho Uahibré (faraó ao qual a Bíblia se refere como Hofra). Era Uahibré quem governava quando Jerusalém caiu e foi destruída. Esse faraó recebeu certo número de judeus, que formaram o núcleo de uma população de judeus egípcios. Ao longo dos seis séculos seguintes, seriam um elemento importante da vida egípcia e, naturalmente, da vida judaica.

O cerco a Tiro por parte de Nabucodonosor prolongou-se durante quase todo o reinado de Uahibré. O faraó tentou ajudar Tiro, mas de pouco adiantou. Apesar disso, o Egito pôde dedicar atenção a outros assuntos, deixando aos habitantes de Tiro a tarefa de manter o lobo caldeu longe dos egípcios.

Uahibré deu continuidade e ampliou a política de utilizar mercenários gregos, adotada pelos primeiros faraós da dinastia. Pela primeira vez na história do Egito tentou-se criar algo como uma marinha nacional. Uahibré utilizou barcos tripulados pelos hábeis marinheiros gregos e com eles ocupou a ilha de Chipre, a quatrocentos quilômetros ao norte do Delta. Não se tratou apenas de um ato de vanglória; uma posição forte nessa ilha, respaldada por uma frota eficaz, dava-lhe uma vantagem em relação a Nabucodonosor mesmo que Tiro caísse, e lhe permitia salvaguardar o Egito.

Uahibré achou oportuno cuidar igualmente da retaguarda, a fim de prevenir qualquer ofensiva por parte dos caldeus. A colônia grega de Cirene expandia-se à custa das tribos líbias, e estas pediram proteção ao faraó. Uahibré não podia ter a oeste tribos irrequietas, vingativas e dispostas a atacá-lo quando seus exércitos estivessem ocupados a leste contra os caldeus. Por isso, decidiu enviar um exército contra Cirene para ensinar-lhes boas maneiras.

No entanto, isso o colocou diante de um dilema. O núcleo de suas forças armadas era composto por mercenários gregos, e, na realidade, teria sido temerário fazê-los marchar contra uma cidade grega. Em tese, os mercenários lutavam contra qualquer um que lhes fosse solicitado (e pago), mas a teoria nem sempre coincidia com a prática. Uahibré temia que, no momento culminante, parte de suas forças mercenárias de repente debandasse para o inimigo e se unisse a seus compatriotas gregos. Por isso, deixou os gregos no país e enviou a Cirene apenas contingentes egípcios.

Os egípcios, porém, não se entusiasmaram com a ideia de lutar contra os temíveis gregos. Sem dúvida mantiveram por muitos anos forte hostilidade em relação aos odiados estrangeiros, e os egípcios que faziam parte do exército deviam se sentir particularmente ressentidos como o favoritismo demonstrado em relação aos soldados gregos. Afinal, viam os estrangeiros obtendo todos os altos cargos e recebendo todas as homenagens. (O fato de serem os gregos que suportavam o maior peso nos combates, ao que parece, não era levado em conta por seus críticos.)

Desse modo ficava fácil, para os oradores nacionalistas egípcios, convencer o exército recrutado para atacar Cirene de que Uahibré estava apenas querendo se livrar de seus soldados egípcios, empurrando-os à luta para serem massacrados, e que depois disso o faraó ficaria apenas com os gregos.

O exército se rebelou e Uahibré precisou enviar um de seus oficiais, Ahmés, um egípcio nativo muito popular entre os soldados, para apaziguar os homens. Mas Ahmés era realmente popular entre os soldados, que exigiram que se tornasse o novo faraó.

Ahmés avaliou a proposta, concluiu que não deveria ser tão ruim assim assumir o trono como faraó e colocou-se à frente dos rebeldes. Com grande entusiasmo, eles voltaram atrás e marcharam sobre o Delta, e em sua excitação conseguiram derrotar um contingente de mercenários gregos (sem dúvida, bem menos numeroso do que o exército egípcio) enviado pelo malfadado Uahibré.

Uahibré foi executado e, em 570 a.C., Ahmés foi reconhecido faraó do Egito. Casou-se com uma filha de Psamético II (irmã ou meia-irmã do deposto Uahibré), legitimando assim seu governo e sendo incluído, por Mâneton, na Dinastia XXVI.

Esse faraó é mais conhecido pela versão que os gregos deram de seu nome: Amásis.

9.

O EGITO PERSA

OS PERSAS

Embora Amásis devesse seu trono a uma reação antigrega, não podia virar as costas à realidade. Precisava utilizar mercenários gregos, e foi o que fez. Precisava servir-se de comerciantes gregos, e deu impulso ao crescimento de Náucratis, convertendo-a em uma cidade, no pleno sentido da palavra, a partir de pouco mais do que um posto comercial. Precisava da segurança que lhe seria proporcionada pelas alianças com os gregos, e procurou fortalecê-las.

Em particular, aliou-se à ilha de Samos, no mar Egeu, junto à costa da Ásia Menor. Era uma ilha pequena, mas nos últimos anos do reinado de Amásis foi dotada de uma grande frota. Amásis, que ainda controlava Chipre, pôde utilizar a seu favor a frota de Samos. Na verdade, chegou a casar-se com uma mulher grega da cidade de Cirene.

Todas essas atenções em relação aos gregos tinham a ver com a ameaça que acenava do leste – embora, nos primeiros anos do reinado de Amásis, a ameaça parecesse ter perdido intensidade. O maçante e velho Nabucodonosor morrera, afinal, em 561 a.C., e seus sucessores foram fracos, pacíficos ou as duas coisas. Durante um quarto de século, a Caldeia não representou nenhum problema para o Egito; na realidade, foi um vizinho confortável.

Bem, mas se um vizinho está em decadência, é certo que qualquer nação que considere importante cuidar de seus interesses deve preservar a integridade desse vizinho. Necao tentara dar apoio à moribunda Assíria, e agora Amásis tentava prestar o mesmo serviço à moribunda Caldeia.

A Caldeia morria, sem nenhuma dúvida, apenas meio século depois de ter alcançado glória e poderio. Nos tempos do declínio da Assíria, dois reinos conquistadores, a Caldeia e a Média, haviam dividido entre si o espólio. A Caldeia ocupara o rico vale do Tigre e do Eufrates e tudo o que foi capaz de abarcar a oeste. A Média contentara-se com a faixa de território mais extensa, porém menos desenvolvida e muito mais pobre, situada a norte e a leste da Caldeia. Ao longo de setenta e cinco anos, a Média tivera um regime muito pacífico e não expansionista.

Ao sul da Média e a sudeste da Babilônia, entretanto, havia uma província que seria conhecida pelos gregos como Persis, e por nós como Pérsia. Os persas eram estreitamente aparentados aos medos, pela língua e pela cultura.

Por volta de 560 a.C., um chefe persa de ilimitada ambição e habilidade começou a ser conhecido. Seu nome era Ciro.

Ciro, é claro, visava ao trono medo, e para isso contava com a ajuda de Nabonido, rei da Caldeia, que, sem dúvida, desejava fomentar a guerra civil em seu grande vizinho setentrional. Em 500 a.C., Ciro marchou contra a capital meda, ocupou-a em uma só campanha e sentou-se no trono do Império Medo, que a partir de então seria conhecido como Império Persa.

Nabonido percebeu tarde demais o erro cometido ao ajudar Ciro. O que Nabonido realmente desejava (como qualquer outra nação em tais circunstâncias) era que eclodisse uma longa guerra civil que debilitasse ambos os lados e diminuísse o poderio da outra nação por gerações. A rápida vitória de Ciro veio substituir um monarca tranquilo e acomodado por outro vigoroso e marcial. Nabonido tentou ajudar qualquer nação que se dispusesse a enfrentar Ciro, mas era tarde demais.

Em 547 a.C., Ciro derrotou os lídios da Ásia Menor ocidental e toda a península foi incorporada a seus domínios, incluindo as cidades gregas da costa.

Em 540 a.C., Ciro se dirigiu à própria Caldeia. Sua bem-sucedida carreira prosseguiu, e no curso de um ano havia ocupado a Babilônia e encerrado a breve existência do Império Caldeu. Ciro morreu em 530 a.c. enquanto tentava estender seu império para o interior da Ásia Central. Às vezes é chamado de Ciro, o Grande, um epíteto merecido, pois não foi apenas um conquistador, mas um sujeito humanitário que tratava com tolerância os povos conquistados.

Quando da morte de Ciro, o Império Persa abrangia todos os grandes centros de civilização de Ásia ocidental e também grandes partes das regiões onde habitavam os nômades. Havia construído, portanto, o maior Império que o mundo Mediterrâneo já vira.

Enquanto isso, no Egito, Amásis continuava contemplando com horror o desenvolvimento daquele império. As recordações da Assíria e da Caldeia mostravam-se insignificantes diante do novo colosso. Amásis fizera o possível para impedir seu crescimento, apoiando, um após o outro, todos os inimigos de Ciro, mas fracassara todas as vezes. Agora o Egito encontrava-se sozinho e desamparado, no caminho da expansão persa, e a Pérsia (como antes a Assíria e a Caldeia) não estava disposta a ser clemente com a nação que tantas intrigas havia armado contra ela.

A boa estrela de Amásis, entretanto, que primeiro o levara ao trono e depois lhe dera um reinado de quarenta e quatro anos sobre um Egito próspero, continuou brilhando até o fim. Quando a Pérsia já estava pronta para dar o bote e o Egito tremia diante do que o aguardava, Amásis morreu, em 525 a.C., cedo demais para poder ver os persas desferirem o golpe. Seu filho, que herdou o trono com o nome de Psamético III, foi quem teve de enfrentar o perigo.

Cambises, filho de Ciro, sucedeu o pai no trono persa. O novo monarca já havia governado a Babilônia por um tempo, quando seu pai se ausentara em campanha. Nessa ocasião, preparou-se para dar o próximo passo lógico da política expansionista persa: uma ação definitiva contra o Egito.

As forças egípcias estavam estacionadas em uma fortaleza na costa mediterrânea, a leste do Delta. Era chamada Per-Amen, ou Per-Amon, isto é, "morada de Amon", mas a conhecemos melhor por seu nome grego posterior: Pelúsio, que significa "cidade de barro". Não muito longe dali, o exército assírio de Senaqueribe enfrentara uma resistência suficientemente firme para obrigá-lo a voltar atrás, mas isso havia representado apenas uma escaramuça para um exército que estava muito ocupado em outras partes.

Agora Pelúsio sofreria seu primeiro e verdadeiro batismo de fogo, e isso teve desastrosas consequências para o Egito. Cambises simplesmente desbaratou o exército egípcio, lançando-o em uma fuga desordenada e precipitada; e a luta se resumiu a isso. A seguir, avançou contra a atemorizada Mênfis, e uma vez mais o Egito viu-se sob domínio estrangeiro.

Não sabemos muito sobre a estadia de Cambises no Egito, a não ser pelo que nos conta Heródoto, e este (que visitou o Egito cerca de um século depois) obteve suas informações de um clero egípcio nacionalista, um antipersa ressentido. O retrato que fez de Cambises, portanto, é a imagem grosseiramente exagerada de um tirano cruel e meio louco, que se comprazia com a profanação deliberada do que os egípcios consideravam sagrado e que zombava de seus costumes.

Um exemplo: durante a estada de Cambises no Egito, os egípcios encontraram um touro que apresentava os requisitos, bastante exigentes, necessários para qualificá-lo como Ápis, a manifestação terrena do deus Osíris. O touro é um símbolo frequente de fertilidade, e o achado de Ápis significava a promessa de boas colheitas e de tempos felizes. Por tradição, Ápis era saudado com grande júbilo e eram-lhe tributadas honrarias divinas. Segundo Heródoto, Cambises, ao voltar de uma expedição desastrosa, encontrou os egípcios em festa e imaginou que estivessem celebrando a derrota, o que despertou sua cólera. Quando o informaram que o júbilo era por terem encontrado Ápis,

Cambises, com grande desprezo por esse deus, desembainhou a espada e feriu o animal.

Isso pode nos parecer uma atrocidade leve (comparada às que perpetramos em nossos dias), mas para os egípcios representou um ato muito mais horroroso que a própria conquista de seu país. O mais provável, na realidade, é que se trate de pura lenda, e que Cambises tenha governado o Egito de maneira tão razoável quanto se possa esperar de um dominador.

Cambises não tinha a intenção de limitar-se ao Egito. Aceitou a submissão dos líbios do oeste do Nilo e a da cidade grega de Cirene, que meio século antes resistira ao assalto de Uahibré. Depois voltou os olhos para a Núbia, ao sul (e talvez até à colônia fenícia de Cartago, mais a oeste). Marchou até o sul e invadiu a Núbia, saqueando Tebas em sua passagem (como Assurbanípal havia feito um século e meio antes). Colocou a metade setentrional da Núbia sob controle persa antes de retornar para repor forças e acumular novos apetrechos. (As fontes utilizadas por Heródoto, que eram hostis aos persas, transformaram esse retorno em uma desastrosa derrota, consequência da atrocidade cometida contra Ápis.)

Sem dúvida, Cambises prosseguiu em sua vitoriosa carreira, mas em seu país eclodiu uma disputa dinástica. Um impostor, dizendo ser o filho mais velho de Ciro, autoproclamou-se rei. Cambises voltou às pressas para enfrentá-lo, mas morreu no caminho. (O relato desfavorável de Heródoto insinua que talvez tivesse se suicidado depois de enlouquecer por influência dos deuses, ofendidos por seu sacrilégio.)

Os monarcas persas formam a Dinastia XXVII, agora sim verdadeiramente estrangeira. Não era como as dinastias Líbia e Núbia, egípcias em tudo, exceto em sua origem; nem como a dos hicsos, que se "egiptizaram". Nem como a dos assírios, cuja presença foi breve e efêmera.

Não! A Dinastia XXVII foi de fato estrangeira, e governou com mão de ferro.

OS ATENIENSES

A dominação persa revelou-se benéfica em vários aspectos. Assim, passados os poucos meses de confusão que se seguiram à morte de Cambises, um membro da família real, Dario, tomou o poder. Dario I governou durante trinta e cinco anos (de 521 a.C. a 486 a.C.) e sem dúvida foi o mais capacitado dos reis persas, sendo por isso chamado, às vezes, de "Dario, o Grande".

Dario reorganizou seu imenso império, conduzindo-o a altos níveis de eficácia, e governou bem o Egito. Conseguiu terminar o canal do Nilo até o mar Vermelho que Necao deixara inacabado, e o comércio egípcio floresceu. Na realidade, o Egito, sob o domínio de Dario, conservou seus antigos modos de vida, foi próspero como não havia sido desde Ahmés e o tributo que pagava aos persas não era excessivamente opressivo. Então do que se queixavam tanto os egípcios?

Com três mil anos de história nas costas, os egípcios protestavam contra um regime estrangeiro talvez pela única razão de ser estrangeiro. Assim, aguardavam pela oportunidade. Cedo ou tarde, a Pérsia acabaria se ocupando de algum outro canto de seus amplos domínios, e então chegaria a hora.

O próprio Dario contribuiu para que esses desejos se cumprissem ao não resistir a empreender novas conquistas de países estrangeiros, a fim de igualar as façanhas de seus predecessores. Em 515 a.C., cruzou o mar até a Europa para conquistar e anexar regiões situadas ao norte da Grécia, rio Danúbio acima.

As cidades independentes da Grécia se alarmaram muito e, como autodefesa, prestaram ajuda a todo movimento que pudesse entorpecer ou enfraquecer a Pérsia. Em 499 a.C., quando algumas das cidades gregas da Ásia Menor que haviam estado sob domínio persa durante meio século se rebelaram, as cidades-Estado da Grécia enviaram navios para ajudá-las. O irritado Dario conseguiu dominar a revolta, e determinou, além disso, castigar Atenas por sua ingerência nos assuntos persas, sem que tivesse havido qualquer provocação.

Em 490 a.C., Dario enviou uma força expedicionária persa relativamente pequena contra Atenas, mas, para surpresa geral, foi derrotado por um exército ateniense menor do que o seu na batalha de Maratona. Dario, mais furioso ainda, começou a planejar uma expedição de maior envergadura.

Os egípcios vinham observando atentamente o curso dos acontecimentos. As cidades gregas da Ásia Menor haviam ousado rebelar-se contra o colosso persa. Isso as fizera ser esmagadas, mas os atenienses não só haviam resistido aos persas como saído vitoriosos. Sem dúvida, as energias persas acabariam se consumindo por inteiro para vingar esse insulto. Além disso, Dario já estava velho e doente demais para multiplicar-se em outras direções. Era a oportunidade que o Egito esperava.

O Egito, portanto, rebelou-se como consequência da batalha de Maratona. A princípio, tudo correu bem. Em 486 a.C., morreu Dario, e havia muitas razões para pensar que, na confusão dos primeiros anos de governo do novo rei, o Egito poderia recuperar a independência.

O trono persa foi ocupado por Xerxes, filho de Dario, que de repente viu-se enfrentando Atenas e o Egito. Precisava escolher. Herdara do pai grandiosos desejos de vingança contra Atenas, que era, contudo, uma pequena cidade, enquanto o Egito era uma província grande, próspera e populosa. Sem dúvida, seria mais acertado ocupar-se primeiro do Egito.

Assim, os planos de invasão da Grécia foram suspensos, e todo o poderio persa voltou-se contra o desafortunado Egito, que foi de novo derrotado e subjugado; mas isso ocupou os persas por três anos, o que representou uma prolongada demora nos planos de Xerxes de invadir a Grécia. Esse período de três anos foi bem aproveitado pelos atenienses, que melhoraram e ampliaram notavelmente sua frota. Foi essa frota, aliás, que permitiu aos gregos derrotar os persas em Salamina, em 480 a.C., e romper a espinha dorsal dos invasores persas.

O mundo atual, cuja cultura deriva, em grande parte, da antiga Grécia, encontra na vitória da frágil Grécia sobre a gigantesca Pérsia a repetição da maravilhosa história, que nunca nos cansaremos de ouvir, protagonizada por Davi e Golias. A surpresa e a satisfação provocadas pela salvação da Grécia perduraram através de gerações ao longo de vinte e cinco séculos, mas, mesmo assim, e sem tirar o mérito da façanha grega, é justo apontar que, sem a malfadada revolta egípcia, a vitória grega não teria sido possível.

O Egito, que várias vezes impulsionara seus pequenos vizinhos a se sacrificarem por seu interesse, nessa ocasião (é claro que contra a sua vontade e sem nenhuma intenção) sacrificou-se pela causa grega. Talvez nunca tenha prestado um serviço tão grande ao gênero humano.

Mesmo com a rebelião subjugada, o Egito não teve paz. Seu povo, incitado pelos sacerdotes, sempre esteve a ponto de se rebelar. O momento crucial poderia chegar com o fim do reinado de Xerxes, que talvez abrisse a possibilidade para uma enérgica sucessão e uma guerra civil, que não dariam tempo à Pérsia de atender a rebeliões distantes. Melhor ainda, talvez o novo monarca fosse um homem fraco que não teria interesse em longas e cansativas campanhas para trazer de volta ao seu jugo as províncias distantes.

A morte de Xerxes em 464 a.C., portanto, foi o sinal para uma nova rebelião. Dessa vez, os elementos dirigentes foram as tribos nômades do deserto líbio, que continuavam relativamente livres, embora nominalmente sob domínio persa. Um de seus líderes, Inaros, conduziu forças ao Delta, às quais se juntou de bom grado uma multidão de egípcios. O vice-rei persa, irmão do falecido Xerxes, foi morto durante uma dura batalha, e o Egito prometia alcançar de novo a independência.

A posição egípcia parecia mais segura ainda pelo fato de a Pérsia continuar enfrentando vários problemas. Atenas, desde os dias de

Salamina, mantinha uma guerra contínua contra a Pérsia, com constantes investidas contra os limites de seu Império. Tais ações dos atenienses não colocavam em risco o núcleo do poder persa, mas mantinham os persas ocupados demais para que pudessem empregar todas as suas forças contra o Egito.

Além disso, às primeiras notícias de uma revolta egípcia, os barcos atenienses vieram em ajuda aos rebeldes, desembarcando uma força expedicionária.

No entanto, para infelicidade do Egito, o novo monarca persa não era um homem fraco. Tratava-se de Artaxerxes I, filho de Xerxes. Ele enviou uma poderosa força contra o Egito e conseguiu subjugar os rebeldes, confinando-os a uma ilha do Delta. Parecia que nela os rebeldes se tornariam impossíveis de serem vencidos quando recebessem o apoio dos navios atenienses, mas Artaxerxes conseguiu desviar o braço do Nilo em que se localizava a ilha, e, com isso, os barcos ficaram encalhados e foram inutilizados e destruídos. A metade de um segundo contingente de navios atenienses acabou também sendo destruída antes de alcançar o cenário da luta. A rebelião foi dominada em 455 a.C., sendo a maior parte das forças gregas aniquilada, e Inaros, capturado e executado.

Todo esse assunto representou um desastre de grandes proporções para Atenas, mas foi bem pouco mencionado na história, em parte por ter ocorrido em plena Idade de Ouro ateniense (em certo sentido, a mais importante das "idades de ouro" que o mundo já viveu). Portanto, as sombrias cores da derrota do Egito ficaram diluídas em meio à glória do que acontecia em uma cidade que na época edificava o Parthenon, escrevia as tragédias mais importantes do mundo, esculpia suas melhores estátuas e criava sua maior filosofia.

De qualquer modo, a derrota ateniense transtornou sua política externa, trouxe desânimo a seus amigos, incentivou os inimigos e ajudou a preparar o terreno para o desastre que iria sepultá-la meio século mais tarde. Se a primeira revolta egípcia contra os persas salvara Atenas, a segunda contribuiu para a sua ruína.

O ÚLTIMO NATIVO

O Egito esperou mais uma vez. Dois novos reis persas surgiram e desapareceram; em 404 a.C., o segundo deles, Dario II, morreu. Dessa vez houve uma luta acalorada pela sucessão do trono. O filho mais novo de Dario dirigiu um exército, formado em grande parte por mercenários gregos, contra seu irmão mais velho, que foi o vencedor e governou como Artaxerxes II. Mas, enquanto isso ocorria, o Egito teve tempo de rebelar-se, e dessa vez com sucesso, alcançando de novo uma precária independência.

A independência estendeu-se por sessenta anos, em grande medida graças à ajuda grega. Em consequência disso, os mercenários gregos eram particularmente numerosos nessa época. Duas cidades, Atenas e Esparta, haviam travado uma terrível guerra entre 431 a.C. e 404 a.C., da qual Esparta saiu vencedora, estabelecendo sua supremacia sobre a Grécia. O fim da guerra deixara sem emprego grande número de soldados, que não tinham muito o que fazer em uma Grécia exaurida e devastada pela longa contenda. Por isso, aceitavam de bom grado ser contratados por egípcios ou persas.

Nesse último período de independência, governaram o Egito por breve tempo três dinastias nativas: as XXVIII, XXIX e XXX. Todas previam um momento crucial em que a Pérsia se sentiria forte o bastante para se voltar contra o Egito. Em 379 a.C., quando a Dinastia XXX chegou ao poder, a invasão persa parecia iminente.

O primeiro faraó da Dinastia XXX foi Nectanebo I, que logo cuidou de reforçar sua posição obtendo o melhor que conseguiu encontrar em termos de mercenários gregos. Contratou Cabrias, general ateniense que ostentava um animador currículo de vitórias. Cabrias aceitou o cargo sem a permissão de Atenas (que, naquela época, não desejava se indispor com a Pérsia). Reorganizou o exército egípcio e instruiu-o nas táticas modernas, convertendo o Delta em um acampamento poderosamente defendido. Enquanto isso, os persas reuniam suas forças nas fronteiras.

Artaxerxes hesitou em atacar, ao ver que tinha diante de si Cabrias, e pressionou Atenas, com sucesso, para que o general fosse chamado de volta. Cabrias foi obrigado a abandonar o Egito, mas já havia realizado um bom trabalho. Quando os persas atacaram, depararam com uma resistência tão firme que precisaram recuar; o Egito estava livre. Nectanebo I morreu em 360 a.C., tendo governado uma nação independente e bastante próspera.

Nectanebo foi sucedido por Teos, que continuou tendo de enfrentar o problema persa. Àquela época, porém, a situação na Grécia mudara de maneira surpreendente. Esparta fora derrotada pela cidade grega de Tebas e, após alguns séculos de façanhas militares, havia sido reduzida à impotência. Nesse momento, um de seus dois reis era Agesilau, um dos melhores generais da Grécia de então, mas que não foi capaz de salvar Esparta. Tão desesperadora era a situação de Esparta que Agesilau, que em sua juventude dominara a Grécia, tendo inclusive comandado uma força expedicionária à Ásia Menor para lutar, vitoriosamente, contra o Império Persa, viu-se obrigado a vender seu talento, em um esforço por obter dinheiro para poder continuar lutando em defesa da derrotada Esparta.

O orgulhoso rei espartano foi constrangido a servir como mercenário em troca de dinheiro. Contratado por Teos, desembarcou no Egito com um contingente de espartanos. Mas Teos ficou decepcionado com a aparência daquele ancião (já que Agesilau tinha, então, por volta de 80 anos), encarquilhado, fraco e coxo. Teos recusou ao velho herói o controle total das forças armadas egípcias, e obrigou-o a comandar apenas os mercenários. No entanto, Cabrias estava de volta e à frente da frota egípcia.

Teos sentia-se agora forte o suficiente para assumir a ofensiva contra a Pérsia, que vinha decaindo cada vez mais. Em várias ocasiões, tropas gregas conseguiram adentrar à vontade pelo país, e Artaxerxes II, que chegava ao fim de um reinado de quase meio século, envelhecera e se mostrava indeciso. O gigante parecia cambalear.

As forças egípcias penetraram, então, na Síria. Mas havia muitos dispostos a mandar e poucos a obedecer, e com isso logo surgiram discordâncias entre atenienses, espartanos e egípcios, e o projeto foi abortado. Além disso tudo, Agesilau negou-se terminantemente a executar um dos parentes de Teos, a mando dele, que havia reclamado o trono: viera lutar contra os inimigos do Egito, não contra os egípcios.

Teos viu-se forçado a fugir com os persas, e o novo pretendente ocupou o trono do Egito com o nome de Nectanebo II. Agesilau já passara por muita coisa e decidiu voltar a Esparta, mas morreu em Cirene na viagem de regresso.

Em 358 a.C., Artaxerxes II morreu. O trono foi herdado pelo filho, Artaxerxes III, e com ele a Pérsia mostrou vigor inesperado. Artaxerxes III preparou seu primeiro ataque contra o Egito em 351 a.C., mas foi rechaçado pelos egípcios graças, também, à própria vanguarda de mercenários gregos. Por três séculos, os egípcios haviam utilizado os gregos contra seus inimigos, mas essa seria a última vez que o fariam com tanto sucesso (pois, quando os gregos voltaram, foi na condição de senhores, e não mais como servidores).

O monarca persa precisou adiar seu segundo ataque, em razão das revoltas na Síria e das contínuas incursões de piratas gregos. Teve muito trabalho para reprimir os revoltosos e restabelecer a paz. Em 340 a.C., marchou contra o Egito de novo, dessa vez ele mesmo liderando o exército.

Em grande parte, tratou-se de uma luta de gregos contra gregos, pois havia mercenários de ambos os lados. Após um duro enfrentamento, os gregos do lado persa venceram os gregos do lado egípcio na batalha de Pelúsio. Cerca de dois séculos antes, os persas, enviados por

Cambises, haviam ocupado todo o Egito depois de uma única batalha naquele mesmo lugar; agora, os persas, comandados por Artaxerxes III, faziam o mesmo. Após penetrar a dura casca de Pelúsio, não havia mais nada que pudesse deter os persas.

Nectanebo II fugiu para Napata, acolhido pela Núbia. Teve a triste honra de ser o último governante autóctone de todo o Egito, e com ele terminava uma história iniciada com Menés, cerca de três mil anos antes.

Mâneton, que escreveu meio século depois, finaliza a enumeração das dinastias com Nectanebo II. No entanto, seguiremos adiante.

OS MACEDÔNIOS

Artaxerxes III restabeleceu o domínio persa no Egito com grande crueldade. Apesar disso, a Pérsia não iria durar muito, e a Grécia ainda protagonizaria grandes e surpreendentes acontecimentos.

Ao longo de séculos, as cidades gregas haviam lutado entre si; por volta de 350 a.C., a luta estava empatada; nenhuma cidade fora capaz de dominar as outras. Atenas, Esparta e Tebas haviam tentado, nessa ordem, mas fracassaram por completo.

Alguns gregos começaram a perceber que as diferentes cidades estavam arruinando umas às outras, e que apenas uma guerra externa – uma guerra combatida unitariamente, uma "guerra santa" – contra o inimigo comum, a Pérsia, poderia salvá-las.

Mas, nesse caso, quem comandaria a cruzada? Em tese, seria o vencedor da contenda entre as cidades, mas não havia vencedor, e parecia que nunca chegaria a haver. De fato não havia, pelo menos entre as cidades-Estado.

Ao norte da Grécia, no entanto, ficava a Macedônia. Esse país havia assimilado a língua e a cultura gregas, mas era desprezado pelos gregos, que o consideravam semibárbaro. Sem dúvida, o país tivera escassa importância nos primeiros tempos da história grega. Durante o prolongado período em que as cidades gregas lutaram contra a Pérsia e derrotaram seus exércitos, a Macedônia permanecera sob domínio persa e chegara a combater a seu lado.

No entanto, em 356 a.C., quando o Egito dava seus últimos suspiros como país independente, subiu ao trono da Macedônia um homem de perfil pouco frequente. Era Filipe II, que reorganizou o exército macedônio e introduziu a "falange", corpo disposto em formação cerrada, por soldados armados com equipamento pesado, instruídos, graças a um treinamento contínuo, a manejar com perfeição longas lanças, o que fazia cada agrupamento parecer um porco-espinho em movimento.

Aos poucos, por meio de subornos e mentiras, e também de ações militares quando esses recursos não produziam o desejado efeito, Filipe adquiriu o controle do norte da Grécia. Em 338 a.C., em uma batalha decisiva em Queroneia junto à cidade grega de Tebas, derrotou os exércitos aliados de Tebas e Atenas, obtendo, assim, o domínio sobre toda a Grécia.

Agora era possível iniciar a grande guerra santa contra a Pérsia, pois o esperado líder havia surgido: Filipe II foi o eleito para essa tarefa pelas cidades gregas submissas.

No entanto, em 336 a.C., justamente quando a invasão seria iniciada e os primeiros contingentes já cruzavam o mar em direção à Ásia Menor, Filipe foi assassinado em consequência de distúrbios internos.

Por um momento, o projeto todo cambaleou, e quem passou a dar as cartas foi o filho de Filipe, Alexandre III, que tinha então 20 anos. As tribos e cidades dominadas por Filipe consideraram que o advento de um sucessor tão novo era um sinal suficiente para que se rebelassem, mas não poderiam ter cometido erro maior, pois acertaríamos em supor que Alexandre III foi, em alguns aspectos, o menos comum dos homens. Por um lado, jamais perdeu uma batalha, mesmo nas condições mais difíceis e desencorajadoras; e, por outro, parecia não precisar de mais do que um instante para tomar decisões (decisões acertadas, se as julgarmos por seus resultados). Chegou a comandar alguns dos melhores generais jamais reunidos em um só exército, e não teve dificuldades em se sobrepor a todos eles (nesse último aspecto, é comparável apenas a Napoleão).

No início de seu reinado, Alexandre marchou, decidido, contra as tribos em rebelião, acabou com elas com um certeiro golpe e marchou, em seguida, para o sul, contra a Grécia, onde imediatamente assumiu o controle das cidades. Em 334 a.C., deixou a Grécia e rumou para a Ásia.

Artaxerxes III da Pérsia, por sua vez, havia morrido em 338 a.C., e, depois de um período de distúrbios, um amável fracote foi conduzido ao trono em 336 a.C.; era Dario III. Ninguém podia enfrentar o êxito de Alexandre (logo conhecido como Alexandre Magno ou Alexandre, o Grande, e de todos os monarcas assim denominados, o único que teve essa grandeza indiscutível), mas Dario III nem sequer pôde tentar.

As forças persas avançadas, que se mostraram confiantes em excesso, foram derrotadas prontamente no rio Grânico, na Ásia Menor norte-ocidental.

Alexandre desceu pelo litoral da Ásia Menor, indo em seguida para o interior, derrotando o grosso do exército persa (muito superior, em número, ao seu, mas sem qualidade tática nem de comando) na cidade de Isso, situada no canto norte-oriental do Mediterrâneo.

Depois, desceu pelo litoral sírio, detendo-se apenas para subjugar Tiro, após um sítio de nove meses (provavelmente o embate mais duro de sua carreira, mas sem termo de comparação com os treze anos que Nabucodonosor foi obrigado a encarar).

Em 332 a.C., Alexandre estava em Pelúsio, mas os egípcios não travaram combate com ele por ali como haviam feito (de maneira infrutífera) contra Senaqueribe, Cambises e Artaxerxes III. Fazia apenas nove anos que a Pérsia derrotara Nectanebo II e banhara o Egito em sangue, e a lembrança da derrota estava ainda fresca na memória do país. Alexandre foi, portanto, acolhido por um povo egípcio extasiado de alegria com a libertação. Na realidade, parece que os egípcios já haviam tentado uma aproximação quando Alexandre estava em Isso, implorando-lhe que salvasse o país.

Alexandre teve muito cuidado em não fazer nada que estragasse essa primeira impressão favorável. Aceitou os costumes egípcios e realizou os sacrifícios necessários aos deuses de acordo com os rituais locais. Sua intenção era não ser visto como um conquistador, mas como um autêntico faraó.

Para facilitar o cumprimento desse propósito, viajou até o oásis de Siwa, na Líbia, por volta de quinhentos quilômetros a oeste do Nilo, onde havia um templo de Amon muito venerado. Ali realizou os ritos necessários para sua consagração como faraó, e inclusive aceitou ser filho divino de Amon, endossando o costume egípcio.

Este fato costuma ser interpretado muitas vezes como o indício da megalomania de Alexandre, de suas aspirações à divindade, mas o certo é que os egípcios não teriam aceitado um faraó que não fosse também um deus; Alexandre não tinha outra escolha razoável. Desse modo, estabeleceu um precedente: os monarcas posteriores, seis séculos e meio depois, quando o mundo mediterrâneo se converteu ao cristianismo, costumavam insistir em ser tratados como divindades, algo que não estava absolutamente de acordo com a primitiva tradição grega.

Os gregos equipararam Amon (principal deus egípcio, graças a uma tradição que datava da Dinastia XI, dezessete séculos antes) a sua divindade mais importante, Zeus. Daí que o templo de Siwa fosse dedicado a Zeus-Amon (ou a Júpiter-Amon, segundo a posterior versão romana).

Existe uma relação especial entre esse templo e a química moderna. Substâncias combustíveis, como seria de se supor, são muito escassas no deserto, e os sacerdotes de Siwa utilizavam esterco de camelo em suas luminárias. A fuligem que restava após a combustão nas paredes e tetos do templo continha cristais salinos brancos, que foram chamados, em latim, de *sal ammoniaca* ("sal de Amon"). Desses cristais é possível obter um gás, que mais tarde seria chamado de amônia. Dessa forma, o grande deus de Tebas, que Aquenáton havia desafiado sem sucesso e Ramsés II considerara abaixo dele, sobrevive hoje no nome de um gás corrosivo, conhecido sobretudo como componente de produtos de limpeza!

Era evidente que Alexandre não poderia permanecer no Egito como faraó, já que precisava conquistar ainda o resto da Pérsia e tinha muitos anos de campanha pela frente. Escolheu alguns egípcios nativos para governar o país em sua ausência, mas não lhes concedeu poderes econômicos (já que o dinheiro poderia servir para financiar rebeliões). Colocou o controle das finanças nas mãos de um grego de Náucratis, um tal de Cleômenes. Este homem, com poder para fixar impostos, foi o governante de fato do país, mas não tinha título algum para salvar as aparências perante os egípcios.

Antes de abandonar o Egito, Alexandre examinou um lugar na foz do braço mais ocidental do Nilo, em que já havia uma pequena cidade, e indicou onde deveriam ser construídos os alicerces de um subúrbio a ser erguido a oeste da cidade. A antiga cidade e o novo bairro iriam unir-se e seriam chamados Alexandria, em homenagem a ele. Após a partida de Alexandre, em 331 a.C., Cleômenes encarregou-se da edificação da cidade. Alexandre nunca voltaria a vê-la. Foi projetada pelo arquiteto Dinócrates de Rodes, que a concebeu com ruas que se cruzavam em ângulo reto.

Alexandre ordenou a construção de muitas cidades, quase todas chamadas Alexandria, mas a mais importante foi sem dúvida a do Egito. Alexandria assumiu as funções comerciais de Náucratis, que, em razão disso, decaiu. Como a antiga cidade mercantil de Tiro fora destruída após o sítio promovido por Alexandre, Alexandria tornou-se o centro comercial do Mediterrâneo oriental, crescendo rapidamente até virar uma metrópole que faria as vezes de capital do Egito. A partir desse momento, as antigas capitais de Mênfis e Tebas entrariam em declínio progressivo.

10.

O EGITO PTOLEMAICO

O PRIMEIRO PTOLOMEU

Sob a administração de Cleômenes, o Egito prosperou e se afastou por um tempo do torvelinho dos acontecimentos, enquanto Alexandre percorria o Império Persa, vencendo duas grandes batalhas, além de inumeráveis enfrentamentos menores, e impondo-se como monarca de todo o Império. (Dario III, o último rei persa, foi assassinado por seus próprios homens em 330 a.C.)

Alexandre voltou à Babilônia em 324 a.C., após expedições aos mais distantes rincões, e devia ter novos planos de conquista em outras direções ao morrer, em 323 a.C.

Quando isso ocorreu, era ainda um homem jovem de 33 anos e não deixou uma sucessão segura. Tinha uma mãe muito briguenta, uma esposa persa, um meio-irmão com deficiência intelectual e um filho pequeno póstumo. Nenhum deles contava para nada. Reza a lenda que, enquanto agonizava, perguntaram-lhe quem iria herdar seu império. Acredita-se que, em seu último suspiro, conseguiu dizer apenas: "O mais forte".

Na realidade, não deve ter dito nada parecido, mas seus generais agiram como se tivesse. Cada um tomou uma parte dos territórios conquistados e tentou utilizá-la como base para apoderar-se do resto. Os generais mais importantes, do ponto de vista deste livro, foram Ptolomeu, Selêuco e Antígono. Este último contou com a valiosa ajuda de seu filho Demétrio.

Ptolomeu (ou, segundo a forma grega, Ptolemáios) era filho de um nobre macedônio, embora alguns rumores digam que era filho ilegítimo de Filipe e, por conseguinte, meio-irmão de Alexandre (isso pode ter sido algo difundido deliberadamente pelo próprio Ptolomeu para aumentar seu prestígio. A bastardia era um preço pequeno a se pagar por uma relação de sangue com o grande Alexandre).

Tão logo Alexandre Magno morreu, Ptolomeu apropriou-se do governo do Egito e executou Cleômenes (uma punição injusta, considerando sua boa administração). A escolha do Egito foi prudente: tratava-se de um país próspero, cuja produção agrícola, graças às cheias regulares do Nilo e à laboriosidade competente do seu povo, proporcionava a seus governantes uma riqueza sem igual.

Ptolomeu foi também inteligente ao se apoderar do corpo de Alexandre e enterrá-lo em Mênfis, um hábil golpe psicológico, se levarmos em conta que o mundo inteiro estava maravilhado com a fulgurante trajetória de Alexandre, considerado uma espécie de semideus.

Foi também o primeiro general a perceber que a vitória total e o governo sobre todo o império eram empreitadas impossíveis. Talvez nem desejasse isso e estivesse satisfeito apenas como governante do rico Egito – afinal, por que se expor aos problemas e transtornos de tentar conquistar o restante do Império? A única coisa que queria, além do vale do Nilo, eram seus acessos imediatos a oeste e leste, como defesa ante possíveis invasores, e uma frota capaz de controlar o mar ao norte.

A oeste, era fácil. Ptolomeu só precisava conseguir a submissão de Cirene e dos oásis líbios, que haviam estado submetidos à Pérsia e a Alexandre Magno, e que não tinham causado nenhum problema com a passagem ao regime de Ptolomeu.

A leste, a situação revelava-se igualmente tranquila, ou quase. Em 320 a.C., Ptolomeu levou seu exército até a Síria, e com astúcia atacou Jerusalém num sábado. Os piedosos judeus da época recusaram-se a combater nesse dia da semana, sequer em autodefesa, e Jerusalém, que resistira com admirável tenacidade a Senaqueribe e a Nabucodonosor, rendeu-se a Ptolomeu sem mexer um dedo.

Seria no norte onde Ptolomeu encontraria problemas. Construiu uma frota e decidiu enviá-la em expedição à Grécia e a diversas ilhas gregas a fim de encontrar aliados e afirmar seu domínio. Ali enfrentou Antígono e Demétrio, e em 306 a.C. os barcos de pai e filho infligiram espetacular derrota à frota ptolemaica.

Antígono, na época com 75 anos e ansioso para conseguir a supremacia antes de morrer, adotou imediatamente o título de rei da Ásia, antecipando-se à vitória final. Ptolomeu, embora doído pela derrota, não podia permitir que esse golpe psicológico ficasse sem resposta. Proclamou-se rei também e depois deu um jeito de rechaçar uma débil tentativa de Demétrio e Antígono de invadir o Egito, reforçando, assim, seu novo título.

Como soberano do Egito, Ptolomeu fundou uma dinastia que durou três séculos, mais que qualquer dinastia nativa que houvesse governado o Egito em três mil anos. A dinastia de Ptolomeu pode ser denominada "dinastia macedônica", ou "dinastia lágida", pelo nome do pai, ou suposto pai, de Ptolomeu, Lagos (ou então Dinastia XXXI, se preferirmos o critério numérico). Mais frequentemente, a dinastia é referida como "ptolemaica", já que todos os seus monarcas, sem exceção, levaram esse nome. Assim, podemos falar do Egito da época como Egito ptolemaico.

Antígono e Ptolomeu não foram os únicos generais que viraram reis. Selêuco, que se estabelecera na Babilônia, adotou também o título de rei. A dinastia que fundou é conhecida como Selêucida, e o Império construído na Ásia ocidental, como Império Selêucida.

Ptolomeu I – como iremos chamá-lo a partir de agora – não se retirou do Mediterrâneo setentrional em razão daquela sua única derrota. Reconstruiu a frota e esperou melhor oportunidade. Em 305 a.C., Demétrio sitiou a ilha de Rodes, que continuava aliada ao Egito apesar do descalabro de Ptolomeu. Seus habitantes ofereceram firme resistência, e os barcos de Ptolomeu lançaram-se ao mar para ajudar na defesa. Demétrio foi obrigado a desistir e ir embora com seus navios, e os agradecidos ilhéus deram a Ptolomeu o título de "Sóter" ("Salvador").

Nos séculos posteriores a Alexandre, tornou-se habitual que os reis adotassem, ou que lhes fosse atribuído, algum apelido lisonjeiro para distingui-los dos demais e poderem passar à história. (Em geral, quanto pior e mais fraco for um monarca, mais pretensioso e adulador será o apelido.) Esse costume imperou também entre os reis selêucidas e em diversas dinastias do Mediterrâneo oriental, mas iremos utilizá-lo apenas em relação aos reis egípcios. Assim, o primeiro Ptolomeu é conhecido também como Ptolomeu I Sóter.

Posto que, de todos os generais, Antígono era o mais ambicioso e o menos inclinado a transigir ou renunciar ao poder supremo, Ptolomeu, Selêuco e alguns outros se aliaram contra ele. Na hora de formar essa união, Ptolomeu e Selêuco entraram informalmente em acordo para repartir entre si a Síria. Ptolomeu ficaria com a metade sul.

À medida que as campanhas contra Antígono progrediam, o precavido Ptolomeu começou a temer uma derrota e, aos poucos, retirou suas tropas. Quando foi travada a batalha final, em 301 a.C., Antígono foi derrotado e morto, em Ipso, na Ásia Menor central, e seu filho Demétrio, enviado a um exílio temporário.

Selêuco estava agora em ótima posição. Foi capaz de estabelecer seu domínio sobre quase toda a parte asiática do Império de Alexandre. Além disso, reclamou o sul da Síria, já que Ptolomeu perdera o domínio sobre essa região por seu comportamento acovardado antes da batalha de Ipso. Ptolomeu, no entanto, negou-se a abandoná-la. O sul da Síria e, em particular, a Judeia continuaram sob domínio egípcio durante um século. Essa foi a primeira empreitada egípcia de caráter imperial na Ásia (tirando a estadia de Necao por três anos) desde a época de Ramsés III, oito séculos antes.

De qualquer modo, a Síria continuou sendo o pomo da discórdia entre os Ptolomeus e os selêucidas durante um século e meio, provocando uma série de guerras que, no fim, acabaram destruindo ambos os reinos.

Ptolomeu I teve uma vida longa, o que foi positivo para o Egito, governado por ele de maneira justa e indulgente – na realidade, foi tão bem nesse sentido que acabou conseguindo a estima de seus súditos, apesar de estrangeiro. Foi o primeiro monarca a cunhar moeda no Egito, e com ele a economia floresceu. A segunda metade de seu reinado transcorreu em paz, embora ele nunca tenha deixado de ver Selêuco, que também desfrutou de vida longa, como um temível inimigo.

Em 285 a.C., Ptolomeu I, já com 82 anos, não se sentiu mais capaz de cumprir os deveres do cargo. Decidiu, então, abdicar, mas antes quis tomar certas medidas em matéria de sucessão. Queria ser substituído por alguém tão prudente quanto ele, e igualmente capacitado a manter Selêuco e seus sucessores a distância.

Ptolomeu I teve vários filhos, dois dos quais (de mães diferentes) se sobressaíam na época. Ambos levavam o nome de Ptolomeu. O mais velho era Ptolomeu Cerauno, ou Ptolomeu, "o Raio"; o mais novo, Ptolomeu Filadelfo, nome dado mais tarde, por razões que veremos adiante.

O mais velho era de fato como um raio, inclinado a agir de modo irrefletido e a prejudicar os outros e a si mesmo com suas ações. O mais novo era tão prudente e moderado quanto o pai. Sem hesitar, Ptolomeu exilou Cerauno e permitiu que seu filho mais novo compartilhasse com ele as tarefas de governo, abdicando mais tarde, em 285 a.C., em seu favor. Ptolomeu viveu até 283 a.C., morrendo em paz, ao fim de uma vida longa e afortunada.

Ptolomeu Cerauno acabou na corte de Selêuco, que o recebeu de bom grado. Selêuco via no jovem um possível pretendente ao trono egípcio e, portanto, alguém que poderia servir-lhe de instrumento manejável em caso de necessidade. Selêuco não era como Ptolomeu;

apesar da idade avançada, não pensava em abdicar. Ainda era seduzido pelo poder e lançava-se em intermináveis guerras com o vigor e a persistência de um homem jovem.

Em 281 a.C. venceu sua última batalha, derrotando e matando outro dos generais anciãos de Alexandre Magno. Com Ptolomeu I também morto, Selêuco era agora o último dos generais de Alexandre ainda com vida, e isso lhe era extremamente prazeroso (tinha cerca de 77 anos nesse auge de sua longeva vida).

A satisfação de Selêuco, porém, não durou muito. Estimulado por essa última vitória, viajou à Macedônia, onde deveria tomar posse do território pátrio do grande Alexandre. Quando Selêuco chegou, Ptolomeu Cerauno entrou em ação. Havia perdido a oportunidade de tomar o trono do Egito, mas estava decidido a governar em algum lugar. Como não parecia muito promissor esperar que o longevo Selêuco morresse, Cerauno, em 280 a.C., resolveu a situação apunhalando-o.

O último general de Alexandre morria, e agora ambos os filhos de Ptolomeu Sóter eram reis. O mais novo, rei do Egito; o mais velho, rei da Macedônia. Mas este último, que obtivera o trono por meio do assassinato, não iria desfrutar dele por muito tempo. No ano seguinte, a Macedônia foi invadida por tribos bárbaras provenientes do norte, e, na terrível confusão e devastação que se seguiu, Ptolomeu Cerauno perdeu a vida.

ALEXANDRIA

Ptolomeu fez de Alexandria sua capital e governou a partir dela, assim como os demais Ptolomeus que o sucederam. Na realidade, Alexandria representava quase todo o Egito que importava aos estrangeiros. Para os egípcios, porém, era apenas uma parte do país. Os Ptolomeus respeitavam os costumes egípcios e reverenciavam, pelo menos na aparência, todos os seus deuses; nunca houve uma rebelião séria, de fato, contra a dinastia estrangeira, como as que ocorreram contra hicsos, assírios e persas. No entanto, para os egípcios, Alexandria era apenas um pequeno refúgio não egípcio governado segundo costumes gregos e cheio de gregos e judeus (estes últimos chegavam livremente, como imigrantes da Judeia, que então fazia parte do reino egípcio).

Isso, no entanto, podia ser positivo do ponto de vista dos egípcios, pois, ao isolar os gregos na capital, o resto do país podia continuar mais egípcio.

Pode-se dizer, portanto, que numa conta simples, Alexandria, sob os Ptolomeus, era um terço grega, um terço judaica e outro terço egípcia. De certo modo, por sua prosperidade, sofisticação, cosmopolitismo e carência de história antiga, Alexandria era a Nova York da época.

Ptolomeu I e seu filho Ptolomeu II não se contentaram em fazer daquela uma cidade grande, populosa e próspera. Ambos se esforçaram para torná-la um centro do saber, no que foram muito bem-sucedidos (os dois primeiros Ptolomeus estiveram tão envolvidos nesse processo que é difícil precisar quais foram as realizações de um e de outro).

Ptolomeu I era escritor, e produziu uma biografia de Alexandre Magno de estilo direto e sem pretensões literárias. O fato de ela ter desaparecido – era uma biografia baseada em um conhecimento em primeira mão – é uma das grandes perdas do conhecimento humano. No entanto, um historiador grego, Ariano, escrevendo quatro séculos e meio mais tarde, elaborou uma biografia de Alexandre baseada em sua maior parte na de Ptolomeu. A biografia de Ariano sobreviveu, e através dela temos acesso indireto à de Ptolomeu.

Ptolomeu I herdou a biblioteca do grande filósofo grego Aristóteles, e não poupou esforços para ampliá-la. Contratou um erudito ateniense para supervisionar a organização dos livros e com o tempo ela se tornaria a melhor e mais famosa do mundo antigo; uma biblioteca inigualada, e muito menos superada, até dezessete séculos depois, quando a invenção da imprensa promoveu a generalização do uso do livro.

Junto à biblioteca havia um templo dedicado às Musas (*Mouseion*, em grego; *Museum* em latim, isto é, "Museu"), onde os sábios podiam trabalhar em paz e sem estorvos, livres de impostos e mantidos pelo estado. Atenas, que até então fora o centro do saber grego, perdeu terreno em relação a Alexandria em todos os campos, exceto no da filosofia. Os intelectuais iam aonde houvesse dinheiro (como ocorre hoje com a "fuga de cérebros", que leva sábios e profissionais europeus aos Estados Unidos). Em seu apogeu, diz-se, o Museu hospedava catorze mil estudiosos, o que fazia do estabelecimento uma espécie de grande universidade, mesmo para os padrões atuais.

Foi em Alexandria que Euclides elaborou sua geometria, onde Eratóstenes mediu a circunferência da Terra sem sair do Egito, Herófilo e Erasístrato realizaram enormes progressos em anatomia, e Ctesíbio aperfeiçoou o relógio mais engenhoso dos tempos antigos, que funcionava à base de água.

A ciência alexandrina era de inspiração principalmente grega, mas a tecnologia egípcia também contribuiu. Se o Egito era menos versado que a Grécia na teoria, estava mais capacitado nas questões práticas. Longos séculos de experimentos no campo dos embalsamamentos haviam produzido grande volume de informações e saber em química e medicina.

Os eruditos gregos não hesitaram em adotar os conhecimentos egípcios. Para estes últimos, Tot, o deus com cabeça de íbis, era o depositário de toda a sabedoria, e os gregos o associaram ao seu deus Hermes. Referiam-se a Hermes Trismegisto ("Hermes três vezes grande"), e sob seu divino amparo repousava a ciência que depois ficou conhecida como alquimia.

O primeiro investigador de importância na *khemeia*[6] greco-egípcia que conhecemos pelo nome foi Bolos, natural de Mendes, cidade do Delta do Nilo. Ele escreveu por volta de 200 a.C. sob o pseudônimo de Demócrito, sendo, por isso, citado com frequência como Bolos Demócrito.

Bolos aceitou a crença, que talvez prevalecesse nessa época, de que os diferentes metais pudessem se converter em outros; bastaria descobrir os métodos adequados para isso. A conversão do chumbo em ouro ("transmutação") continuou como meta inalcançável para os estudiosos durante os dois mil anos seguintes.

Embora os Ptolomeus continuassem sendo gregos no idioma e na cultura, cuidaram também de fomentar a cultura egípcia. Assim, por exemplo, foi Ptolomeu II quem patrocinou a história dos egípcios produzida por Mâneton; além disso, realizou uma viagem de exploração pelo lendário Nilo.

Os reis dessa dinastia respeitaram, também, a religião egípcia. Na realidade, tentaram fomentar um tipo de religião que fundisse as formas egípcias e as gregas e produzisse algo que tivesse relação com eles mesmos. Assim, Osíris e sua manifestação terrena, isto é, o touro (Ápis), converteram-se, para os gregos, em Serápis. Foi também relacionado a Zeus, e Ptolomeu I construiu um magnífico templo em sua homenagem em Alexandria, o chamado *Serapeion*, ou, em latim, *Serapeum*.

Ptolomeu II levou sua observância dos modos egípcios a tal ponto que reviveu o costume faraônico de matrimônio entre irmãos. Ao casar-se pela segunda vez, desposou sua irmã Arsínoe, que antes fora casada com seu meio-irmão Ptolomeu Cerauno. Por esse casamento – muito feliz e harmonioso – Arsínoe seria conhecida como "Filadelfos" ("a que ama seu irmão"), sobrenome que depois foi aplicado a

---

6. Palavra do grego ("mescla de líquidos") que indicava a arte egípcia de combinar operações físicas de transmutação com princípios do ocultismo; tal ciência deu origem à alquimia e, mais tarde, à química. (N.T.)

Ptolomeu II (após sua morte). Tanto Ptolomeu quanto Arsínoe eram relativamente maduros na época e não tiveram filhos.

Até os judeus receberam sua cota dessa proteção ptolemaica. Na realidade, os judeus parecem ter sido encarados com uma divertida curiosidade por parte dos primeiros Ptolomeus. Eram vistos como um povo de longa história, com um conjunto de estranhos, mas interessantes, livros sagrados. Ptolomeu I, ao que parece, teve um bom conhecimento dos costumes judaicos, e isso o levou a atacar Jerusalém em um sábado, sabendo que nesse dia a cidade estaria desprotegida. Os Ptolomeus permitiram que os judeus conservassem os próprios costumes e desfrutassem de certa dose de autogoverno em Alexandria, embora essa medida não fosse muito apreciada pelos gregos em geral.

O ambiente alexandrino tornou-se tão gratificante para os imigrantes judeus que eles logo passaram a adotar o grego como idioma, deixando em segundo plano o aramaico, falado na Judeia, e o hebreu, língua na qual estavam escritos os livros sagrados, que caíram no esquecimento enquanto a situação perdurou. Essa foi a razão de Ptolomeu II ter patrocinado a vinda de estudiosos da Judeia, para atuarem como assessores quando as escrituras foram traduzidas para o grego.

A tradução grega da Bíblia é conhecida como "a dos Setenta" porque, segundo a tradição, foi traduzida por setenta sábios. Quando finalmente apareceu a primeira versão da Bíblia em latim, era baseada nessa Bíblia dos Setenta. Assim, nos primeiros tempos do cristianismo, foi essa a versão utilizada, em grego ou em latim, algo possível graças aos Ptolomeus, que, portanto, tiveram importante papel na história cristã.

Ptolomeu II tampouco esqueceu sua herança macedônia. Mandou trasladar de Mênfis a Alexandria o corpo do grande Alexandre, edificando um monumento especial para conservá-lo.

Graças à ilustrada atividade de Ptolomeu I e de Ptolomeu II, Alexandria converteu-se não só no centro comercial do mundo grego, mas também no centro intelectual. E continuaria assim por nove séculos.

O APOGEU DOS PTOLOMEUS

Ptolomeu II interessou-se por expandir e levar adiante a prosperidade do Egito. Durante seu reinado, o sistema de canais, do qual dependia a agricultura egípcia, foi elevado a um alto patamar de eficiência. Ele pôs em funcionamento novamente o canal que unia o Nilo ao mar Vermelho, explorou o alto Nilo, montou guarnições e fundou cidades no mar Vermelho, na margem egípcia e na outra, a costa de Arábia, para proteger o comércio.

Modificou também a política faraônica primitiva em relação ao lago Moeris. Em vez de tentar manter o nível do lago o mais alto possível, drenou parte dele e o usou para irrigar o solo fértil por meio de uma ampla rede de canais conectada ao Nilo. A população dessa região aumentou e as cidades se multiplicaram. A área continuou progredindo, convertendo-se na mais próspera província de uma terra já rica, durante cerca de quatro séculos.

Para proteger a navegação pelo Mediterrâneo, Ptolomeu II construiu um farol no porto de Alexandria, na ilha de Faros, a um custo de oitocentos talentos (equivalentes, no mínimo, a dois milhões de dólares hoje em dia[7]), o maior do mundo antigo. Maravilhados, os gregos o consideraram uma das Sete Maravilhas do mundo. Tinha uma base quadrada de mais de trinta metros de lado, e em seu cume (alguns dizem que superava os cento e oitenta metros de altura) havia um fogo perpetuamente aceso. O farol era coroado por uma grande estátua de Possêidon, o deus do mar. Conta-se que uma fogueira de lenha, sempre acesa, era visível a uma distância de mais de trinta quilômetros. Os detalhes de sua arquitetura são desconhecidos, a não ser pelo que podemos ver em algumas moedas ptolemaicas que chegaram até nós; é que, quinze séculos após sua construção, o farol foi totalmente destruído por um terremoto.

---

7. Valores referentes à década de 1960. (N.T.)

Contudo, a rivalidade entre os Ptolomeus e os selêucidas prosseguiu. Selêuco I foi sucedido por seu filho, Antíoco I, e os filhos dos antigos generais de Alexandre continuaram se enfrentando quase com a mesma hostilidade de seus pais. Entre 276 a.C. e 272 a.C. travaram a Primeira Guerra Síria, da qual Ptolomeu II foi vencedor, o que lhe permitiu estender seu domínio sobre a Fenícia e partes da Ásia Menor. Entre 260 e 255 a.C., eclodiu uma nova guerra síria, a Segunda, protagonizada por Antíoco II, terceiro rei selêucida. Nessa ocasião, os egípcios tiveram menos sorte e perderam alguns dos ganhos obtidos na primeira guerra.

Naquela época, provavelmente foi dada pouca atenção a um dos passos mais importantes de Ptolomeu II em política externa. Na Península Itálica, uma cidade chamada Roma vinha apoderando-se aos poucos de grande parte da península. Na época em que Ptolomeu II assumiu o trono, Roma controlava toda a Itália central e ameaçava as cidades gregas do sul da Península Itálica.

Os gregos chamaram Pirro para ajudá-los, um general macedônio e parente distante de Alexandre Magno. Competente e amante da guerra, ele aceitou a missão com entusiasmo. Utilizou suas falanges e alguns elefantes de guerra que havia levado à Itália (um truque que Alexandre aprendera ao combater na Índia) para derrotar duas vezes os romanos, que, no entanto, continuaram lutando com tenacidade, e em 275 a.C. conseguiram derrotar Pirro, expulsando-o da Itália. Por volta de 270 a.C., haviam ocupado todas as cidades gregas do sul da península.

Ptolomeu II não se deixou ofuscar por sua simpatia em relação aos gregos. Via os romanos como uma nação no auge e achava que seria muito melhor estar com eles do que contra. Aliou-se, portanto, aos romanos, e confirmou essa aliança quando Roma entrou em guerra com Cartago a propósito da Sicília. Na verdade, essa aliança tornou-se uma tradição para o Egito, e os Ptolomeus sempre a mantiveram.

Ptolomeu II morreu em 246 a.C., sendo sucedido por seu filho mais velho, Ptolomeu III. De novo, o Egito tinha um governante vigoroso. Ele retomou Cirene, que por alguns anos ficara independente do Egito.

A eterna discórdia com os selêucidas, entretanto, continuou, exacerbada, agora por problemas familiares.

Ao fim da Primeira Guerra Síria, Ptolomeu II havia dado em matrimônio sua filha Berenice, irmã do jovem príncipe que mais tarde se tornaria Ptolomeu III, a outro jovem príncipe, mais adiante empossado como Antíoco II.

Antíoco II morreu no mesmo ano que Ptolomeu II, e por isso Ptolomeu III, ao assumir o trono, esperava ver o filho de sua irmã convertido no quarto rei selêucida. No entanto, Antíoco II tivera antes uma esposa que ainda era viva. Essa mulher assassinou Berenice e o filho desta, e foi seu próprio rebento que reinou com o nome de Selêuco II.

Isso foi motivo suficiente para Ptolomeu III declarar guerra e tentar vingar sua irmã, o que deu início à Terceira Guerra Síria. Ele chegou até a Babilônia, ocupando-a temporariamente. Nenhum monarca egípcio em toda a longa história do país havia se aventurado tão longe do Nilo; essa campanha constituiu um momento culminante do poderio ptolemaico. Pela primeira vez desde os tempos de Ramsés II, isto é, mil anos antes, o Egito voltava a ser a primeira potência do mundo.

No entanto, Ptolomeu III percebeu que essa incursão era, no fundo, pouco realista. De fato, nunca pensou que seria capaz de controlar indefinidamente o país que, em princípio, havia ocupado apenas por um tempo. Decidiu então se retirar e deixou o núcleo do Império Selêucida aos selêucidas, conservando apenas as partes mais próximas do Egito, as quais, no seu entender, ele poderia controlar sem grande dificuldade.

Trouxe consigo algumas das estátuas e objetos religiosos que haviam sido levados dali por Cambises três séculos antes e recolocou-os em seu lugar original. Os agradecidos egípcios concederam-lhe o apelido de Evérgeta ("o Benfeitor"), e é assim que Ptolomeu III Evérgeta é mais conhecido nos registros históricos.

Uma lenda diz que, durante a campanha de Ptolomeu contra os selêucidas, a rainha, uma princesa cirenaica também chamada Berenice, rezou para que ele voltasse são e salvo. A fim de reforçar suas orações, cortou os longos cabelos e ofereceu-os aos deuses em um templo dedicado a Afrodite. No entanto, alguém roubou a cabeleira e, para consolá-la, um astrônomo grego disse que ela fora levada ao céu pelos deuses e que algumas tênues estrelas do céu noturno eram seus fios. Diz-se que essas estrelas representam a constelação *Coma Berenices* ou "Cabeleira de Berenice".

O vigor bélico de Ptolomeu estendeu-se também a outras direções: avançou para o sul e penetrou na Núbia, como os faraós haviam feito em outras ocasiões, em tempos que agora já pareciam muito remotos.

Mas Ptolomeu III tampouco descuidou das atividades pacíficas. Continuou ajudando o museu com o mesmo entusiasmo que caracterizara seu pai e seu avô. Durante o reinado dele, a biblioteca chegou a guardar cerca de quatrocentos mil volumes, e o rei ordenou que todos os viajantes que chegassem a Alexandria emprestassem seus livros para serem copiados. Por certo, todos os Ptolomeus, até mesmo os piores, foram entusiastas protetores das artes.

Ptolomeu III manteve a política de favorecer os judeus. Concedeu-lhes plena cidadania alexandrina, em igualdade com os gregos (em uma época em que isso era negado até mesmo a egípcios nativos). De fato, em sua volta da campanha contra os selêucidas, Ptolomeu III, no decorrer de um bem planejado programa de ação de graças dedicado a todos os deuses dos povos que governava, fez os sacrifícios protocolares no Templo de Jerusalém.

Quando Ptolomeu III morreu, em 221 a.C., o Egito havia desfrutado de cento e onze anos de um governo prudente e benéfico, a contar do momento em que Alexandre Magno aparecera em Pelúsio, o que constituía um recorde em relação a épocas anteriores, quando reinavam faraós nativos. Um após o outro, Alexandre, Cleômenes e três Ptolomeus haviam salvaguardado a segurança, a prosperidade e a paz interna do Egito.

Agora, no entanto, os grandes dias se encerravam uma vez mais.

O DECLÍNIO DOS PTOLOMEUS

O sucessor de Ptolomeu III foi Ptolomeu IV, filho mais velho do grande Evérgeta, e que em seguida proclamou-se Filópator, "o que ama o pai". Como o primeiro ato de seu reinado consistiu em executar a própria mãe (a Berenice cuja cabeleira é lembrada nos céus) e sua irmã, o fato de ter adotado o sobrenome mencionado revela um evidente cinismo, que tenta ocultar sua completa ausência de amor familiar.

No entanto, talvez não tenha sido assim. Por não possuirmos documentos completos, como os que temos disponíveis para outros acontecimentos históricos, somos obrigados, às vezes, a tomar por base os comentários, e quase sempre o comentário mais apto a sobreviver é o que desperta maior interesse, isto é, o mais chocante.

O novo Ptolomeu foi, ao que parece, um monarca fraco, amante do luxo e que deixou o governo nas mãos de seus ministros e favoritos. Isso foi especialmente nefasto para o Egito, porque o trono do Império Selêucida acabara de ser ocupado, em 223 a.C., por um monarca vigoroso e ambicioso: Antíoco III, filho mais novo de Selêuco II.

Decidido a vingar as derrotas sofridas por seu pai nas mãos de Ptolomeu III, Antíoco III atacou o Egito, dando início, assim, à Quarta Guerra Síria, quase imediatamente após a morte do grande Ptolomeu. Em um primeiro momento, Antíoco III manteve a vantagem, mas em

217 a.C. precisou enfrentar o grosso do exército egípcio com o próprio Ptolomeu IV à frente, em Ráfia, próximo à fronteira egípcia. Ambos os lados possuíam elefantes; os de Antíoco eram asiáticos, e os de Ptolomeu, africanos, maiores, mas menos dóceis. Essa foi a única batalha em que ambas as espécies animais se enfrentaram. Os elefantes asiáticos saíram vitoriosos em seu enfrentamento com os africanos, mas o exército selêucida foi derrotado. O exército egípcio conseguiu uma esmagadora vitória, e durante algum tempo parecia que a sorte dos Ptolomeus seria mantida.

No entanto, ocupado com o avanço selêucida, o governo havia permitido que os egípcios nativos se armassem, o que se revelou uma decisão equivocada. O domínio ptolemaico já não tinha mais o mesmo vigor, e os soldados egípcios começavam a rebelar-se ocasionalmente, se bem que nunca com maior gravidade.

Ptolomeu IV e seus ministros tentaram controlar a situação. Enquanto esse rei viveu, o Egito continuou sob controle, e Antíoco III preferiu ocupar-se de outros lugares.

Ptolomeu IV tinha uma inclinação pouco usual. Gostava de construir barcos imensos, grandes demais para que pudessem ter qualquer utilidade, pois eram desajeitados, difíceis de manobrar. O maior barco tinha quase 130 metros de comprimento e dezessete de largura. Contava com quarenta bancos de remos e era uma verdadeira cidade de quatro mil homens, que manejavam quatro mil remos. Devia parecer uma centopeia gigantesca. Obviamente servia apenas como ostentação, pois em combate teria sido um desastre.

Seu reinado foi testemunha também de um triste incidente, que assinalou a decadência grega.

Desde a época de Filipe II da Macedônia, as cidades gregas vinham sendo dominadas por esse reino setentrional. Suas tentativas de libertar-se individualmente haviam sempre fracassado. Quando tentavam formar ligas, elas acabavam lutando entre si, e os vencidos sempre se voltavam para a Macedônia.

Em 236 a.C., quando Ptolomeu III ocupava ainda o trono do Egito, um rei reformador, Cleômenes III, chegou ao poder em Esparta e sonhou em voltar aos gloriosos dias de outrora, um século e meio antes, quando a cidade era a principal potência da Grécia. A Liga Aqueia (uma união de cidades situadas ao norte de Esparta) lutou contra Cleômenes e, ao ser derrotada, buscou ajuda da Macedônia, desistindo, assim, da última oportunidade de independência da Grécia. Em 222 a.C., os macedônios esmagaram Cleômenes e seus espartanos. O rei e alguns outros conseguiram fugir para o Egito.

Ptolomeu III acolheu-os de bom grado, talvez porque os visse como instrumentos úteis em caso de guerra contra a Macedônia. No entanto, quando Ptolomeu IV assumiu o trono, viu em Cleômenes apenas um peso, e colocou-o sob uma espécie de prisão domiciliar em Alexandria.

Cleômenes, irritado com o que considerava um encarceramento, na realidade, aproveitou que Ptolomeu IV se ausentou de Alexandria em 220 a.C. e fugiu. Tentou, então, sublevar os gregos de Alexandria contra Ptolomeu e incentivá-los a estabelecer um governo livre, no velho estilo grego. Mas as massas se assustaram com aquele homem singular que vociferava coisas incoerentes, pois já não sabiam mais o que significava a liberdade, e não se mobilizaram. Cleômenes, nascido em outra época, finalmente percebeu isso e se suicidou.

Ptolomeu IV morreu em 203 a.C. Pela primeira vez os Ptolomeus não tinham um herdeiro adulto. O príncipe que o sucedeu era um menino de 5 anos, Ptolomeu V, chamado de Ptolomeu Epifânio, ou "manifestação de deus", embora o pobre menino fosse qualquer coisa menos isso. O governo egípcio ficou paralisado pelas disputas de poder entre seus funcionários, e os nativos aproveitaram a ocasião para promover uma rebelião.

Como se não bastasse, Antíoco III não demorou a perceber que sua oportunidade havia chegado. Desde a batalha de Ráfia estivera ocupado em várias campanhas pelas regiões orientais daquilo que havia sido o Império Persa, isto é, as regiões conquistadas por Alexandre e herdadas por Selêuco I. Fazia pouco tempo que haviam recuperado a independência, mas agora Antíoco III obrigara-as a se submeter de novo, e seu império, pelo menos no papel, era imenso. Decidiu chamar-se, então, de Antíoco, o Grande.

Com Ptolomeu IV morto e um menino de 5 anos como novo faraó, Antíoco entrou em contato com Filipe V, que então reinava na Macedônia, para que se aliasse a ele contra o Egito, a quem venceriam facilmente e cujo espólio poderiam então dividir. Movido pela cobiça, Filipe aderiu a esse plano, e em 201 a.C. teve início a Quinta Guerra Síria.

Havia, porém, um fator com o qual ambos não contavam, que era a existência de um país localizado a oeste: Roma.

Meio século antes da época de Ptolomeu II, Roma iniciara uma terrível guerra contra Cartago, que se prolongara, com algumas pausas, até então. Em determinado momento, em 216 a.C., parecia que Roma seria derrotada quando o general cartaginês Aníbal (um dos poucos generais que poderiam ter competido até mesmo com Alexandre) invadiu a Itália e esmagou os romanos com três formidáveis vitórias.

Roma, no entanto, recuperou-se de maneira impressionante; assim, em 201 a.C., quando Antíoco e Filipe preparavam sua aliança para atacar o Egito, Cartago foi finalmente derrotada e Roma alcançou a supremacia em todo o Mediterrâneo ocidental.

O governo egípcio, que rumava para a ruína total diante de seus inimigos aliados, lembrou-se de seu velho acordo com Roma, a quem sempre havia sido fiel, e pediu-lhe ajuda.

Roma mostrou-se mais do que disposta a ajudar. Afinal, nos tristes dias das vitórias de Aníbal, Ptolomeu IV enviara grãos a Roma, enquanto Filipe V da Macedônia, ao contrário, firmara uma aliança com o cartaginês. Roma não tinha intenção de pagar a inimizade de Filipe com uma amável indulgência. Em meio ao conflito, entrou em guerra contra a Macedônia, e Filipe V, que começava a desempenhar um papel no despedaçamento do Egito, viu que teria de enfrentar os romanos.

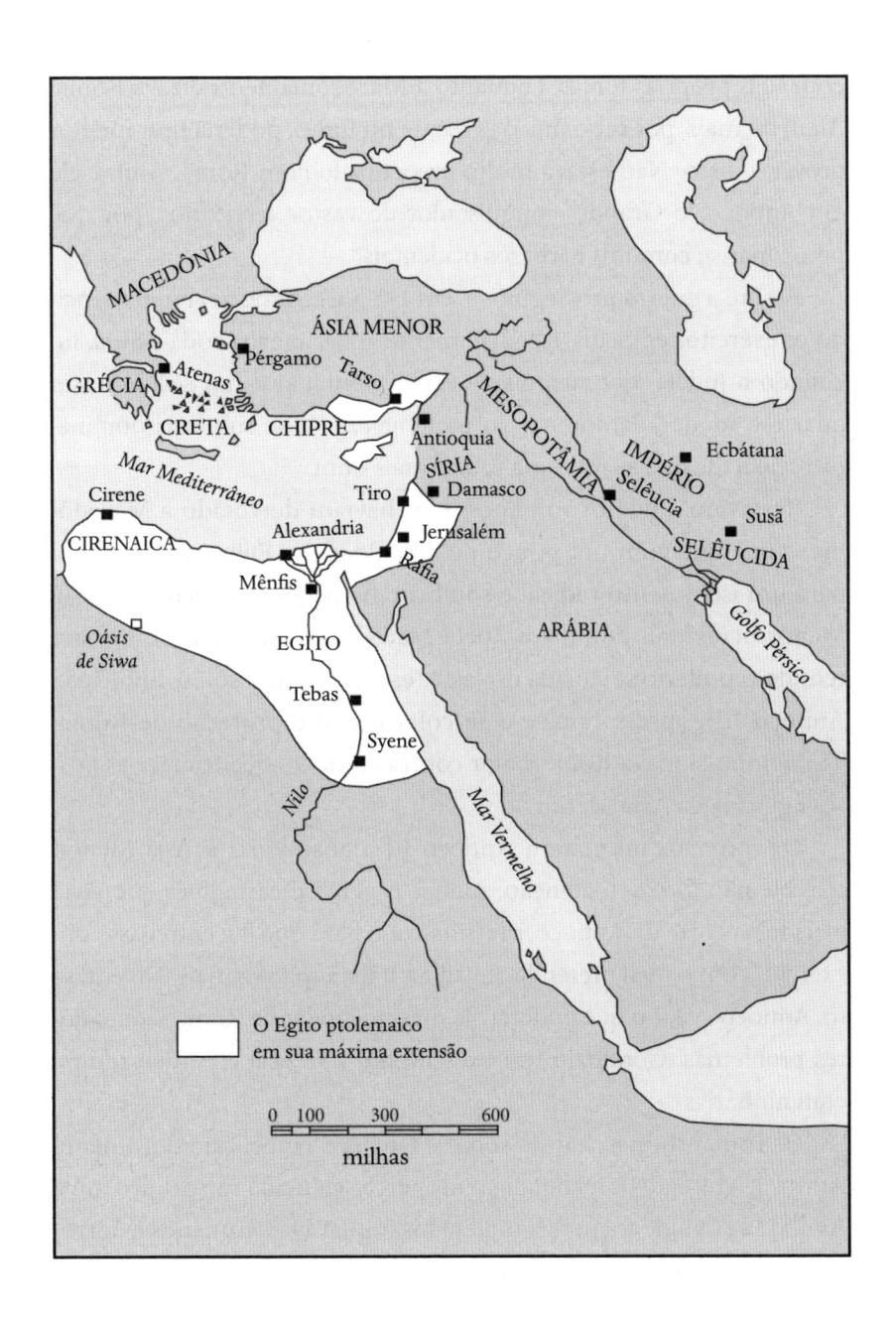

Figura 3: O Egito ptolemaico.

Mas Antíoco III continuou avançando. Podia dar conta do Egito com suas próprias forças, enquanto a Macedônia neutralizava Roma. Além do mais, por ser o único presente no Egito, poderia tirar melhor proveito disso. Não estava muito preocupado com Roma. Afinal, ele era Antíoco, o Grande, conquistador de vastos territórios, por que preocupar-se com uns bárbaros ocidentais?

Assim, a guerra prosseguiu, e, em 195 a.C., Antíoco já tinha vencido os exércitos egípcios. Imediatamente após, anexou toda a Síria, incluindo a Judeia, que, depois de experimentar por um século e um quarto a moderada dominação ptolemaica, via-se sob uma dominação selêucida que se revelaria muito mais dura.

Restavam ainda os romanos. Eles haviam derrotado a Macedônia, ainda que com um pouco de dificuldade, e Filipe V se retirara para um isolamento radical e sombrio. As pequenas nações da Ásia Menor ocidental, dominadas pela Macedônia, que sempre haviam temido o poderio selêucida no leste (especialmente sob o ambicioso Antíoco III), apressaram-se a se colocar sob a proteção de Roma. Tudo impulsionava Roma a agir contra Antíoco, que tomara as posses egípcias da Ásia Menor.

Os romanos intimaram Antíoco III a abandonar a Ásia Menor, mas ele não lhes deu atenção. Aníbal, o general cartaginês que vivia exilado na corte de Antíoco, pressionava-o para que lhe entregasse um exército com o qual pretendia invadir a Itália uma vez mais. No entanto, Antíoco avaliou que poderia ele mesmo cuidar de Roma sem maiores problemas. Conduziu um exército até a Grécia e perdeu tempo com ninharias.

Os romanos marcharam sobre a Grécia e golpearam duramente Antíoco. Voltando à realidade, o monarca selêucida retrocedeu até a Ásia Menor, onde foi perseguido pelos implacáveis romanos e derrotado com maior dureza ainda. Antíoco III chocava-se agora com a realidade. Foi obrigado a firmar uma paz desvantajosa e a retirar-se da Ásia Menor.

Mesmo assim, pôde continuar na Síria, que o Egito não havia recuperado. Roma salvara a parte essencial do Egito, o vale do Nilo, e não se sentia obrigada a garantir ao Egito todas as suas posses. Tudo o que o Egito havia possuído na Ásia Menor foi dividido entre as diversas nações dessa península – todas elas títeres de Roma. Os únicos territórios que o Egito ptolemaico conservou fora do vale do Nilo foram a Cirenaica, a oeste, e a ilha de Chipre, ao norte.

Depois disso, Roma abandonou os Impérios orientais à própria sorte. Que brigassem à vontade, desde que nenhum deles crescesse a ponto de ser capaz de esmagar completamente os demais.

Naquele momento, Ptolomeu V já alcançara a idade de governar. Sua maioridade foi devidamente celebrada, e uma proclamação de praxe em homenagem a tal feito ficou gravada em grego e em duas modalidades de egípcio em um pedaço de basalto negro. Essa inscrição, a Pedra de Roseta, foi recuperada dois mil anos mais tarde e serviu de chave para o conhecimento da história antiga do Egito. Mesmo que tivesse sido apenas por isso, Ptolomeu não teria vivido em vão.

Afastados os perigos do exterior graças a Roma, o jovem Ptolomeu pôde prestar atenção à ordem interna. Conseguiu dominar algumas inquietantes rebeliões. Após a morte de Antíoco III, em 187 a.C., Ptolomeu V começou a sonhar com a reconquista da Síria, mas faleceu em 181 a.C., quando ainda não completara 30 anos. Especula-se que teria sido envenenado.

Ele deixou dois filhos pequenos. O mais velho, Ptolomeu VI, ficou conhecido como Filómator, ou "o que ama sua mãe". Enquanto viveu, sua "amada" mãe controlou o Egito e manteve a paz no país. Ao morrer, em 173 a.C., Ptolomeu VI ainda era jovem demais para se cuidar sozinho, e ficou sob a influência de seus ministros fanfarrões, que sonhavam em reconquistar a Síria. Começava de novo o velho jogo da luta contra os selêucidas.

Mas Ptolomeu VI não era um guerreiro (na realidade, foi o mais amável e humano de todos os Ptolomeus). Enfrentando esse ser pacífico estava o novo rei Antíoco IV, filho mais novo do chamado Antíoco, o Grande, à cabeça do Império Selêucida, e se mostrou bem mais capaz que seu supervalorizado pai, embora com certa tendência à temeridade e ao mau-caratismo.

Diante do primeiro sinal de beligerância egípcia, Antíoco IV avançou até a fronteira, derrotou os egípcios em Pelúsio, alcançou as muralhas de Alexandria e chegou a capturar Ptolomeu VI. Talvez tivesse podido capturar Alexandria nesse momento, mas Roma, a distância, o fez saber que isso seria ultrapassar o bom senso.

Já que Ptolomeu VI não podia atuar como monarca por estar preso, os egípcios, em 168 a.C., nomearam seu irmão mais novo como monarca, e ele reinou com o nome de Ptolomeu VII. Imediatamente, Antíoco liberou Ptolomeu VI, prestando-lhe ajuda, pois esperava presenciar uma boa e suculenta guerra civil. No entanto, ambos os Ptolomeus frustraram as pretensões de Antíoco e concordaram em governar juntos.

Irritado, Antíoco marchou de novo sobre o Egito, disposto agora a ocupar Alexandria e resolver a questão de uma vez por todas. Mas foi de novo impedido. Dessa vez, um embaixador romano foi caminhando até ele junto às muralhas de Alexandria e ordenou-lhe que abandonasse o Egito. Antíoco IV, diante desse homem desarmado que falava em nome da poderosa Roma, não teve outra opção a não ser retirar seu exército e ir embora.

Humilhado, buscou uma vítima que julgasse capaz de derrotar e saqueou Jerusalém. Profanou o Templo e estimulou os nacionalistas judeus a iniciarem uma longa e fastidiosa rebelião sob a liderança de uma família conhecida como Macabeus.

Em 163 a.C., Antíoco IV faleceu no decorrer de uma campanha inútil no Oriente. Em razão disso, o Império Selêucida começou a declinar de maneira mais drástica e rápida que o Egito ptolemaico. Uma série de contendas dinásticas mantinha o país em contínuo sobressalto, enquanto a rebelião judaica seguia como um mal crônico.

Em determinado momento, até mesmo o pacífico Ptolomeu VI esteve tentado a intervir nos assuntos internos dos selêucidas, na esperança de recuperar tudo o que seu pai perdera. Tentou mudar algumas coisas no que restava do Império Selêucida (as províncias orientais haviam se separado, dessa vez para sempre), apoiando primeiro e atacando depois um usurpador chamado Alexandre Balas. No entanto, quando estava na Síria, sofreu uma queda do cavalo e morreu em decorrência dos ferimentos em 146 a.C.

Isso levou Ptolomeu VII a governar sozinho, sofrendo constantes difamações por parte dos historiadores antigos. Embora seu nome oficial fosse Evérgeta, como o de seu avô, ficou conhecido como Fiscão, ou "de barriga grande", pois, ao que parece, sua gulodice o fez engordar muito. Foram-lhe atribuídas maldades e crueldades de todo tipo, mas não sabemos o quanto disso é exagero ou não.

As inscrições apresentam-no como protetor do saber e como alguém que fez muito para restaurar os templos e fomentar a prosperidade egípcia. É possível que os gregos não aprovassem o que fazia, pois, na opinião deles, mostrava-se indulgente demais com os nativos. A história foi escrita pelos gregos, não pelos egípcios, e isso pode ter afetado negativamente a imagem de Ptolomeu VII.

Após a morte dele, em 116 a.C., o reino egípcio começou a se fragmentar. Ele havia entregado Cirene a um filho e Chipre a outro, e o Egito ficou com um terceiro filho, que reinou como Ptolomeu VIII Sóter II.

Este último foi deposto por seu irmão menor, Ptolomeu IX Alexandre, mas o povo de Alexandria expulsou-o e trouxe Ptolomeu VIII de volta ao trono.

Esse vaivém, no entanto, não tinha mais importância, pois o Egito e todo o resto do Oriente estavam perdendo protagonismo. Agora, a única potência que contava era Roma.

Cabe apenas mencionar um acontecimento de destaque nesse período. Um tempo depois de Ptolomeu VIII ser reconduzido ao trono, em 88 a.C., a cidade de Tebas se rebelou. Exasperado, Ptolomeu enviou uma expedição contra a cidade, assediou-a durante três anos, e finalmente a saqueou de maneira tão violenta que ela não só não se recuperaria mais, como acabaria afundada na total ruína.

Foi esse o fim, depois de dois mil anos de glória, da capital do Médio Império e do Novo Império, a cidade que sob Ramsés II chegara a ser a maior do mundo.

Mas Mênfis, mil anos mais antiga, sobrevivia ainda como centro do Egito nativo e como perene lembrança da grandeza perdida.

11.

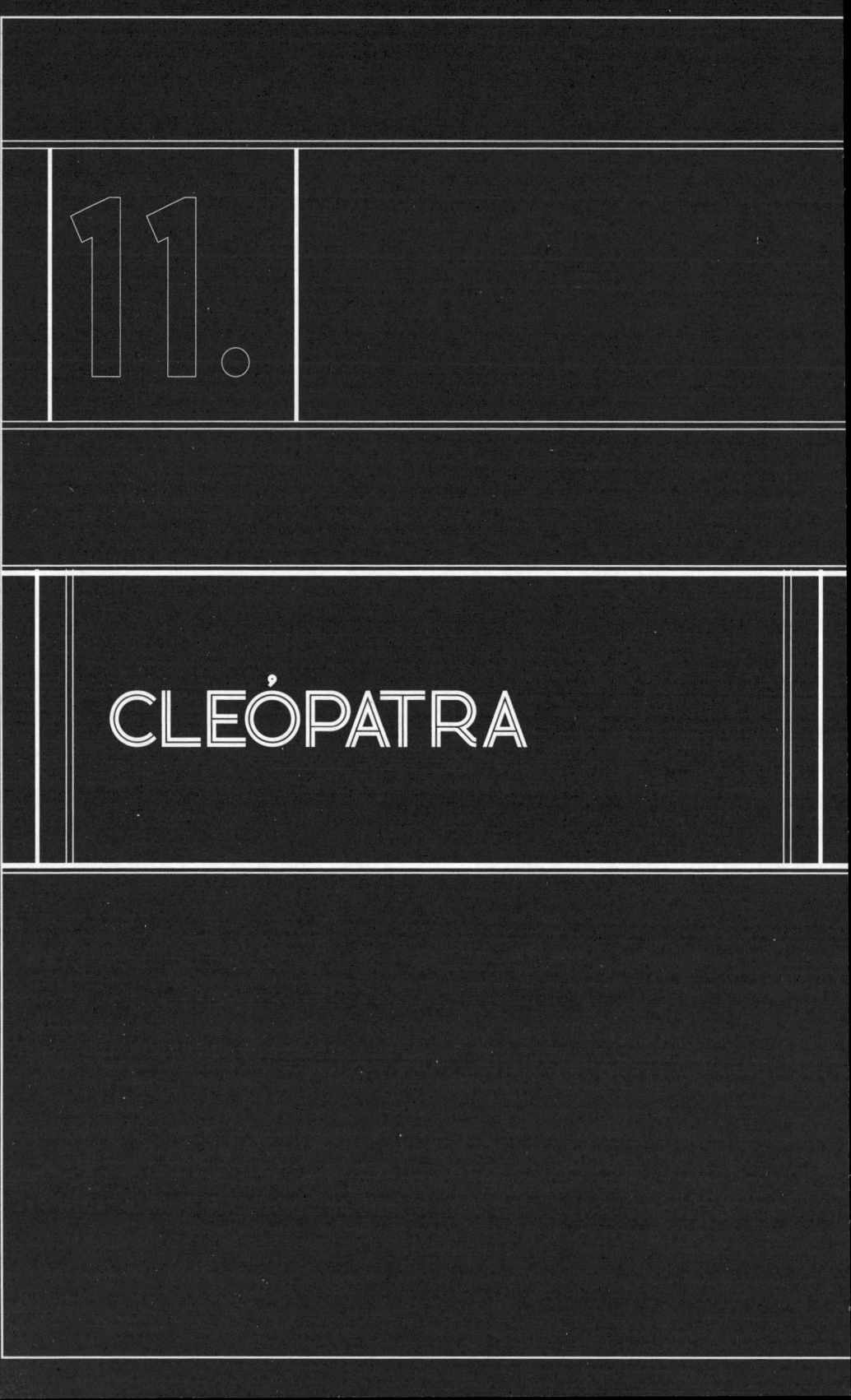

CLEOPATRA

JÚLIO CÉSAR

Apesar da fragilidade e da ineficácia dos Ptolomeus que sucederam Fiscão, o Egito experimentou meio século de paz, exceto por um motim em Alexandria gerado por controvérsias sobre qual dos dois inexpressivos ptolemaicos teria direito de usar as suntuosas vestes, permanecer sentado durante os rituais estatais e desfrutar dos pródigos passatempos propiciados pela condição de rei do Egito.

Os Ptolomeus entretinham seu ócio tentando arrebatar uns dos outros o já impotente trono, pois as ocasiões para guerrear haviam desaparecido. Os romanos já tinham total controle da situação e faziam passar a segundo plano todas as potências do Oriente.

A Macedônia tornou-se província romana em 146 a.C., e a própria Grécia era um protetorado da grande cidade do Ocidente. A metade ocidental da Ásia Menor tornara-se província romana em 129 a.C., e grande parte do resto da península, apesar de ser nominalmente independente, reduzira-se a um conglomerado de reinos títeres.

Ponto, reino da Ásia Menor oriental, entrou em guerra e conseguiu algumas vitórias contra Roma, que empregou seu poder a fundo e enfim "limpou" todo o Oriente de rivais de uma vez por todas. O encarregado dessa "limpeza" foi um jovem general romano chamado Cneu Pompeu, mais conhecido como Pompeu. Os últimos restos do Império Selêucida, sobre os quais reinava Antíoco XIII, estavam agora reduzidos à região da Síria; em 64 a.C., Pompeu, com sua autoridade, agregou-os aos domínios romanos, convertendo-os na província da Síria. Foi o fim de um século e meio de guerras entre os Ptolomeus (o II, o III, o IV, o V, o VI e o VII) e os selêucidas. Tudo isso desapareceu! Ambas as dinastias perderam e quem saiu vencedora foi a arrivista Roma. E, quando a Síria foi absorvida, a Judeia capitulou também.

O mesmo ocorreu com outras remotas porções do Império Ptolemaico, que também foram subjugadas. O filho de Ptolomeu VII, Fiscão, que herdara Cirene, legou-a aos romanos após sua morte em 96 a.C., e a cidade passou a ser província romana em 75 a.C. A ilha de Chipre foi engolfada por Roma em 58 a.C.

Nesse ano, tudo o que restava do vasto Império Macedônio, erigido após as vitórias de Alexandre Magno dois séculos e meio antes, era um Egito formado apenas pelo vale do Nilo. Ainda assim, existia como um mero títere de Roma, já que nenhum Ptolomeu podia mais ser rei sem a permissão dos romanos.

Foi o caso de Ptolomeu XI (ou talvez XII ou XIII, pois discute-se se os últimos e obscuros Ptolomeus devem ou não entrar na contagem), cujo nome oficial era Ptolomeu Dionísio, mas é mais conhecido como Ptolomeu Auleta, "o Flautista", já que sua principal habilidade parece ter sido tocar flauta. Era filho ilegítimo de Ptolomeu VIII (o que saqueara Tebas) e, como não havia herdeiros legítimos, decidiu aspirar ao trono.

Foi proclamado rei em 80 a.C., mas para assegurar o título (dada sua ilegitimidade) precisava da aprovação do Senado romano, o que exigia um suborno, discreto e vultoso, cuja negociação levou anos. A fim de reunir a quantia necessária, elevou os impostos, e essa extorsão financeira acabou provocando uma revolta em Alexandria, em 58 a.C., que levou à sua deposição.

Em resposta, Ptolomeu viajou a Roma, na época comandada por Pompeu. Auleta prometeu uma polpuda gratificação econômica aos romanos se o ajudassem a recuperar o trono (Auleta estava disposto a tirar até a última moeda dos camponeses egípcios, e inclusive saquear os tesouros do templo, o que seria um procedimento bem mais arriscado do que matar de fome milhares de pessoas).

Os dirigentes romanos nunca foram indiferentes ao dinheiro, e em 55 a.C. Auleta foi reconduzido ao trono, para irritação e fúria dos indefesos egípcios. Só se manteve no posto graças à presença de uma numerosa guarda romana.

Em 51 a.C., porém, fez um favor ao mundo e morreu, deixando o Egito ao seu jovem filho Ptolomeu XII. Em seu testamento, Auleta colocou o filho sob a proteção do Senado romano, que, por sua vez, designou essa tarefa ao próprio Pompeu.

Ptolomeu XII tinha apenas 10 anos, portanto governou com a irmã mais velha, que tinha 17. Um governo conjunto de irmão e irmã não era prática incomum entre os Ptolomeus; era um costume que vinha do tempo de Ptolomeu II e sua irmã-esposa, a rainha Arsínoe, dois séculos antes.

A irmã do jovem rei tinha um nome que era usual entre as rainhas ptolemaicas. Na realidade, ela já era a sétima com esse nome, e assumiu o trono como Cleópatra VII. No entanto, trata-se *da* Cleópatra, e por antonomásia quase nunca se usa o numeral romano em seu nome. (É importante lembrar que Cleópatra não era egípcia nem tinha "sangue egípcio", portanto representá-la como uma "morena temperamental" é insensato. Todos os seus antepassados foram gregos ou macedônios.)

As mulheres ptolemaicas costumavam ser hábeis, muitas vezes bem mais que os homens, e essa Cleópatra foi a mais hábil de todas. Era natural que as intrigas da corte forçassem uma preferência pelo irmão mais novo, e não pela irmã mais velha, menos fácil de dominar. Um dos que mais pressionaram nesse sentido foi Potino, um eunuco que então controlava o trono e era feroz inimigo da moça.

Em 48 a.C., Cleópatra tomou uma decisão habitual para o Egito daqueles dias. Partiu de Alexandria em busca de um exército, reuniu-o na Síria e preparou-se para voltar e resolver as coisas por meio de uma guerra civil, que ela tinha intenção de que fosse curta. Ambos os exércitos, o dela e o do irmão, enfrentaram-se em Pelúsio, mas, antes que a batalha fosse de fato iniciada, ocorreu algo que mudaria tudo.

Roma na época também vivia uma guerra civil. Pompeu travava uma luta encarniçada com um general mais importante ainda do que ele: Júlio César. Os exércitos de ambos já haviam se enfrentado na Grécia, e César saíra vencedor. Pompeu não teve outra opção a não ser fugir, e o refúgio natural (como no caso de Cleômenes de Esparta dois séculos antes) foi o Egito, que estava à mão e era nominalmente independente. Era um país fraco, mas rico, e poderia proporcionar a Pompeu o dinheiro de que ele precisava para armar um novo exército. Além disso, deviam-lhe um favor, pois Pompeu ajudara Ptolomeu Auleta a assumir o trono, e era o verdadeiro guardião do filho de Auleta, o menino que, na época, era soberano do reino.

A corte egípcia, entretanto, estava mergulhada num mar de dúvidas no momento em que o navio de Pompeu se aproximou da costa. A última coisa que a corte desejava era tomar partido em uma guerra civil romana bem quando o próprio conflito interno estava a ponto de eclodir. Se apoiassem Pompeu, César poderia auxiliar Cleópatra e acabar com a facção de Potino. Caso se negassem a apoiar Pompeu e este fosse o vencedor sem a ajuda dos egípcios, poderia voltar para vingar-se.

Potino julgou ter encontrado uma saída. Enviou uma barca até o navio de Pompeu, recebeu-o com grandes demonstrações de alegria e rogou que desembarcasse imediatamente para ser aclamado pelo povo de Alexandria. Assim que Pompeu pisou em terra (e com sua esposa e filho observando tudo do navio), foi assassinado com facilidade, a punhaladas.

Parecia ser o que o momento exigia. Pompeu estava morto e não poderia vingar-se. César teria de ficar grato e defenderia Potino da ameaça do exército de Cleópatra. Havia matado dois coelhos com uma cajadada só.

César, com um pequeno contingente de quatro mil homens, aportou em Alexandria dias mais tarde, decidido a aprisionar Pompeu e a retê-lo para evitar que ao redor dele se formasse um novo exército. O romano também pretendia obter um pouco de dinheiro, do qual necessitava (generais sempre precisam de dinheiro), extraindo-o da sempre rica corte de Alexandria.

Assim que chegou, Potino trouxe-lhe a cabeça de Pompeu e pediu ajuda contra Cleópatra. É possível que César, depois de receber dinheiro o suficiente, tenha concordado em prestar essa ajuda. Afinal, o que lhe importava qual dos dois Ptolomeus governaria o Egito?

Mas ninguém contava com Cleópatra. Ela dispunha de um trunfo em relação a Potino: era uma mulher jovem e fascinante. Não sabemos o quanto pode ter sido atraente, de fato, segundo os cânones atuais, ou se era mesmo bela, pois nenhum retrato seu chegou até nós. O fato é que, quaisquer que fossem seus atributos de beleza, ela possuía o dom de atrair e prender os homens e tinha consciência disso.

A única coisa que Cleópatra precisava fazer, portanto, era escapar do exército do irmão e apresentar-se diante de César; estava certa de que assim conseguiria assumir o controle da questão. Lançou-se, então, ao mar na Síria, desembarcou em Alexandria e dali enviou (é o que diz a lenda) um grande tapete como presente a César. As forças de Potino não viram nenhuma razão para interceptar o envio, pois não sabiam que envolta no tapete estava Cleópatra.

O estratagema funcionou perfeitamente. Surpreso, César ficou deslumbrado pela jovem que surgiu diante de si quando o tapete foi desenrolado. Ela convenceu-o da justiça de sua causa, e César ordenou que fosse restituído o acordo inicial, isto é, que Cleópatra e seu jovem irmão governassem juntos.

Potino não ficou nem um pouco satisfeito com isso. Sabia muito bem que o Egito não era capaz de vencer uma guerra contra Roma, mas imaginou que poderia sair vencedor de um enfrentamento com as exíguas forças de César. Morto este, a oposição a César em Roma teria múltiplas oportunidades de tomar o poder, e, nesse caso, Potino só receberia elogios e gratidão. É bem provável que tenha ponderado a questão mais ou menos assim.

Potino, então, estimulou uma rebelião contra César, que durante três meses ficou sitiado na ilha de Faros (a do célebre farol). César resistiu graças à sua bravura pessoal e à habilidade com que utilizou suas escassas tropas. (No decorrer dessa pequena guerra alexandrina, a famosa Biblioteca de Alexandria sofreu graves danos.)

Potino não obteve nenhum ganho com a rebelião que ele mesmo havia provocado. Depois de resistir às investidas dos egípcios, o dinâmico César capturou Potino e mandou executá-lo.

Finalmente, César recebeu reforços e os egípcios foram derrotados. Na debandada que se seguiu, o jovem Ptolomeu XII tentou escapar em uma barcaça pelo rio Nilo, que ia carregada demais e naufragou. Assim terminaram seus dias.

César podia, por fim, resolver seus assuntos no Egito. Segundo a história que costuma ser aceita, César e Cleópatra foram amantes e ele decidiu mantê-la no trono. No entanto, uma rainha precisava ter ao seu lado um homem, e para isso César utilizou outro irmão de Cleópatra, mais novo ainda: um garoto de 10 anos, que reinou como Ptolomeu XIII.

Mas César não podia permanecer no Egito para sempre. A Ásia Menor era palco de uma guerra contra Roma que precisava ser levada a termo. Na África ocidental e na Hispânia, ainda restavam exércitos fiéis a Pompeu, e era preciso neutralizá-los. Além de tudo, e principalmente, havia em Roma um governo a ser reformulado e reorganizado. Por isso César zarpou do Egito em 47 a.C., regressando a Roma.

Em seu retorno, César trouxe algo mais consigo. Durante a estadia no Egito, observara o funcionamento do calendário baseado no Sol (ver páginas 15-16), que, evidentemente, era bem mais prático e eficaz que os calendários lunares utilizados em Roma e na Grécia.

Ele procurou a ajuda de um astrônomo de Alexandria chamado Sosígenes e mandou elaborar um calendário semelhante para Roma.

O ano foi, então, dividido em doze meses, alguns com trinta dias, outros com trinta e um. Isso não era tão ordenado como os meses egípcios, todos de trinta dias, e com a adição de cinco dias ao fim do ano; mas foi uma modificação que os próprios egípcios nunca haviam pensado em fazer. Como o ano de trezentos e sessenta e cinco dias tinha um adicional de um quarto, a cada quatro anos era acrescentado um "dia intercalar".

Esse calendário juliano, assim chamado pelo grande Júlio César, foi um pouco modificado dezesseis séculos mais tarde, mas, em seu conjunto, é o que utilizamos hoje. Portanto, podemos remontar nosso calendário diretamente ao Egito e à breve estadia de César naquele país.

Não muito depois da partida de Júlio César, Cleópatra teve um filho. Colocou-lhe o nome de Ptolomeu César, e os cidadãos de Alexandria o apelidaram de Cesarião (do latim *Cesarion*, "pequeno César").

MARCO ANTÔNIO

Após seu retorno a Roma, César viveu pouco tempo. Foi tramada uma conspiração contra ele em 44 a.C. que resultou no seu assassinato. Logo que César morreu, Cleópatra executou seu jovem irmão Ptolomeu XIII. Ele já não era mais um menino (tinha agora 14 anos) e começava a exigir participação em questões de governo. A partir de então, Cleópatra reinou conjuntamente com seu filho Ptolomeu César (então com menos de 3 anos), que conhecemos como Ptolomeu XIV.

Em Roma, após um período de caos, a ordem foi finalmente restabelecida e dois homens ascenderam ao poder. Um deles era Marco Antônio, ex-lugar-tenente e homem de confiança de César; o outro, César Otaviano, sobrinho-neto e filho adotivo de Júlio César.

Embora fossem, na realidade, inimigos, ambos chegaram a um acordo de paz, pelo qual ficavam delimitadas suas esferas de influência no seio do Império Romano. Otaviano ficou com o Ocidente, Roma incluída; Marco Antônio, com o resto.

A natureza da divisão expressava o caráter de cada um. Marco Antônio era atraente, jovial, bebedor e festeiro, além de muito querido por seus homens. Também tinha certa habilidade, mas tingida de superficialidade: era incapaz de planejar com frio raciocínio, sendo sempre dominado pela paixão do momento. A metade oriental do mundo romano era a mais rica e civilizada. Nela, Marco Antônio podia esperar encontrar comodidades, luxo e distrações.

Por sua vez, Otaviano era astuto, sagaz e sutil. Não poupava esforços para conseguir seus objetivos e tinha paciência para esperar quando as coisas ficavam difíceis. A metade ocidental do Império Romano era fria e pobre, mas nela estava Roma, núcleo do verdadeiro poder. E era o verdadeiro poder o que Otaviano pretendia alcançar.

Otaviano não era tão estimado quanto Marco Antônio, e os historiadores tendem a favorecer o romântico Marco Antônio em detrimento do frio e menos fantasioso Otaviano. Mas equivocam-se ao pensar assim. Observando esse período da história a partir da posição privilegiada que nos concede a distância de dois mil anos, não é difícil constatar que Otaviano foi mesmo o homem mais inteligente de toda a história de Roma, sem excluir sequer o próprio César, embora faltasse a Otaviano a genialidade militar de seu tio-avô.

Os assassinos de César foram derrotados em uma batalha travada na Macedônia em 42 a.C.; foi então que Marco Antônio lançou-se ao mar para ocupar suas posições no Oriente. Estabeleceu seu quartel--general em Tarso, cidade do litoral da Ásia Menor.

Evidentemente, o que Marco Antônio mais precisava era de dinheiro, e este sempre estivera no Egito. Por isso, com ares de rei, convocou Cleópatra para um encontro dos dois em Tarso, para que ela expusesse qual seria a política egípcia após o assassinato de César. Naturalmente, o Egito se mantivera a distância, procurando mostrar-se neutro, pois até o fim ninguém sabia ao certo quem poderia ganhar.

Isso não configurava uma postura criminosa, mas era possível fazer com que parecesse, se alguém quisesse encontrar um pretexto para sangrar o Egito.

Cleópatra, no entanto, conservava a mesma postura de sete anos antes em relação a César. Chegou a Tarso em barcos ornados com o melhor que as riquezas podiam comprar e com todo o luxo que é possível imaginar – além da carga mais preciosa, que era ela mesma, então com apenas 28 anos. Marco Antônio, assim como Júlio César, ficou completamente fascinado com a encantadora macedônia.

No entanto, enquanto César nunca deixara o amor ofuscar a política, Marco Antônio foi sempre incapaz de dissociar a política do amor.

O episódio do general romano e da rainha egípcia passou à história como um dos maiores relatos de amor de todos os tempos, ainda mais pelo seu trágico desfecho e porque os amantes pareceram pôr tudo de lado exceto o amor. William Shakespeare contribuiu para imortalizá-los com sua magnífica peça teatral *Antônio e Cleópatra*, e quando o poeta inglês John Dryden publicou sua versão da história, o título que utilizou parecia condensar todo o apelo romântico popular daquela obra em um par de frases: *All for Love, or The World Well Lost* (em tradução literal, "Tudo por amor, ou O mundo bem perdido").

Na realidade, e embora não haja dúvida de que estivessem apaixonados, não se tratou apenas de puro romance. Cleópatra possuía o dinheiro para financiar por doze anos a luta pelo poder de Marco Antônio, que, por sua vez, tinha os exércitos de que Cleópatra precisava. Ela arrumou maneiras de utilizar Marco Antônio, com bastante sangue-frio, em sua tentativa de satisfazer as próprias ambições como rainha do Egito, que na realidade é o que ela sempre havia sido, do início ao fim.

Marco Antônio passou o inverno de 41 a.C.-40 a.C. em Alexandria com Cleópatra, consagrado inteiramente ao prazer; Cleópatra deu-lhe gêmeos, que Marco Antônio reconheceu – Alexandre Hélio e Cleópatra Selene (Alexandre, "o Sol", e Cleópatra, "a Lua").

Os dois amantes se separaram por um tempo, mas Antônio voltou para Cleópatra e chegou a se casar com ela, embora já casado em Roma com uma irmã de Otaviano. Tranquilamente, enviou à sua esposa romana uma notificação de divórcio.

Em Roma, Otaviano soube tirar partido da insensata falta de perspicácia de Marco Antônio e fez questão de ressaltar o quanto o outro era libertino e mundano. O povo romano tomou boa nota disso e constatou também que Otaviano estava em Roma e trabalhava duro pela grandeza da cidade, que levava uma vida frugal e que era casado com uma respeitável mulher romana. Sem dúvida, a maioria dos romanos teria preferido ser Marco Antônio e viver nos braços de Cleópatra a ser como Otaviano, dedicado a uma incansável atividade; mas, como não podiam ser o primeiro, escolheram apoiar o segundo.

Marco Antônio deu pouca atenção a essas manipulações da opinião pública promovidas por Otaviano, supondo que esse talvez fosse um mal generalizado (o que de fato era!), e se vendo como alguém muito bom (mas não tão bom quanto acreditava ser). Seguiu, portanto, seu caminho despreocupado, cometendo um erro atrás do outro.

Cleópatra tentava recuperar os amplos domínios que haviam pertencido a seus predecessores, e Marco Antônio, por sua vez, tentava auxiliá-la nesse desejo. Conseguiu devolver-lhe Cirene e Chipre (o que não tinha o direito de fazer) e atribuiu-lhe até as porções do litoral sírio e da Ásia Menor que um dia haviam pertencido a Ptolomeu III, no auge do poderio ptolemaico. Além disso, deu-lhe de presente a Biblioteca de Pérgamo (cidade da Ásia Menor ocidental, cuja recopilação de livros era a segunda maior do mundo depois da de Alexandria), a fim de compensar o dano causado pela breve guerra contra César.

Isso constituiu excelente material propagandístico para Otaviano, que não teve dificuldade em fazer com que tudo fosse visto como uma intenção de Marco Antônio de transferir todas as províncias à sua querida rainha. O rumor que corria, na realidade, era que Marco

Antônio, na herança, transferira todo o Oriente a Cleópatra, que seria depois herdado por seus filhos. O que enfurecia os romanos era pensar que uma rainha macedônia conseguiria obter, por meio de seus encantos, o que nenhum rei macedônio obtivera de Roma pela força das armas.

Otaviano aproveitou a desconfiança e o ódio do povo romano contra Cleópatra para persuadir o Senado a declarar guerra ao Egito, uma guerra que, na realidade, era contra Marco Antônio.

Marco Antônio tentou não se abater com isso. Confiava ser capaz ainda de derrotar Otaviano com facilidade e reuniu alguns barcos, rumando para a Grécia. Instalou seu quartel-general nas regiões ocidentais do país, preparando-se para invadir a Itália à primeira oportunidade e ocupar Roma.

Mas se Otaviano não era bom militar, contava com alguns bons generais entre seus leais partidários. Um deles era Marco Vespasiano Agripa. A frota de Otaviano, sob o comando de Agripa, apresentou-se nas águas do ocidente da Grécia.

Depois de intermináveis manobras e preparativos, Cleópatra incentivou Marco Antônio a forçar uma batalha naval. Seus barcos eram duas vezes mais numerosos que os de Otaviano, além de maiores. Se Marco Antônio saísse vencedor da batalha naval, seu exército, também mais numeroso do que o de Otaviano, certamente seria capaz de arrasar tudo o que encontrasse pela frente. A vitória final seria sua.

A batalha aconteceu no dia 2 de setembro de 31 a.C., defronte a Áccio (*Actium*), um promontório da costa oeste da Grécia. À primeira vista, os barcos de Otaviano causavam pequena impressão em relação aos grandes navios de Marco Antônio, e a batalha parecia ser um enfrentamento desproposital entre a capacidade de manobra e o poderio naval. No fim, porém, Agripa obrigou Antônio a dispersar suas linhas, e com isso seus barcos conseguiram se lançar pelos vãos abertos e enfrentar diretamente a frota de Cleópatra, composta por seis barcos, que permaneciam atrás das linhas de Marco Antônio.

Segundo conta a história, Cleópatra, em pânico, ordenou que seus barcos se retirassem. Quando Marco Antônio percebeu que Cleópatra abandonava a cena de batalha com seus barcos, realizou o ato menos razoável de sua carreira – já cheia de atitudes insensatas. Fugiu em um pequeno veleiro, abandonando seus barcos e seus homens leais (com os quais ainda poderia ter vencido), e navegou atrás da covarde rainha. Sua frota, abandonada, fez o que pôde, mas os soldados, vendo-se sem seu comandante, perderam o ânimo e, antes que chegasse a noite, Otaviano já tinha nas mãos uma vitória completa.

O ÚLTIMO PTOLOMEU

Marco Antônio e Cleópatra não puderam fazer nada a não ser refugiar-se em Alexandria e esperar que Otaviano viesse até o Egito atrás deles. No mês de julho do ano 30 a.C., Otaviano finalmente se decidiu e chegou a Pelúsio. Marco Antônio tentou resistir, mas foi inútil. No dia 1º de agosto, Otaviano entrava em Alexandria e Marco Antônio se suicidava.

Restava Cleópatra. Ainda contava com o trunfo de sua beleza e de seus encantos e esperava utilizá-los com Otaviano, como fizera com César e Marco Antônio. Tinha então 39 anos, mas conta-se que preservava uma aparência juvenil.

Otaviano era seis anos mais novo do que ela, mas esse não era o problema. O problema era que ele tinha em mente um objetivo definido: promover as reformas em Roma, reorganizar o poder e estabelecê-lo de maneira tão firme que pudesse durar séculos (tudo isso ele conseguiu realizar).

Se quisesse alcançar seus objetivos, não poderia permitir-se dispersões, muito menos uma dispersão fatal, como seria aceitar envolver-se com Cleópatra. Sua entrevista com a fascinante rainha deixou bastante claro que era um homem completamente imune a seus encantos. Otaviano falou-lhe com doçura, mas Cleópatra sabia que ele estava fazendo aquilo apenas para mantê-la tranquila até poder aprisioná-la e levá-la a Roma, para que caminhasse acorrentada atrás de seu carro triunfal.

Só havia um caminho para evitar essa derradeira humilhação: o suicídio. Enquanto aparentava completa submissão, a rainha foi tramando seus planos. O perspicaz Otaviano previu essa possibilidade e removeu dos aposentos de Cleópatra todos os objetos cortantes e perfurantes, além de outros instrumentos perigosos. No entanto, quando os mensageiros romanos foram até ela para obrigá-la a acompanhá-los, encontraram a rainha morta.

Ela conseguira de alguma forma se suicidar e frustrar Otaviano, que não poderia mais saborear seu vitorioso fim. Não se sabe ao certo como ela se suicidou, mas a tradição conta que utilizou uma serpente venenosa (uma áspide), levada até ela dentro de um cesto de figos. Esse talvez seja o incidente mais dramático e mais conhecido de toda a sua fascinante carreira.

O Egito foi convertido em província romana e na prática tornou-se uma espécie de propriedade pessoal de Otaviano, que passou a proclamar o que hoje conhecemos como Império Romano. Ele se coroou o primeiro imperador, com o nome de Augusto.

Encerrava-se a dinastia dos Ptolomeus, que governara o Egito por três séculos, desde os tempos em que Ptolomeu I Sóter chegara ao país após a morte de Alexandre Magno.

A dinastia dos Ptolomeus, no entanto, não termina de vez com Cleópatra. Otaviano ordenou friamente que os jovens filhos de Cleópatra, Cesarião e Alexandre Hélio, fossem ambos executados, evitando que viessem a constituir o núcleo em torno do qual surgissem agrupamentos rebeldes, mas ainda restava Cleópatra Selene, filha de Marco Antônio e Cleópatra.

Otaviano não julgou necessário executar uma menina de 10 anos, e decidiu casá-la em algum distante rincão do mundo, onde nunca pudesse representar perigo. Seus olhos se fixaram em Juba, filho de um rei da Numídia (país situado na região da atual Argélia). O pai de Juba, que também tinha esse nome, combatera contra Júlio César e se suicidara ao ser vencido. Seu jovem filho fora levado a Roma, onde desfrutara de excelente educação e se tornara um estudioso. Era um ser totalmente espiritual e nada inclinado à atividade militar; apenas um intelectual pedante.

Juba foi o homem que os perspicazes olhos de Otaviano julgaram adequado como túmulo em vida para a filha da rainha. Cleópatra Selene casou-se com ele, que, com o título de Juba II, foi empossado no trono da Numídia, que pertencera ao pai. Poucos anos depois, Augusto (que era como Otaviano se fazia chamar agora) julgou desejável anexar a Numídia como província romana, e então Juba e sua esposa foram trasladados mais a oeste, para a Mauritânia (atual Marrocos), onde continuaram governando pacificamente como títeres dos romanos.

Tiveram também um filho, a quem, por orgulho de seus antepassados, deram o nome de Ptolomeu, e que é conhecido na história como Ptolomeu, o Mauritano. Neto de Cleópatra, ele assumiu o trono em 18 d.C.,[8] quatro anos depois da morte de Augusto, reinando pacificamente durante vinte e dois anos.

No ano de 41, Roma passou a ser governada por seu terceiro imperador, Calígula, bisneto de Augusto pelo lado materno. Ele começou seu mandato bem, mas sofreu uma grave enfermidade que parece ter-lhe afetado a razão. Os escândalos do imperador foram se avolumando mais e mais, e a certa altura ele se viu enfrentando uma grave necessidade de dinheiro. Como Ptolomeu, o Mauritano, possuía um rico tesouro, zelosamente acumulado, Calígula mandou chamá-lo a

---

8. As iniciais d.C. significam "depois de Cristo" e se aplicam aos anos posteriores ao nascimento de Jesus. A partir de agora, neste livro, indicaremos esses anos, mas sem essas iniciais. Apenas os anos anteriores ao nascimento de Cristo virão, como sempre, acompanhados das iniciais a.C. ("antes de Cristo").

Roma com um pretexto qualquer e o executou. A Mauritânia tornou-se então província romana e o tesouro mauritano passou às mãos do imperador. Assim terminou o último monarca ptolemaico, neto de Cleópatra, setenta anos após o suicídio dela.

O que é bastante surpreendente, entretanto, é que ainda surgiria um Ptolomeu que se tornaria especialmente famoso. Um século após a morte de Ptolomeu da Mauritânia, havia no Egito um grande astrônomo que assinava suas obras como Cláudio Ptolomeu, e passaria a ser conhecido apenas como Ptolomeu.

Não sabemos quase nada a seu respeito, nem onde nasceu, nem quando morreu, nem onde trabalhava, nem sequer se era grego ou egípcio. Tudo o que conhecemos dele são seus livros de astronomia, e como eles pertencem inteiramente à tradição grega, é bastante possível que o autor fosse de origem grega.

Ele não teve nenhuma relação com os Ptolomeus reais. Ao que parece, tinha esse nome por seu local de nascimento, que, segundo a escassa informação deixada por escritores gregos posteriores, talvez tenha sido a cidade de Tolemais Hermiou (Tolemaida), uma das que haviam sido povoadas por gregos na época do domínio romano.

Ptolomeu, o Astrônomo, recompilou em seus livros a obra dos astrônomos gregos precedentes e preparou, de forma muito bem elaborada, uma teoria sobre a estrutura do sistema solar, que situa a Terra no centro e os demais elementos do Universo – o Sol, a Lua, as estrelas e os planetas – em órbita ao seu redor.

É o "sistema ptolemaico", e a expressão é conhecida hoje em dia até mesmo por aqueles que nada sabem a respeito dos monarcas Ptolomeus – exceto, talvez, aquilo que se refere a Cleópatra.

12.

O EGITO ROMANO

OS ROMANOS

A transformação do reino ptolemaico em província romana não representou um transtorno tão grande como se poderia imaginar. Claro que agora o governante do Egito residia em Roma, e não em Alexandria, mas para o camponês egípcio isso não tinha importância. Roma não era mais estrangeira para ele do que havia sido Alexandria, e o imperador romano não estava mais distante do que poderia ter estado um faraó ou um Ptolomeu.

Sem dúvida, Augusto e os imperadores que o sucederam consideravam o Egito uma propriedade pessoal, que eles podiam saquear à vontade, mas o Egito estava acostumado a isso. Já fora propriedade pessoal dos faraós e ultimamente dos Ptolomeus, portanto as coisas continuavam a ser o que sempre haviam sido. Se os romanos exigiam altos impostos, os últimos Ptolomeus haviam feito o mesmo, e sob os romanos (pelo menos no princípio) a eficiência do governo facilitava o pagamento dos impostos.

Do ponto de vista da prosperidade material, o Egito foi muito beneficiado. Sob os últimos Ptolomeus, o reino havia declinado, mas agora a vigorosa administração romana colocara as coisas em ordem. O intrincado sistema de canais, do qual dependia toda a economia agrícola, foi totalmente reformado. Os romanos construíram também caminhos e cisternas e restabeleceram o comércio pelo mar Vermelho. A população egípcia devia estar por volta dos sete milhões, bem acima do nível alcançado no apogeu imperial passado.

Tampouco se permitiu que a vida intelectual perdesse força. A Biblioteca e o Museu de Alexandria continuaram ativos sob um patrocínio governamental não menos generoso que o anterior. Não fazia diferença alguma que o sacerdote diretor da instituição fosse designado agora por um imperador romano, e não por um Ptolomeu macedônio. Alexandria continuou sendo a maior cidade do mundo grego, superada apenas por Roma em tamanho, e por nenhuma outra em riqueza e cultura.

Por outro lado, e por razões políticas, Roma permitiu que os egípcios conservassem plena liberdade religiosa, e os vice-reis romanos que residiam na província prestavam culto às crenças nativas, mesmo que de modo puramente formal. Isso era mais importante para a mentalidade agrária dos egípcios do que qualquer outra coisa.

A religião deles nunca prosperou tanto como sob os primeiros tempos do domínio romano: em nenhum momento foram construídos tantos templos, que nunca se mostraram tão ricos em adereços. A cultura egípcia seguiu adiante sem interrupções, e os gregos continuaram confinando-se em Alexandria e em outras poucas cidades egípcias, com a presença romana concentrada principalmente na onipresente figura do coletor de impostos.

Mas o principal é que, durante séculos, o Egito desfrutou, sob os romanos, de uma paz estável. Todo o mundo Mediterrâneo participava da felicidade da *Pax Romana*, mas em nenhum lugar ela foi tão profunda, duradoura e menos violada do que no Egito. Houve, é claro, eventuais períodos de escassez e pragas e, de vez em quando, escaramuças entre exércitos opostos por disputas sobre a sucessão imperial, mas elas, de uma perspectiva geral, podem ser avaliadas como pouco importantes.

O próprio Augusto fez da *Pax Romana* uma questão política. Preocupou-se em expandir o Império ao norte à custa das tribos bárbaras do sul do Danúbio e do leste do Elba, mas, na realidade, tratava-se apenas de uma tentativa de prover fronteiras facilmente defensáveis atrás das quais o Império pudesse existir com relativa tranquilidade, pois a intenção era que nas porções civilizadas, já com fronteiras definidas, não houvesse guerra.

Logo após a ocupação romana do Egito, o vice-rei romano Caio Petrônio julgou uma boa ideia revigorar os costumes do Império faraônico. Com isso em mente, decidiu invadir a Núbia no ano 25, obtendo algumas vitórias. Mas Augusto destituiu-o, pois o que Roma mais precisava na Núbia era de paz. De qualquer modo, a expedição fomentou o comércio; e o mesmo ocorreu com outra expedição pelo mar Vermelho em direção ao sudoeste da Arábia. Tudo isso, caso tivesse ocorrido sob um imperador belicoso, teria levado à guerra e a tentativas de anexação territorial, mas Augusto proibiu terminantemente qualquer ação desse tipo.

Por quase meio século, mal chegou ao Egito um rumor do mundo exterior, por leve que fosse. O país pôde dormir ao sol.

No ano 69, porém, produziu-se um susto momentâneo. Nero, quinto imperador romano, suicidou-se depois que vários contingentes do exército se levantaram contra ele. Não havia mais ninguém da estirpe de Augusto que pudesse aspirar ao trono. Generais romanos vindos de diferentes cantos do Império começaram a chegar a Roma, ansiosos para capturar a magnífica presa.

Sem dúvida, foi um momento de prender a respiração. Havia a ameaça de uma longa guerra civil, com a consequente devastação das províncias pelos exércitos em litígio, o que podia significar até o desmembramento do Império e a volta do caos que se seguiu à divisão do Império de Alexandre Magno.

Felizmente, o assunto logo se resolveu. Vespasiano, general romano que sufocara uma rebelião no Oriente, levou seu exército ao Egito a fim de controlar o abastecimento de trigo de Roma (nos primeiros séculos do Império, o Egito foi o celeiro de Roma). Isso assegurou-lhe a posse do trono após algumas escaramuças.

O Egito teve sorte. Não sofreu qualquer dano, e o exército de Vespasiano passou pelo país sem causar nenhum prejuízo digno de nota.

O século II começou com uma dinastia de imperadores particularmente ilustrados. Um deles, Adriano, passou grande parte de seu reinado como uma espécie de viajante real, visitando as diferentes províncias do Império. Em 130, esteve no Egito, e foi sem dúvida o turista mais distinto que o antigo país já recebera desde o desembarque de Pompeu, Júlio César, Marco Antônio e Otaviano (que haviam ido até lá por razões de trabalho), um século e meio antes.

Adriano viajou pelo Nilo e apreciou muito tudo o que viu. Visitou as pirâmides e as ruínas de Tebas, onde se deteve para ouvir a estátua com o "canto" de Mêmnon (ver página 93). Não restaria muito tempo para que se pudesse fazer isso: algumas décadas após a visita de Adriano, a necessidade de restaurar a estátua era premente. Acrescentou-se a ela uma obra em pedra, e isso comprometeu o dispositivo que produzia o som. O canto de Mêmnon nunca mais voltou a ser ouvido.

Uma nota triste da visita de Adriano foi a morte do jovem Antínoo, companheiro leal e amado do imperador, que se afogou no Nilo (alguns sugerem que foi suicídio). Adriano sentiu uma tremenda dor pela perda e fundou uma cidade em homenagem ao rapaz, Antinoópolis, no lugar do incidente. O fato inspirou a imaginação romântica de muitos artistas, e produziram-se numerosas pinturas e esculturas do favorito morto.

OS JUDEUS

O acontecimento mais violento ocorrido no Egito nos dois primeiros séculos sob o Império Romano está relacionado ao destino dos judeus que viviam ali.

Sob os Ptolomeus, os judeus haviam desfrutado de grande prosperidade, com liberdade de culto e tratamento igual ao dispensado aos gregos. Nunca, até os tempos atuais, os judeus foram tão bem tratados como minoria em um país estrangeiro (com a possível exceção da Espanha islâmica durante a Idade Média). Eles, por sua vez, contribuíram para a prosperidade e para a cultura do Egito.

Por exemplo, um dos principais filósofos de Alexandria foi Fílon, o Judeu, nascido no ano 30, quando Cleópatra se suicidou, ou talvez um pouco depois. Ele recebeu uma sólida educação dentro da cultura judaica e também da grega, e por isso estava bem equipado para fazer com que o judaísmo fosse mais bem compreendido pelo público grego, habituado às concepções do mundo clássico. Sua linha de pensamento foi tão próxima daquela de Platão que às vezes é chamado de "o Platão judeu".

Infelizmente, a situação dos judeus piorava na época de Fílon. Alguns deles não se conformaram em perder a própria independência e esperavam ansiosos pela chegada de um monarca que fosse inspirado pela divindade, de algum "ungido" (essa última palavra equivale a *Messiah* em hebraico, a *Jristés* em grego, a *Christus* em latim e a "Cristo" em português e castelhano). A expectativa era que um messias os conduziria à vitória sobre seus inimigos e instauraria um reino ideal, com ele à frente, cuja capital seria Jerusalém e que dominaria o mundo inteiro. Esse desfecho fora previsto várias vezes nas Escrituras judaicas, e impedia que muitos judeus se assentassem no mundo tal como era. Na realidade, alguns judeus de vez em quando autoproclamavam-se messias, e sempre havia quem aceitasse essa pretensão e provocasse altercações com as autoridades romanas na Judeia.

Os judeus de Alexandria eram menos propensos a sonhos messiânicos que seus compatriotas da Judeia, mas havia muitas situações de atrito entre eles e os gregos. Seus respectivos modos de vida eram radicalmente diferentes, e ambos os grupos achavam difícil adaptar-se ao modo de vida do outro. Os judeus aferravam-se à própria crença de que apenas o deus judeu era o verdadeiro e desprezavam as demais religiões, de uma forma que devia parecer extremamente irritante aos não judeus. Por sua vez, os gregos aferravam-se à própria crença de que apenas a cultura grega era verdadeira como cultura e desprezavam as demais de um modo que também devia causar irritação aos não gregos.

Além disso, os gregos se sentiam incomodados com os privilégios especiais concedidos aos judeus, pois deles não se exigia participar de sacrifícios idólatras nem prestar homenagens ao imperador como ente divino ou servir nas forças armadas, tudo o que era exigido de gregos e egípcios.

Os governantes romanos da Judeia também viam com maus olhos a obstinação judaica em matéria de religião e a sua recusa a prestar qualquer reverência ao culto imperial, por insignificante que fosse e mesmo que apenas como formalidade. Em determinado momento, Calígula, o imperador ensandecido, decidiu erigir uma estátua de si mesmo no Templo de Jerusalém, e os judeus imediatamente ameaçaram se rebelar se tal ordem fosse cumprida. Fílon, o Judeu (então já ancião), encabeçou uma delegação até Roma para tentar evitar o sacrilégio, mas fracassou. A situação só se resolveu com o assassinato de Calígula e a revogação da ordem por seu sucessor.

Isso, porém, apenas adiou o inevitável. No ano de 66, a ira contida dos judeus diante da recusa em conceder-lhes a independência e da exigência de impostos fez eclodir uma violenta insurreição. As legiões romanas irromperam na Judeia, e durante três anos foi travada uma guerra de inusitada ferocidade. Os judeus resistiram com tenacidade sobre-humana, dizimando tropas romanas e causando-lhes grandes perdas.

A guerra sacudiu o governo romano em seus alicerces, pois Nero, imperador quando a rebelião começou, suicidou-se, em parte pelas más notícias que chegavam da frente judaica – uma situação da qual ele era considerado culpado.

O general das tropas romanas na Judeia era Vespasiano, que sucederia Nero como imperador. Em 70, finalmente, a Judeia foi pacificada. Jerusalém foi ocupada e saqueada pelo filho de Vespasiano, Tito; o

Templo foi destruído e o judaísmo retrocedeu ao seu pior momento desde os tempos de Nabucodonosor.

Os judeus que viviam fora da Judeia não participaram da revolta, e na maioria dos lugares foram tratados com razoável justiça pelos romanos (o que é notável, se pensarmos, por exemplo, nas terríveis medidas implantadas pelo governo dos Estados Unidos contra os americanos de origem japonesa nos meses que se seguiram ao ataque a Pearl Harbor em 1941).

No Egito, porém, os exaltados sentimentos de ambos os lados fugiram ao controle. Houve vários tumultos que logo descambaram para confrontos sangrentos. Nem os judeus nem os gregos podiam livrar-se da acusação de tê-los instigado, e foram cometidas selvagens atrocidades por ambos os lados. Mas, como tem ocorrido invariavelmente ao longo da trágica história dos judeus, eles estavam em minoria e, portanto, foram os que mais sofreram. O templo judeu de Alexandria foi destruído, milhares foram assassinados e o núcleo de Alexandria nunca mais se recuperou.

Após esses acontecimentos, os judeus mantiveram uma profunda inimizade com o governo romano e com os gregos do Egito. Ainda havia uma grande colônia judaica em Cirene, e no ano de 115 seus membros acharam que a oportunidade havia chegado. O imperador romano Trajano estava, naquele momento, ocupado com uma guerra no extremo Oriente, e, em um último impulso de expansão, levara as legiões romanas até o golfo Pérsico.

É possível que tenham chegado ao Egito alguns rumores sobre sua suposta morte (o imperador tinha já 60 anos), ou talvez que tenham circulado notícias sobre a vinda de um novo messias. Seja como for, o fato é que os judeus de Cirene se lançaram à rebelião de maneira fanática e suicida. Massacraram todos os gregos ao seu alcance e foram massacrados quando os romanos, passada a surpresa, conseguiram enviar tropas contra eles. As desordens prosseguiram por dois anos, e por volta de 117 todos os judeus do Egito haviam sido praticamente dizimados.

Mais uma vez a rebelião afetou a história de Roma. As notícias sobre os distúrbios egípcios contribuíram para que Trajano decidisse voltar à capital. (Houve também outros fatores que influenciaram sua decisão, como a idade avançada e os riscos impostos por uma linha de comunicação extensa demais.) A onda conquistadora romana nunca voltou a se projetar tão longe, e desde então a sorte de Roma começou a declinar.

Trajano foi sucedido por Adriano, cuja faceta turista já comentamos. Antes de visitar o Egito, Adriano atravessou a desolada Judeia e se impressionou com a veneração que os judeus dispensavam às ruínas de Jerusalém que ainda restavam ali. Julgando que isso poderia dar lugar a outra rebelião, ordenou que Jerusalém fosse reconstruída como cidade romana, que se chamaria Elia – era o seu sobrenome –, e mandou edificar um templo a Júpiter no lugar antes ocupado pelo destruído Templo judeu. Os judeus seriam absolutamente proibidos de entrar na cidade.

Essa decisão de Adriano só serviu para fomentar a revolta que o imperador queria evitar. Os judeus rebelaram-se mais uma vez, inspirados por um indivíduo que havia se autoproclamado messias. Desesperados pela profanação do lugar sagrado de seu Templo, resistiram durante três anos, de 132 a 135. Sufocada a rebelião, a Judeia estava destruída e tão desprovida de judeus quanto o Egito.

A partir dessa data, o futuro do judaísmo ficou restrito às importantes colônias judaicas da Babilônia, onde eles viviam desde a época de Nabucodonosor, e às colônias europeias, que não haviam participado das revoltas e às quais foi permitida subsistência, sob o olhar vigilante dos romanos.

OS CRISTÃOS

Após a morte de Alexandre Magno, é evidente que a difusão da cultura grega entre os povos que haviam criado as mais antigas civilizações da África e da Ásia não se realizou sem que houvesse uma contrapartida. Os gregos entraram em contato com culturas estrangeiras e, apesar de alguma resistência, foram atraídos por certos aspectos delas.

Tiveram particular interesse pelas religiões estrangeiras, pois, com frequência, mostravam-se mais coloridas, intensamente ritualistas e mais emotivas que os cultos oficiais de gregos e romanos. (Os gregos também tinham suas "religiões dos mistérios", bem mais populares, relacionadas ao ciclo agrícola, mas elas seguiam o estilo de sociedades secretas, e não de religiões generalizadas.) O fato é que as religiões do Oriente começaram a penetrar no Ocidente.

Depois que Roma impôs seu domínio sobre todo o Mediterrâneo e imprimiu no mundo o selo da paz, a mescla de culturas prosseguiu até com maior rapidez e facilidade, e as religiões locais puderam estender a própria influência de um extremo a outro do Império.

Nos dois primeiros séculos do Império, o Egito foi a origem de uma das mais vitais dessas religiões em expansão. O helenizado culto egípcio de Serápis difundiu-se primeiro pela Grécia e depois por Roma. Augusto e Tibério desaprovaram isso, pois ainda sonhavam em restaurar as primitivas virtudes de Roma, mas o culto se difundiu mesmo assim. Na época de Trajano e Adriano, não havia um só canto do Império que não tivesse devotos dessa forma de religião originária da época dos construtores de pirâmides e de seus predecessores, três mil anos antes.

Mais atraente ainda foi o culto a Ísis, a principal deusa egípcia, descrita como a bela "Rainha dos Céus". A influência dela começou a penetrar em Roma já nos obscuros dias de Aníbal, quando os romanos consideravam que a derrota era segura se não contassem com algum tipo de ajuda divina, e se dispunham a testar a sorte com qualquer divindade. Com o tempo, edificaram-se vários templos a Ísis, e seus rituais eram celebrados até na distante ilha da Britânia, a mais de 3 mil quilômetros do Nilo.

Mas se o Egito deu uma religião ao mundo, também recebeu uma do exterior: da Judeia.

No último século de existência da Judeia, quando muitos judeus aguardavam ansiosamente a vinda de um messias, surgiu um homem chamado Joshua. Nascera durante o reinado de Augusto, por volta de 4 a.C., e era exaltado como o messias por seus discípulos. Dito de outro modo, tratava-se de "Joshua, o Messias", ou, em sua forma grega, "Jesus Cristo". No ano 29, no reinado de Tibério, ele foi crucificado como opositor político com aspirações de se tornar rei dos judeus.

A crença no caráter messiânico de Jesus não cessou com sua crucifixão, pois a história de que ele teria ressuscitado dos mortos se difundiu. Assim, acrescentou-se mais uma seita judaica às diversas que floresceram naquela época: a dos seguidores dos ensinamentos de Jesus Cristo, ou, como logo seriam chamados, cristãos.

Nos primeiros anos de existência dessa seita, ninguém poderia imaginar que tivesse algum futuro, a não ser talvez no seio do judaísmo. O próprio judaísmo tivera pouco sucesso em penetrar no pensamento grego e romano, ao contrário do que ocorreu, por exemplo, com os ritos egípcios.

Mesmo assim, o firme monoteísmo dos judeus e seu elevado código moral constituíam um fator de atração para numerosos indivíduos, que estavam fartos das superstições e do sensualismo da maioria das religiões da época. Daí que alguns não judeus (às vezes muito bem posicionados na estrutura social do Império) adotassem o judaísmo.

No entanto, as conversões não foram muito numerosas, pois os próprios judeus não facilitavam as coisas. Além de não se mostrarem transigentes com os gentios ou com seu modo de vida, insistiam na adoção plena e total de um conjunto de leis extremamente complexo. Não só isso, mas enfatizavam a ideia de que o Templo de Jerusalém era o único lugar de culto verdadeiro, e não aceitavam que os convertidos participassem dos ritos de culto ao imperador.

Os que se convertiam ao judaísmo, portanto, ficavam sujeitos a um nacionalismo estrangeiro e se isolavam da própria sociedade. Após a rebelião judaica de 66-70, a conversão ao judaísmo passou a ser vista como uma traição por muitos romanos, e com isso praticamente cessou.

Já o cristianismo operava em circunstâncias bem menos desvantajosas, graças, principalmente, ao trabalho de um homem chamado Saulo (ou Paulo, como ficou conhecido mais tarde), um judeu vindo de Tarso (a cidade onde Marco Antônio encontrou-se pela primeira vez com Cleópatra). A princípio, Saulo foi um feroz anticristão, mas converteu-se e chegou a ser o mais famoso e eficaz de todos os missionários do cristianismo.

Ele voltou sua ação para o mundo dos gentios e predicou uma forma de cristianismo na qual a lei e o nacionalismo judaicos ficavam excluídos. Em seu lugar, defendia um universalismo segundo o qual todos os homens podiam ser cristãos, sem distinção de nacionalidade ou posição social. Oferecia um monoteísmo, além de uma elevada moralidade, sem as complicadas restrições da lei mosaica. Com isso, os gentios – no Egito e em outras partes – afluíram ao cristianismo em número surpreendentemente alto.

Mas os cristãos também eram proibidos de participar do culto ao imperador e, por isso, assim como os judeus em geral, tornaram-se também suspeitos de traição. Em 64, nos tempos de Nero, os cristãos de Roma foram selvagemente perseguidos, em represália pelo grande incêndio que destruiu a cidade e do qual foram considerados responsáveis (de maneira injusta, é óbvio). Segundo a tradição, Paulo foi executado em Roma não muito tempo após o início dessa perseguição.

A obra de Paulo produziu uma divisão no cristianismo entre aqueles que persistiam na tradição judaica e os que a rechaçavam. A crise eclodiu durante a rebelião judaica. Os judeus que seguiam os ensinamentos de Cristo eram pacifistas radicais. Para eles, o messias, na pessoa de Jesus, já havia chegado, e esperavam seu retorno. Portanto, não fazia sentido participar da luta de independência da Judeia em nome de algum outro messias que não fosse Jesus. Decidiram então se retirar para as montanhas e não participar da revolta. Os judeus sobreviventes acusaram-nos de traição, e a conversão de judeus ao cristianismo praticamente cessou.

Por isso, a partir do ano 70, o cristianismo tornou-se quase todo uma religião de gentios muito diferente do judaísmo. Ao ingressar no mundo gentio, a nova religião também sofreu influências, aceitando e assimilando as filosofias gregas e as festas pagãs, e isso gerou uma diferença ainda mais nítida com relação ao judaísmo.

Já em 95, o imperador romano Domiciano, filho mais novo de Vespasiano, ordenou algumas medidas contra os judeus e os cristãos, imaginando, ao que parece, que no fundo fossem a mesma coisa. Esta talvez tenha sido a última vez em que ambas as religiões deixaram de ser diferenciadas de maneira adequada.

Havia uma rivalidade natural entre judaísmo e cristianismo. Os cristãos censuravam os judeus por sua recusa em reconhecer Jesus como o Messias e também pelo papel desempenhado pelos funcionários judeus na crucifixão (esquecendo, às vezes, que os próprios discípulos de Jesus eram também judeus). Por seu lado, os judeus consideravam o cristianismo uma heresia, e viam com amargura o poder de seus rivais aumentando cada vez mais, enquanto eles só conheciam desastres.

Contudo, a antipatia entre as duas religiões talvez não tivesse se agravado tanto se não fosse a influência do Egito. O cristianismo deu seus primeiros passos em um Egito que acabava de atravessar os tristes episódios dos motins de Alexandria e da rebelião de Cirene. O sentimento antijudeu no Egito era mais forte do que em qualquer outro lugar do Império, e isso deve ter contribuído para o auge do gnosticismo na Igreja primitiva.

O gnosticismo era uma filosofia pré-cristã que ressaltava a maldade da matéria e do mundo. Para os gnósticos, o grande Deus abstrato, verdadeiro, bom e senhor onipotente de tudo o que existe, era o Conhecimento personificado (em grego, *gnosis*, de onde provém a palavra "gnosticismo").

O Conhecimento, o Saber, achava-se radicalmente divorciado do Universo – inalcançável, incognoscível. O Universo fora criado por um deus inferior, um "demiurgo" (da palavra grega que significa "o que trabalha pelo povo": um governante prático, uma espécie de ser terreno, mais que um deus divino acima e além da matéria). Pelo fato de o demiurgo ter uma capacidade limitada, o mundo tendia para o mal como um todo, o que incluía a própria matéria. O corpo humano era o mal, e a alma devia separar-se dele, da matéria e do mundo, em seu intento de voltar ao espírito e ao Conhecimento.

Alguns gnósticos se sentiram atraídos pelo cristianismo, e vice-versa. O dirigente mais importante dessa corrente de pensamento foi Marçal, nascido na Ásia Menor e supostamente filho de um bispo cristão.

Marçal, que escreveu durante os reinados de Trajano e Adriano, defendia que o Deus do Antigo Testamento era o demiurgo – um ser malvado e inferior, que havia criado o Universo. Por outro lado, Jesus era o representante do verdadeiro Deus, do Conhecimento. E como Jesus não havia participado do que fora criado pelo demiurgo, era um espírito puro, e sua forma humana e suas experiências haviam sido apenas uma deliberada ilusão, assumida para que pudesse cumprir seus propósitos.

Houve uma versão gnóstica do cristianismo que por um tempo foi bastante popular no Egito, adequando-se bem ao sentimento antijudeu existente no país, já que fazia do deus judeu um demônio e das suas escrituras algo inspirado também por ele.

O cristianismo gnóstico, entretanto, não durou muito, por causa da firme oposição a ele por parte da corrente principal do cristianismo. A maioria dos dirigentes cristãos aceitava o Deus dos judeus e do Antigo Testamento como o Deus do qual Jesus falava no Novo Testamento. O Antigo Testamento foi aceito como escritura inspirada e como introdução ao Novo Testamento.

O gnosticismo, no entanto, apesar de desaparecer, deixou algumas marcas obscuras. O cristianismo manteve certas ideias referentes ao mal do mundo e do homem, e com elas um sentimento antijudeu mais forte do que antes.

Como se não bastasse, os egípcios nunca abandonaram certo tipo de visão gnóstica a respeito de Jesus. Consequentemente, interpretavam a natureza de Jesus de tal forma que seus aspectos humanos ficavam minimizados. Isso não só contribuiu para fomentar uma extenuante luta interna entre os dirigentes cristãos, mas também seria um elemento importante, como veremos, na destruição do cristianismo egípcio.

Outra influência, essa mais prazerosa, do pensamento egípcio sobre o cristianismo é a relacionada à encantadora Ísis, deusa do Céu. Sem dúvida, ela se tornou uma das deusas mais populares não só no Egito, mas em todo o Império Romano, e não foi difícil transferir a complacência na beleza e a gentil simpatia de Ísis à Virgem Maria. O importante papel desempenhado pela Virgem no cristianismo deu à religião um cálido toque feminino, ausente no judaísmo, e não há dúvida de que foi a existência do culto de Ísis o que facilitou acrescentar esse aspecto ao cristianismo.

Isso ficou ainda mais fácil pela frequência com que Ísis era retratada com o menino Hórus no colo (ver história na página 33). Nessas representações, Hórus, sem cabeça de falcão, era conhecido pelos egípcios como *Harpechruti* ("Hórus, o Menino"). Ele levava os dedos aos lábios, num gesto infantil – algo parecido, digamos, com chupar o dedo. Os gregos interpretaram isso como uma petição de silêncio, e em seu panteão esse deus converteu-se em Harpócrates, o deus do silêncio.

A popularidade de Ísis e de Harpócrates, mãe e filho, passou também ao cristianismo, e contribuiu para tornar popular a ideia da Virgem e do Menino Jesus, que capturou a imaginação de milhões de pessoas desde os primórdios do cristianismo.

A DECADÊNCIA DOS ROMANOS

Os tempos de Trajano e Adriano, e de seus sucessores Antonino Pio e Marco Aurélio, assinalaram os momentos culminantes do Império Romano: oitenta anos de relativa paz e segurança.

Mas tudo isso teve um fim. Um filho de Marco Aurélio, o inútil Cómodo, assumiu o trono em 180, e foi assassinado em 192. O Império viu-se lançado em um novo período de lutas pela sucessão do trono entre generais, como ocorreu depois da morte de Nero; só que dessa vez durou mais tempo e teve custo bem maior.

O mais popular dos generais rivais era Pescênio Níger, que se encontrava na Síria. Ele se apressou em ocupar o Egito, o celeiro de Roma, como Vespasiano já havia feito cento e vinte e cinco anos antes. Em vez de tomar Roma de assalto, ficou ali, protegido por sua popularidade e imaginando que a coroa passaria automaticamente às suas mãos quando Roma começasse a sentir a falta de alimentos.

No entanto, quem estava em Roma era Septímio Severo, o comandante guerreiro das legiões do Danúbio. Depois de fortalecer sua situação na capital, ele partiu para o Oriente, atraiu Níger à Ásia Menor e derrotou-o. Septímio Severo tornou-se então imperador romano.

Seu filho mais velho, Caracala, sucedeu-o em 211, e no ano seguinte, 212, promulgou um famoso édito pelo qual todos os habitantes livres do Império foram convertidos em cidadãos romanos. Os egípcios nativos, que antes não tinham acesso ao reduzido círculo da superioridade romana e grega, viram-se de repente convertidos em cidadãos romanos, em pé de igualdade com os homens mais orgulhosos de Alexandria e de Roma. Alguns egípcios foram elevados à categoria de senadores, sendo recebidos no Senado romano (que, no entanto, já não desfrutava de poder político e não era nada além de um clube social).

Mas os tempos estavam ficando difíceis para Roma. Uma terrível praga despovoara o Império na época de Marco Aurélio, e a decadência econômica havia se acelerado. O dinheiro necessário para governar estava cada vez mais difícil de arrecadar em um Império que se empobrecia, e a decisão de Caracala provavelmente se inspirou em algo mais do que o puro idealismo. Havia um imposto sobre o patrimônio que era aplicável apenas aos cidadãos, e por meio do édito de Caracala foi estendido a todos os homens livres, permitindo obter uma boa renda adicional.

Caracala foi o primeiro imperador a visitar o Egito depois de Adriano, mas em circunstâncias bem diferentes. Quase um século antes, Adriano viera como um turista inquieto, viajando por um Império pacificado. Caracala viveu em uma época muito mais difícil, na qual inimigos do norte e do leste tentavam forçar as fronteiras romanas. Em sua viagem às regiões orientais que estavam em guerra, deteve-se no Egito, e sem dúvida estava de péssimo humor.

Sob a pressão do escasso dinheiro que era possível arrecadar (situação agravada pelas guerras), Caracala pôs fim à subvenção estatal paga aos estudiosos do Museu de Alexandria. Talvez não tenha sido uma medida totalmente injustificada do ponto de vista de Caracala. O museu estava em decadência havia um século e, depois do ano 100, fizera poucas contribuições de valor ao mundo. O último cientista de alguma importância que trabalhara no Egito fora o astrônomo Ptolomeu (ver página 203), e sua contribuição consistiu, sobretudo, em resumir a obra dos primeiros astrônomos. Talvez Caracala tivesse concluído que o Museu já estava moribundo e não merecia as somas a ele destinadas, que o decadente Império não era mais capaz de suprir. A suspensão do apoio estatal tornou totalmente improvável a revitalização do museu.

A decisão de Caracala ofendeu os estudiosos do mundo todo, e os mais hostis ao imperador foram os historiadores da época, que o acusaram de todos os crimes e brutalidades imagináveis. Supõe-se que teria ordenado o saque de Alexandria e que milhares de cidadãos tenham sido assassinados em represália a uma ofensa insignificante. Mas sem dúvida trata-se de uma história exagerada.

De qualquer modo, apesar do efetivo declínio da ciência em Alexandria, o mesmo não ocorreu com o saber. Surgiu um novo tipo de estudioso, o teólogo cristão, e Alexandria prosseguiu nessa via e continuou à frente do mundo pensante da época.

No primeiro século posterior a Paulo, o cristianismo difundiu-se principalmente entre as classes baixas e as mulheres, isto é, entre os mais pobres e sem instrução. As classes instruídas e de alta renda eram refratárias a seus ensinamentos. Para os familiarizados com a sutileza intelectual dos grandes filósofos gregos, as escrituras judaicas pareciam bárbaras, os ensinamentos de Jesus Cristo, ingênuos, e os sermões da grande maioria dos cristãos, risíveis e destinados aos ignorantes. A tarefa dos teólogos de Alexandria consistiu justamente em combater essa crença.

Quem se envolveu de maneira ativa nesse combate foi Clemente, sacerdote nascido em Atenas por volta de 150 e que lecionava em Alexandria. Era versado tanto em filosofia grega como em doutrina cristã, e capaz de interpretar esta última em termos da primeira, de forma que deu ao cristianismo um ar respeitável (embora nem sempre convincente) para os gregos mais inteligentes. Além disso, Clemente reinterpretou a doutrina cristã de forma a não a apresentar como uma doutrina social revolucionária, e seus argumentos contribuíram para demonstrar que os ricos também podiam alcançar a salvação. Foi, além disso, uma poderosa força contra as agonizantes doutrinas do gnosticismo.

Clemente era, naturalmente, um grego que viera lecionar no Egito. Mas teve um seguidor importante, talvez seu discípulo, que, ao que parece, era na verdade egípcio. Trata-se de Orígenes.

Orígenes nasceu em Alexandria em 185, provavelmente de pais pagãos, pois seu nome grego significa "filho de Hórus". Assim como Clemente, mesclou muita filosofia grega ao seu cristianismo, e era capaz de enfrentar os filósofos pagãos em pé de igualdade.

Entrou em choque com um escritor grego chamado Celso, filósofo platônico pagão que havia escrito um livro frio e desapaixonado contra o cristianismo. Era o primeiro livro pagão que tratava do cristianismo a sério – talvez em decorrência do trabalho de Clemente. Orígenes apresentou sua réplica em um livro intitulado *Contra Celso*, que foi a defesa mais completa e bem elaborada do cristianismo publicada nos tempos antigos.

O livro de Celso não sobreviveu por muito tempo, mas cerca de noventa por cento dele são citados na obra de Orígenes, a qual chegou até nós. Portanto, é graças a Orígenes que conhecemos as opiniões de seu adversário.

Em suma, o Egito contribuiu de forma muito importante para a intelectualização do cristianismo e sua aceitação por parte dos homens de formação clássica. Na realidade, nos primeiros séculos do cristianismo, Alexandria foi o centro cristão mais importante do mundo.

Mas os tempos continuaram piorando. Em 222, o imperador de Roma era Alexandre Severo, sobrinho-neto de Septímio Severo. Era um homem bondoso, mas fraco, dominado pela mãe. Foi assassinado em 235.

O que se seguiu pode ser descrito como uma verdadeira orgia de imperadores. O trono passou a ser reivindicado por um general atrás do outro, todos eles assassinados por aspirantes rivais ou por invasores bárbaros. Apesar da impassível valentia das legiões, era tamanha a energia consumida em lutas internas que os bárbaros germânicos do norte começaram a irromper aqui e ali no Império e a estabelecer governos independentes.

Era a oportunidade que a Pérsia aguardava.

Esse país experimentara um ressurgimento desde a sua derrota para Alexandre Magno seis séculos antes. Depois de Antíoco III, as províncias orientais do Império Selêucida obtiveram uma independência duradoura, e surgiu um reino conhecido pelos romanos como a Pártia (palavra que, na realidade, é uma variante de "Pérsia").

Os romanos haviam enfrentado a Pártia durante três séculos em batalhas de resultado duvidoso, que no fim redundavam apenas em sangue e ruína para ambos os lados. Em 228, quando o trono estava ocupado por Alexandre Severo, o poder nas terras partas foi tomado por uma nova dinastia, que remontava a um dirigente persa chamado Sasano. Por isso, recebeu o nome de Sassânida.

Quando o caos se abateu sobre Roma após a morte de Alexandre Severo, os persas acharam que havia chegado a hora e se lançaram ao Ocidente. Em 260, confrontaram os exércitos romanos em Edessa, a leste do alto Eufrates. Os romanos eram comandados por seu imperador Valeriano.

Não sabemos o que aconteceu exatamente, mas parece que os romanos, comandados de modo inadequado, caíram em uma armadilha e foram forçados a aceitar a derrota; o próprio Valeriano foi preso. Era a primeira vez, em toda a história de Roma, que um imperador era capturado pelo inimigo, e a repercussão da catástrofe foi terrível. O exército persa continuou avançando orgulhoso por toda a Ásia Menor.

Ocorreu, então, algo surpreendente. No deserto da Síria, por volta de duzentos quilômetros do litoral e perto da fronteira oriental do Império, ficava a cidade de Palmira. Era um centro comercial que crescera em paz e prosperidade em tempos mais tranquilos, quando o Império Romano estava no auge.

Na época da derrota de Valeriano, Palmira era governada por Odenato, dirigente de origem árabe que não tinha intenção de trocar o domínio tranquilo e benéfico de Roma pelo mais sufocante e talvez mais rigoroso domínio persa. Por isso, atacou a Pérsia.

No entanto, não enfrentou diretamente os exércitos persas (que estavam ainda longe, a oeste), mas atacou pelo leste e pelo sul, em direção a Ctesifonte, a quase desprotegida capital persa. Irados, os persas viram-se obrigados a voltar atrás e lamentaram a perda daquela oportunidade de esmagar Roma.

Os romanos, muitíssimo gratos, cobriram Odenato de títulos e o converteram quase que em um soberano independente. Naqueles tempos, porém, a realeza era uma condição insegura, e em 267 Odenato foi assassinado.

Quem se apresentou de imediato para ocupar o lugar vago foi sua esposa Zenóbia, uma mulher tão ambiciosa e enérgica quanto Cleópatra. Ela reclamou para o seu filho todos os títulos do falecido marido, e preparou-se para obter o título imperial da própria Roma. Em 270, seus exércitos alcançaram a Ásia Menor, e nesse mesmo inverno a rainha marchou sobre o Egito.

Os surpreendidos egípcios viram-se ameaçados por um exército hostil, às portas do Sinai, algo que fazia três séculos que não acontecia, desde que Augusto se apresentara no Egito. Não apresentaram nenhuma resistência.

Depois de obter o controle do terço mais oriental do Império, Zenóbia proclamou a si e ao filho coimperadores de Roma.

Na época, porém, havia um novo imperador: Aureliano, um dos mais capacitados desse período de anarquia. Ele não demorou a levar seu exército à Ásia Menor e provocar o recuo imediato das tropas de Zenóbia para suas bases originárias, evacuando, assim, o Egito. Em 273, Aureliano já havia arrasado o exército de Palmira, ocupado a cidade e posto fim à ameaça. Zenóbia teve menos sorte do que Cleópatra. Capturada, foi levada a Roma como um adorno para o desfile triunfal de Aureliano.

Mas Aureliano ainda tinha assuntos a resolver após a captura de Zenóbia. Um rico egípcio chamado Firmo aproveitara a confusão para se proclamar imperador. Assim, ao voltar de Palmira, Aureliano irrompeu no Egito, tomou Alexandria e crucificou Firmo.

O Egito, depois de se recuperar do susto pela dupla invasão (a de Zenóbia e a de Aureliano), constatou ter saído praticamente ileso de tudo aquilo e voltou aos seus agradáveis costumes.

Algo, porém, havia desaparecido. Na breve contenda entre Aureliano e Firmo, os edifícios do Museu de Alexandria acabaram sendo destruídos. A maior realização dos Ptolomeus – que durara seis séculos, três a mais que a própria dinastia – havia se esfumado.

Porém, nem tudo estava perdido. Os inúmeros rolos de papiros da biblioteca ainda foram salvos, e com eles o conhecimento e a sabedoria acumulados de mil anos de cultura grega.

13.

O EGITO CRISTÃO

PERSEGUIÇÃO

A expansão do cristianismo nos primeiros séculos do Império não foi muito fácil, nem se deu sem oposição. Várias religiões competiam: o culto imperial oficial, as religiões gregas dos mistérios e os ritos egípcios de Serápis e de Ísis. Todas já existiam, e continuaram existindo.

A mais influente dessas religiões dos mistérios era o mitraísmo, uma religião de origem persa que, na prática, constituía uma forma de culto ao Sol. Suas primeiras manifestações começam a aparecer em Roma, com Augusto e Tibério. Um século mais tarde, na época de Trajano e Adriano, ela chegou a ganhar destaque, e talvez fosse a mais popular das novas religiões. Quem observasse o Império Romano por volta do ano 200 acreditaria facilmente que, se havia uma religião que prometia predominar no futuro em Roma, seria o mitraísmo, e não o cristianismo.

Mas o mitraísmo tinha um inconveniente fatal: só os homens podiam participar de seus ritos. As mulheres, vendo-se excluídas, costumavam voltar-se para o cristianismo, e eram elas que criavam os filhos e exerciam influência sobre eles quando se tratava de escolher uma religião.

Também havia forte concorrência entre as versões consolidadas das velhas filosofias gregas, e nisso quem desempenhou um papel importante foi Plotino, de origem egípcia. Ele nasceu em 205, em Licópolis, cidade situada apenas oitenta quilômetros ao sul do lugar onde fora construída a desventurada cidade de Ijnaton, nos tempos de Aquenáton. Plotino estudou em Alexandria e elaborou um sistema filosófico baseado nos ensinamentos do filósofo ateniense Platão, mas ampliou-o, em boa medida, na direção das novas religiões. Tratava-se, com efeito, de uma espécie de fusão entre a racionalidade grega e o misticismo oriental, e seria identificada como neoplatonismo, chegando a ser a filosofia pagã mais popular e importante nos dois séculos seguintes.

De todas as religiões e filosofias do Império, o cristianismo era a mais exclusivista, sem contar o judaísmo, que por essa época perdera importância. As outras religiões careciam de um verdadeiro desejo de se impor pela força às demais, contentando-se em competir, digamos, esportivamente, no mercado livre das ideias. Em oposição a elas, o cristianismo não fazia concessões e se considerava a única religião verdadeira, que enfrentava um monte de falsidades inspiradas pelo demônio.

Os não cristãos ficavam profundamente irritados ao ver que a hostilidade manifestada pelos cristãos não os impedia de apropriar-se do que considerassem útil nas outras religiões. Assim, o mitraísmo celebrava o dia 25 de dezembro como o do nascimento do Sol, promovendo uma festa popular e alegre. Os cristãos adotaram a data como o dia do nascimento do Filho e a converteram no Natal. O cristianismo também adotou como se fossem dele muitos elementos que, na realidade, eram do neoplatonismo.

Além disso, os cristãos dos primeiros tempos do Império Romano eram profundamente pacifistas e recusavam-se a combater pela causa de imperadores pagãos (ainda mais porque, como soldados, seriam obrigados a participar do culto ao imperador). E sustentavam que só se o Império se convertesse ao cristianismo é que a guerra desapareceria e seria instaurada uma sociedade ideal.

Tudo isso tornou os cristãos muito impopulares para os fiéis das demais religiões (aqueles todos que costumamos enfiar no mesmo saco como "pagãos").

Já haviam ocorrido perseguições aos cristãos nos primeiros tempos, especialmente sob Nero e Domiciano, mas tiveram breve duração e não foram muito intensas. Agora, no período de caos que se seguia ao assassinato de Alexandre Severo, quando o Império se defrontava com graves problemas, a busca por um bode expiatório foi intensificada, e nada melhor para isso do que um grupo de extremistas impopulares que predicavam ideias pacifistas extremadas.

Por volta de 250, o imperador Décio ordenou a primeira perseguição geral aos cristãos, estendida a todo o Império. Por quase uma década os cristãos viveram uma gravíssima crise. Foram salvos por duas coisas.

Em primeiro lugar, estavam tão fanaticamente convencidos da verdade absoluta de suas crenças que não eram poucos os que se dispunham a morrer por elas, convencidos de que mereceriam a felicidade eterna no céu em troca da morte como mártires na terra. A atitude resoluta de numerosos cristãos ao enfrentar a tortura e a morte era impressionante, e muitos dos que testemunharam isso devem ter se convencido, sem dúvida, do valor de uma crença que levava a lealdade a esse extremo. Sem dúvida, as perseguições geraram mais cristãos do que mataram.

Em segundo lugar, as perseguições não duraram tempo o suficiente nem foram promovidas de maneira tão completa a ponto de exterminar o cristianismo. Um imperador perseguidor era sempre sucedido por outro mais moderado, e o tratamento rigoroso em uma província era compensado pela relativa flexibilidade em outra.

Foi esse o caso, em 259, de Galiano quando se tornou imperador. Era discípulo de Plotino, que na época ensinava em Roma, e o neoplatonismo pregava a tolerância. Plotino acreditava que a verdade não devia ser imposta pela força e que a falsidade podia ser combatida com argumentos racionais. Por isso, a pressão sobre o cristianismo se aliviou com Galiano.

Contudo, a década de perseguições deixara sua marca. Em Alexandria, muitos bispos morreram e Orígenes foi tratado com tal violência que, apesar de não morrer, teve a saúde seriamente abalada. Retirou-se para Tiro e morreu em 254.

Como já indicamos, entretanto, a um período de relaxamento seguia-se sempre outro de renovadas perseguições, e por quase cem anos os cristãos não puderam se sentir seguros. No Egito, houve uma reação a esse período de perseguições que introduziu um novo elemento no modo de vida cristão. Essa reação foi o retiro.

Já havia um precedente. O judaísmo sempre tivera uma vertente ascética, e a austeridade, que alguns acreditavam necessária para melhor honrar a Deus, era bem mais fácil de observar afastando-se das tentações do mundo. Havia judeus que se isolavam para poder levar uma vida de frugalidade e renúncia consagrada à adoração de Deus. Os retiros podiam ser solitários, como o de Elias no século IX a.C., ou em grupos e comunidades, como no caso dos essênios nos tempos de Roma.

Durante as perseguições, esses exemplos atraíram a atenção dos cristãos. Com efeito, o retiro de Elias foi motivado em parte por seu desejo de se livrar das perseguições de Jezabel, rainha de Israel, e os essênios encontraram a salvação no isolamento quando os macabeus, os Herodes e os romanos tornaram a vida muito difícil para as seitas judaicas mais radicais.

Portanto, por que os cristãos não haveriam de retirar-se? O mundo era perverso; era melhor abandoná-lo. Viver no mundo era uma exposição contínua às torturas dos perseguidores pagãos e à constante tentação de abandonar o cristianismo para salvar a própria vida. No deserto, era possível ficar sozinho e salvar a alma.

A situação era tal no Egito que o retiro individual se tornava mais atraente do que qualquer outra opção. O deserto não ficava longe, era solitário e nele podia-se viver em paz, sem invernos muito frios nem grandes tormentas e vendavais. A vida podia se mostrar simples e sem problemas.

O primeiro a decidir retirar-se foi um egípcio chamado Antônio. Nascera em 250 e, ao completar 20 anos, decidiu iniciar uma vida ascética. Em

285, chegou à conclusão de que isso só seria possível longe das contínuas tentações da vida social, e se retirou para o deserto.

A fama de sua santidade e devoção começou a se espalhar e muitos decidiram imitá-lo. Todo ano, certo número de pessoas fugia do mundo pagão e ia ao encontro do Deus cristão no deserto egípcio, que logo se viu salpicado de numerosos eremitérios solitários nos quais os ermitões praticavam uma vida austera. No entanto, nenhum deles superou a fama de Antônio, e multiplicaram-se lendas sobre as tentações a que era submetido pelo demônio e das quais saía sempre vencedor. Acredita-se que chegou à avançada idade de 105 anos.

Antônio foi o primeiro cristão a se tornar monge, palavra que deriva do termo grego que significa "só", ou "ermitão", que por sua vez deriva de outro termo grego que significa "deserto". A palavra continuou sendo usada para indicar aqueles que se retiravam do mundo, mesmo quando o faziam de forma comunitária e não estavam mais "sozinhos".

Antônio poder ser considerado, portanto, um dos que contribuíram para fundar a instituição do monacato, que teria papel tão importante na futura história do cristianismo. Ou seja, é outro aspecto fundamental do cristianismo que teve origem no Egito.

OS ARIANOS

O Império Romano recebeu nova injeção de vida quando um rude e competente soldado, Diocleciano, tornou-se imperador em 284. Ele conseguiu reparar a maquinaria do Império e abolir os vestígios do antigo sistema republicano, ao qual Augusto e seus sucessores haviam outorgado uma importância retórica. Em seu lugar, instaurou uma monarquia absoluta.

Como se não bastasse, Diocleciano elegeu um coimperador, e tanto ele quanto seu sócio no poder elegeram por sua vez dois "césares" como assistentes. Com isso, havia quatro indivíduos compartilhando as funções administrativas e militares do Império. Diocleciano, preocupado com a ameaça persa, atribuiu a si as províncias asiáticas e o Egito, que ficaram sob seu controle direto, e fixou sua capital em Nicomédia, cidade da Ásia Menor norte-ocidental.

Mas os maus hábitos do período de crise persistiam. Os generais continuavam achando que podiam ser aclamados imperadores por suas tropas toda vez que julgassem oportuno. No Egito, um general chamado Aquileu fez-se proclamar imperador em 295. Como se tratava de território de Diocleciano, ele liderou um exército e partiu para o Egito. Alexandria foi assediada durante oito meses. Finalmente foi tomada e Aquileu, executado.

Em 303, Diocleciano deu início à última e, em certo sentido, mais dura perseguição geral dos cristãos, que foi continuada pelo sucessor de Diocleciano no Oriente, Galério, e, em menor grau, pelo sucessor deste, Licínio.

Na metade ocidental do Império, os governantes demonstravam maior simpatia em relação aos cristãos. Em 306, Constantino I obteve o domínio de certas regiões dessa parte do Império. Seu poder cresceu, até 312, quando pôde controlar totalmente a metade ocidental. Constantino era um político astuto e logo sentiu que, se conseguisse o apoio dos cristãos (que já formavam uma minoria forte dentro da população e que, além disso, era a mais ativa e ruidosa), seu caminho até o poder seria facilitado. Assim, conseguiu obrigar Licínio, que nesse momento controlava a metade oriental do Império, a unir-se a ele e a aceitar um "édito de tolerância", que concedia igualdade de direitos a todas as religiões.

Licínio não tinha muita simpatia pelo édito, mas em 324 foi derrotado finalmente por Constantino I, que, como havia planejado, passou a desfrutar de um apoio pleno e entusiasmado dos cristãos do Império. Faltava, ainda, meio século para que a vitória cristã fosse total, mas o período das grandes perseguições já ficara para trás. (Treze anos mais tarde, já no leito de morte, Constantino I permitiu ser batizado, o que o converteu no primeiro imperador cristão.)

Mas se o perigo das perseguições havia passado, as dissensões internas ainda persistiam. Sempre surgiam diferenças de opinião entre os cristãos, e as epístolas de São Paulo, escritas nos primeiros anos do cristianismo, ocuparam-se disso várias vezes. No entanto, enquanto o cristianismo como tal corria risco constante por causa das perseguições, essas diferenças de opinião não iam além do âmbito do discurso. Quando os imperadores romanos se converteram ao cristianismo, entretanto, surgiu a possibilidade de que tomassem partido de uma ou outra das facções, e com isso a excluída teria de enfrentar o poder do estado. Portanto, embora os cristãos em geral não fossem mais perseguidos pelos pagãos, alguns continuaram sendo perseguidos por outros cristãos.

Alexandria, como centro importante do pensamento cristão, desempenhou um notável papel nessas disputas internas. Foi assim, por exemplo, no reinado de Constantino I, que eclodiu uma acirrada disputa a respeito do problema da natureza de Cristo. A questão era se Cristo tinha um aspecto divino ou não. Uma das posturas, que podemos chamar "unitarista", sustentava que Jesus não era em absoluto um ser divino, que havia um só Deus, o Deus do Antigo Testamento. Jesus era um ser criado, como tudo mais que existe no universo *exceto* Deus. Jesus podia ser o maior e o melhor dos homens, o mais santo dos profetas, o mestre de inspiração mais divina, mas, ainda assim, não era Deus.

A segunda postura defendia que Cristo tinha três aspectos, todos equivalentes entre si e que sempre haviam existido: o Pai, aspecto que se manifestou especialmente na Criação; o Filho, aspecto que se manifestava por meio da forma humana de Jesus; e o Espírito Santo, que se manifestara várias vezes por meio de homens normais, nos quais ele inspirara ações das quais eles não teriam sido capazes sem a ajuda divina. Os três aspectos de Deus formam a chamada Trindade, e a crença nesses três aspectos é denominada "trinitarismo".

O principal defensor da postura unitarista era um sacerdote de Alexandria chamado Ário. Tão firme era sua postura que a crença ficou conhecida como arianismo, e os que a defendiam, como arianos.

Embora seu defensor mais ferrenho fosse alexandrino, o reduto mais importante do arianismo na época de Constantino I foi a Ásia Menor. No Egito, ainda persistia a memória do gnosticismo, para o qual Jesus era espírito, não matéria (ver página 217). Portanto, como poderia ser todo humano? *Tinha de ser* divino e humano em níveis iguais.

No entanto, a maioria dos sacerdotes de Alexandria era trinitarista, e Alexandre, bispo de Alexandria, foi objeto de constantes pressões para agir com rigor contra aquele incômodo sacerdote. Em 323, Alexandre convocou uma reunião de bispos (um "sínodo"), que condenou oficialmente a postura ariana, mas Ário recusou-se a aceitar a decisão.

Era justamente o tempo em que Constantino começava a ser preponderante em todo o Império, e houve tentativas de chamar sua atenção para o problema. (Os bispos podiam denunciar, mas era o imperador quem dispunha de um exército capaz de lidar com a denúncia.) Constantino estava ansioso para se tornar a voz cantante no assunto. Não sabia nada a respeito das ideias teológicas envolvidas na disputa, sequer tinha interesse nisso, mas compreendia muito bem quais podiam ser os riscos políticos. Dependia do apoio dos cristãos do Império, mas apenas em troca de sua atitude pró-cristã. No entanto, se os cristãos começassem a brigar entre si, seu apoio perderia eficácia. Além disso, seus oponentes políticos poderiam sempre oferecer apoio a uma das duas facções, prometendo-lhe a supressão da outra.

Por isso, em 325, Constantino I convocou uma gigantesca reunião de bispos na cidade de Niceia, situada cinquenta e poucos quilômetros ao sul de sua capital, Nicomédia. Ali ordenou aos participantes que resolvessem a questão de uma vez por todas. Este foi o primeiro "concílio ecumênico" – isto é, o primeiro "em escala mundial" –, pois contou com a participação de bispos de todo o império, não apenas de uma ou duas províncias.

A disputa ficou resolvida, pelo menos no papel. O concílio votou a adoção de uma fórmula ("a doutrina de Niceia"), à qual todos os cristãos deviam aderir, e que aceitava o trinitarismo. Ário e muitos dos mais inveterados arianos foram enviados ao exílio.

Em tese, o ponto de vista trinitarista foi aceito por toda a Igreja, pela Igreja universal ou, para usar o termo grego para "universal", pela Igreja "católica". Por isso, os que apoiaram o trinitarismo são chamados de católicos, e o arianismo é considerado uma heresia (um setor minoritário, com opiniões não aceitas oficialmente pela Igreja).

Em 325, portanto, Alexandria parecia ter alcançado um novo momento culminante. A própria Roma ficava a reboque dela. O meio século de caos político que precedera a ascensão de Diocleciano ao poder levara Roma a um sério declínio em riqueza e prestígio. Em 271, Aureliano foi obrigado a construir muralhas ao redor da cidade, o que significava uma tácita admissão de que Roma não estava mais a salvo de inimigos.

Em seguida, quando Diocleciano fixou sua capital em Nicomédia, Roma perdeu ainda mais prestígio, já que não era mais a sede do imperador. Mas Nicomédia também não ganhou muito com isso: apesar da presença do imperador, continuou sendo uma cidade de província, de segunda linha.

Tudo isso deixou Alexandria sem rival. Era a grande cidade do Império, o centro que irradiava influência, a cabeça da teologia cristã, a força que respaldava a vitória trinitarista de Niceia. Nunca, desde os tempos de Ptolomeu III, seis séculos antes, o domínio de Alexandria e do Egito sobre o mundo parecera tão grande.

CONSTANTINOPLA

Então Constantino I tomou uma decisão que representou um tremendo golpe para a posição de Alexandria: decidiu criar uma capital. O lugar escolhido ficava na margem europeia do Bósforo, o exíguo estreito que separa a Europa da Ásia Menor e no qual se erguia a cidade grega de Bizâncio, há quase um milênio.

Constantino demorou quatro anos para construir sua nova capital, não poupando esforços para torná-la o mais ampla, pródiga e luxuosa possível; saqueou obras de arte das demais cidades do Império para levá-las à nova capital e incentivou a burocracia e a aristocracia romanas a se instalarem na "nova Roma". Em 330, a cidade, dedicada ao imperador, foi denominada Constantinopla (a "cidade de Constantino"). De uma hora para outra, Alexandria viu-se de novo deslocada a um segundo lugar, pois a nova cidade logo enriqueceu, aumentou seu esplendor e sua população e não tardou a se converter naquilo que seria por quase um milênio: a maior cidade do mundo cristão.

A situação de Alexandria tornou-se mais insuportável do que no passado. Uma coisa era ficar atrás de Roma, uma cidade não grega cujo renome vinha mais da guerra que da ciência, do músculo mais do que da inteligência; mas ficar atrás de Constantinopla – também grega – era bem diferente.

Em boa medida, as queixas religiosas posteriormente produzidas se agravaram em razão da rivalidade entre as duas cidades. Isso se deveu sobretudo à controvérsia ariana, que, afinal, não fora resolvida em Niceia.

Os arianos, embora derrotados, não haviam sido eliminados. Certo número de bispos continuava pregando o arianismo na Ásia Menor. Entre eles, destacava-se Eusébio, bispo de Nicomédia, antiga sede da corte de Constantino antes do estabelecimento da capital em Constantinopla.

Eusébio gozava da confiança da corte, e sua influência sobre Constantino e outros membros da família real era crescente. Constantino logo teve de lamentar o fato de conceder plena liberdade aos bispos de Niceia. Viu com clareza que a decisão que haviam tomado não resolvera os problemas nem tivera influência na cristandade em geral. Na realidade, a maior parte dos cristãos da Ásia Menor, a província mais próxima da sede imperial, continuava ariana, e Constantino não queria se ver contra a maioria.

Em 335, portanto, convocou em Tiro um sínodo de bispos, não um concílio ecumênico, pressionando-os a alterar a decisão de Niceia. Ário voltou a ocupar seu lugar (apesar de ter morrido antes que a ordem fosse cumprida), e o arianismo de repente viu seu poder aumentar.

Mas tampouco foi possível pôr fim ao catolicismo com essa simples decisão de um grupo de bispos. Restava Alexandria.

Dez anos antes, um jovem sacerdote havia participado do Concílio de Niceia como secretário privado do bispo Alexandre de Alexandria. Era Atanásio, que em 328 sucedeu Alexandre no cargo de bispo, e logo se converteu no maior porta-voz e no mais formidável defensor da doutrina trinitária do catolicismo. Em razão da decisão do sínodo de Tiro, Atanásio foi exilado, mas nem assim foi possível calar sua voz, que, mesmo desde o exílio, ressoava com o peso e a influência não só de Alexandria, mas de todo o Egito.

Quando Constantino I morreu em 337, foi sucedido por seus três filhos, a quem confiou o governo de diversas partes do Império. Constâncio II, seu segundo filho, governava no Oriente. Era um ariano convicto e radical, e em 339 nomeou Eusébio, ariano por excelência, bispo de Constantinopla. Naturalmente, Eusébio e seus sucessores no cargo, na condição de bispos da capital da cristandade, julgaram ter pleno direito de considerar-se chefes da Igreja. (Este ponto de vista também era sustentado, pelas mesmas razões, pelo bispo de Roma, e a controvérsia entre ambos acabou levando a uma cisão entre os cristãos, que dura até hoje.)

Eusébio e Atanásio, portanto, não estavam separados apenas por uma disputa doutrinal, mas por uma verdadeira disputa de poder. Enquanto Constâncio II reinou, Atanásio continuou no exílio a maior parte do tempo. Em 353, já mortos os irmãos de Constâncio II e com os demais pretendentes ao trono derrotados ou assassinados, o vencedor governou solitário sobre todo o Império, e parecia que a vitória do arianismo era total.

Mas Constâncio não viveria eternamente. Morreu em 361 e foi sucedido por seu sobrinho Juliano, que, apesar da educação cristã que teve, declarou-se pagão. Decretou uma total liberdade religiosa no Império, em parte por idealismo, em parte porque acreditava que o melhor modo de acabar com o cristianismo era permitir que as diferentes seitas se digladiassem sem impedimentos.

As coisas, porém, não correram como Juliano esperava. Seu reino durou menos de dois anos, pois morreu em uma batalha contra os persas em 363. Além disso, as distintas seitas cristãs, sacudidas de repente pelo ressurgimento do paganismo, arrefeceram as querelas internas e tenderam a se unir contra o inimigo comum.

O breve reinado de Juliano serviu, no entanto, para romper o predomínio dos arianos. Sob o édito de Juliano, os bispos católicos puderam voltar do exílio e ocupar de novo seus postos. Até mesmo Atanásio retornou como bispo a Alexandria (embora não por muito tempo). Assim que os católicos se instalaram de novo no Império, foi muito difícil afastá-los, pois os imperadores posteriores nunca chegaram a ter um arianismo tão acirrado quando o de Constâncio II.

Na época em que Atanásio morreu, em 373, o catolicismo já se encaminhava para a vitória. Ela veio em 379, quando Teodósio I, católico tão convicto de sua fé quanto o ariano Constâncio II havia sido da dele, tornou-se imperador. Em 381, Teodósio convocou um segundo concílio ecumênico, dessa vez em Constantinopla.

O arianismo foi outra vez declarado fora da lei, e agora a decisão contava com todo o respaldo do poder do estado. Os arianos e os membros das demais seitas heréticas ficaram proibidos de se reunir, e suas igrejas foram confiscadas. Era o fim da liberdade religiosa para todos os cristãos, exceto os aderentes à postura oficial da Igreja católica.

Alexandria vencera de novo – e dessa vez sobre a própria Constantinopla –, pelo menos dentro dos limites do Império. (O arianismo subsistiu no mínimo por três séculos no seio de algumas tribos germânicas, que logo começariam a inundar os domínios do Império.)

Teodósio I mostrou-se tão rigoroso com os vestígios de paganismo como havia sido com os hereges cristãos. Em 382, Graciano, coimperador de Teodósio no Ocidente, derrubou o altar da Vitória pagã que se encontrava no Senado, pôs fim à instituição das virgens vestais, que haviam cuidado da chama sagrada durante mais de mil anos, e aboliu o título sacerdotal pagão de sumo pontífice. Por sua vez, em 394, Teodósio acabou com os Jogos Olímpicos, que haviam perdurado por quase mil e duzentos anos como um dos grandes festejos religiosos dos gregos pagãos. Mais tarde, em 396, invasores bárbaros (que, por certo, eram arianos) destruíram o templo de Ceres, ao lado de Atenas, e puseram fim aos mistérios de Elêusis, a religião dos mistérios mais venerada pelos gregos.

De todo modo, ainda subsistiram uns restos de paganismo. Em Atenas, filósofos pagãos ministravam suas aulas para auditórios cada vez mais vazios na Academia, a escola que Platão havia fundado logo após o fim da Idade de Ouro ateniense.

As ancestrais religiões egípcias tampouco desapareceram. Aos poucos, a população egípcia havia substituído Osíris por Jesus e Ísis por Maria, e seus numerosos deuses pelos numerosos santos. Os velhos templos foram esquecidos ou convertidos em igrejas. Em 391, ficou ainda mais claro que o paganismo estava sentenciado quando o próprio Serapeu foi destruído em Alexandria, por ordem imperial, após seis séculos de existência.

Alexandria viveria momentos ainda piores. O último filósofo pagão importante a lecionar na cidade foi Hipátia, uma mulher. Cirilo, bispo de Alexandria desde 412, considerava-a um perigo, em parte por sua popularidade, que atraía numerosos estudantes às suas aulas sobre filosofia pagã, em parte porque era amiga de um dos funcionários seculares do Egito, com o qual Cirilo não se dava bem. Acredita-se que foi por instigação de Cirilo que um grupo de monges matou brutalmente Hipátia em 415 e depois destruiu grande parte da Biblioteca de Alexandria.

O modo como certas facções da Igreja desprezavam e difamavam o saber mundano foi um sombrio anúncio do obscurantismo que logo abriria passagem e do qual a humanidade teria tanta dificuldade de sair.

No entanto, ainda no tempo de Cirilo, uma pequena porção da antiga religião subsistiu.

Longe, no sul, junto à Primeira Catarata, na ilha de Filé, Nectanebo II, último rei nativo do Egito, construíra seis séculos antes um templo dedicado a Ísis, que foi reconstruído por Ptolomeu II Filadelfo e reparado de novo na época de Cleópatra.

Ali, embora o mundo estivesse se tornando cristão, era possível admirar o pálido sorriso da Rainha dos Céus, e ainda eram realizados, em segredo, os velhos rituais, longe do centro de poder cristão.

OS MONOFISISTAS

Mas Alexandria continuou sendo a grande rival de Constantinopla, e a batalha religiosa entre as duas cidades prosseguiu.

Assim, em 398, João Crisóstomo foi nomeado bispo de Constantinopla. Seu segundo nome, que em grego significa "boca de ouro", foi-lhe atribuído pouco depois de morrer, em razão de sua eloquência.

Essa eloquência foi empregada sem piedade para denunciar o luxo e a imoralidade, e ele não poupou ninguém, sequer a própria imperatriz. Irritada, ela decidiu desterrar Crisóstomo, tarefa na qual encontrou um aliado natural em Teófilo, então bispo de Alexandria e predecessor de Cirilo. Embora com algumas dificuldades, juntos conseguiram seu intento, e Crisóstomo morreu no exílio. Alexandria triunfava de novo.

Contudo, isso não passou de uma questão pessoal, e outras disputas, de natureza doutrinal e mais perigosas, ainda iriam envolver as duas cidades.

Em 428, na época do imperador Teodósio II, Nestório, sacerdote de origem síria, tornou-se bispo de Constantinopla. Sob esse imperador, os arianos e os hereges do passado foram condenados nada menos do que à pena de morte; mas o que estava acontecendo com as novas heresias?

O próprio Nestório provocou uma nova disputa sobre a natureza de Jesus Cristo. Agora que o arianismo fora vencido de vez, ficava assentado que Jesus tinha um aspecto divino, mas que lhe restava ainda um aspecto humano, e surgiu então a questão de como esses dois lados podiam se relacionar.

Nestório parece ter pregado a doutrina de que ambos os aspectos eram totalmente distintos e de que Maria era apenas mãe no aspecto humano, não no divino. Podia ser chamada de "Mãe de Cristo", mas não de "Mãe de Deus". Por esse ponto de vista, chamado de nestorianismo, Jesus Cristo aparece como um ser humano no qual se enraizara um aspecto de Deus, e o ser humano seria então mero instrumento.

Isso significava, no mínimo, um retrocesso parcial em direção ao arianismo, e de novo foi Alexandria que comandou a luta contra essa opinião. Cirilo de Alexandria era um inimigo inflexível. Teodósio II convocou um concílio ecumênico em 431, celebrado em Éfeso, cidade do litoral da Ásia Menor. Foi um concílio turbulento, controlado em distintos momentos por diferentes grupos de bispos. Mas em linhas gerais foi Cirilo quem dominou as sessões, e as opiniões de Nestório foram condenadas e postas fora da lei. O próprio Nestório foi deposto de seu cargo e exilado no Alto Egito.

Pela terceira vez em três concílios ecumênicos sucessivos, Alexandria saía vencedora.

Mas o nestorianismo continuou na Ásia Menor e na Síria e, finalmente, quando a oposição oficial tornou-se forte demais para se resistir a ela, seus seguidores exilaram-se a leste, na Pérsia. Com o tempo contribuiriam para a difusão da cultura grega até confins tão remotos quanto a China.

Naquela época, porém, um sacerdote de Constantinopla chamado Êutiques passou a sustentar a opinião oposta. Afirmava que Jesus Cristo tinha uma só natureza, divina em absoluto, que absorvia por completo a humana. Este é considerado o ato fundador do "monofisismo" (palavra grega que significa "uma só natureza"), que obteve considerável aceitação no Egito, mas foi rechaçado em Constantinopla.

Cirilo de Alexandria morreu em 444, e seu sucessor teve crenças marcadamente monofisistas. A disputa foi ficando tão séria e perigosa como havia sido a questão ariana um século antes, e Teodósio III não soube enfrentar o problema.

Teodósio III morreu em 450, e seu sucessor, Marciano, era um ardoroso defensor da doutrina das duas naturezas. Convocou, pois, o quarto concílio ecumênico, em 451, na Calcedônia, subúrbio de Constantinopla no lado asiático do estreito.

Ali, por fim, a derrotada foi Alexandria. A doutrina da natureza dupla, defendida por Constantinopla e por Roma, converteu-se em dogma católico, e a doutrina monofisista da única natureza foi declarada herética. Êutiques foi exilado.

Mesmo assim, Alexandria não aceitou a derrota de bom grado. Continuou teimosamente aferrada ao monofisismo, ainda mais pelo fato de Constantinopla se opor a ele.

A desunião religiosa do império (que persistiu apesar da celebração de sucessivos concílios ecumênicos) tornou-se ainda mais perigosa em razão dos desastres militares que sacudiram o império após a morte de Teodósio I.

Teodósio foi sucedido por seus dois jovens filhos, um no Oriente e outro no Ocidente; a partir desse momento, o Império nunca mais seria unificado por completo. Na prática, passaram a existir duas metades, que costumam ser denominadas Império Romano do Oriente e Império Romano do Ocidente. Teodósio II e Marciano, que presidiram respectivamente o terceiro e quarto concílios ecumênicos, foram imperadores romanos do Oriente. O Egito, é claro, fazia parte do Império Romano do Oriente.

Foi o Império Romano do Ocidente que sofreu o primeiro impacto do desastre. No século seguinte à morte de Teodósio I, os hunos e diversas tribos germânicas faziam incursões pelas províncias europeias do império. Uma tribo germânica, os vândalos, chegou a cruzar o estreito de Gibraltar, penetrou na África e estabeleceu um reino ao redor de Cartago. Algumas das províncias do Império Romano do Oriente também foram invadidas, mas apenas temporariamente. Não foi o caso do Egito, que seguiu intacto como a única província que permaneceu em paz durante aquele século cheio de catástrofes.

Em 476, o Império Romano do Ocidente chegou ao fim com a deposição do último imperador reconhecido como tal.

No entanto, o Império Romano do Oriente continuou intacto, e até deu a impressão de que iria recuperar tudo o que havia perdido. Em 527, subiu ao trono um imperador forte e capacitado, Justiniano, que enviou seus exércitos ao Ocidente para retomar as províncias ocupadas pelos bárbaros.

Os exércitos romanos conseguiram destruir o reino vândalo do norte da África, anexando esses territórios ao Império Romano do Oriente. Também a Itália foi reconquistada, e parte da Península Ibérica. Por um momento, parecia ser possível, como na época de Aureliano, dois séculos e meio antes, fazer recuar a maré bárbara.

De qualquer modo, as conquistas na metade ocidental do Império agravaram os problemas de Justiniano em relação à religião. O imperador era um católico ardoroso e sob seu reinado desapareceram os últimos vestígios do paganismo. Em 529, fechou a Academia de Atenas, depois de quase nove séculos de existência, e os aflitos filósofos se exilaram na Pérsia. Foi também nesse século que se fechou para sempre o templo de Ísis em Filé, o que decretou a morte da antiga religião egípcia quase quatro mil anos após a época de Menés. Justiniano também combateu encarniçadamente os judeus e as heresias do passado.

Mas o que ocorreu com os monofisistas? O monofisismo fortalecia-se cada vez mais no Egito e na Síria, e Justiniano atormentava-se com isso. Sua esposa manifestava forte simpatia pelo monofisismo, ao contrário dele. Além disso, suas novas conquistas no Ocidente eram abertamente antimonofisistas e reclamavam medidas firmes contra a heresia.

Justiniano não queria fazer nada que enfraquecesse a lealdade das províncias ocidentais, recém-reconquistadas – e com muita dificuldade –, mas tampouco queria ver enfraquecido seu domínio sobre as importantes e ricas províncias do Egito e da Síria.

Em 553, convocou o quinto concílio ecumênico, realizado em Constantinopla, no qual tentou apaziguar, de algum modo, os monofisistas e conseguir algum tipo de união. Utilizou o poder imperial para persuadir os bispos de Alexandria e de Roma a aceitarem as decisões do concílio, mas não conseguiu melhorar as coisas. O núcleo principal de cristãos do Ocidente e o núcleo principal de cristãos do Egito e da Síria opunham-se a qualquer conciliação.

Na realidade, os esforços de Justiniano serviram para promover o monofisismo ao nível de movimento nacional no Egito e na Síria. Por exemplo, no Egito, onde os gregos de Alexandria e de outros lugares se aproximaram da postura de Constantinopla de exercer pressões imperiais, os egípcios aderiram mais fortemente ao monofisismo; até passaram a utilizar o próprio idioma (com caracteres emprestados do grego) em suas orações, rechaçando o grego de Constantinopla e de Alexandria.

A língua nativa recebeu a denominação de copta (distorção de "egípcio"), e por isso a Igreja monofisista egípcia é às vezes denominada Igreja copta.

Em certo sentido, a Igreja copta representou uma espécie de renascimento egípcio. Através dos vários séculos de dominação estrangeira, o Egito sobrevivera poderosamente, conservando sua identidade e a própria cultura e religião. Continuara egípcio, apesar de todas as influências – assíria, persa, grega e romana.

Foi só com a chegada do cristianismo que o Egito virou a página e adotou uma nova forma de vida; uma forma de vida imposta de fora. Mesmo nesse caso, o país lutou para imprimir seu próprio selo ao cristianismo – o que conseguiu de diversas formas –, e enfim encontrou uma variedade que tornou própria.

A Igreja copta converteu-se em algo como um contra-ataque nacionalista egípcio à cristandade católica do Oriente grego e do Ocidente latino.

14.

CENAS FINAIS

OS PERSAS

A expansão do Império sob Justiniano foi de curta duração. Logo após sua morte, em 565, novas hordas bárbaras invadiram violentamente a Itália, e por volta de 570 a maior parte da península Itálica fora perdida de novo.

Como se não bastasse, havia outras causas de aflição, além da presença dos bárbaros no Ocidente; o Império Romano do Oriente também tinha inimigos a leste. Durante todos aqueles anos em que os imperadores (não só Justiniano, mas também seus predecessores e sucessores) haviam tido as atenções voltadas para o Ocidente, tentando restaurar o domínio romano nessa área, haviam sido obrigados a combater constantemente contra a Pérsia em sua retaguarda.

Mesmo quando Justiniano conquistou territórios a oeste, precisou travar duas guerras contra a Pérsia até ser obrigado, no fim, a "comprar" a paz. O problema chegou ao auge durante o reinado do persa Josrau II, conhecido pelos gregos como Cosroes.

Cosroes II aproveitou a ocasião quando o Império Romano do Oriente estava sendo arrasado e debilitado pelas incursões de um povo nômade, os ávaros. Estabelecido no Danúbio, esse povo havia feito várias incursões nas províncias balcânicas desde a morte de Justiniano.

Por isso, o rei persa conseguiu levar a cabo uma penetração sem precedentes, marchando diretamente pela Ásia Menor. Em 608, Cosroes chegou à Calcedônia, do outro lado do estreito, defronte à própria Constantinopla. Seus exércitos se dirigiram também à Síria, onde os monofisistas encararam o rei persa não como um invasor, mas como um libertador que iria resgatá-los da ortodoxia de Constantinopla. Em tal situação, a conquista foi fácil. Cosroes tomou Antioquia em 611 e Damasco em 613.

Em 614, o Império sofreu um rude golpe, quando o exército persa chegou à própria Jerusalém e levou a Vera Cruz (segundo a lenda, a cruz em que Jesus teria sido crucificado).

Além disso, em 619, os persas penetraram no Egito e, em razão da controvérsia monofisista, puderam conquistá-lo com facilidade, como havia feito Alexandre Magno mil anos antes. Se naquela ocasião Alexandre foi visto como o libertador do jugo persa, agora, por uma ironia da história, o rei persa era considerado libertador da dominação grega.

De fato, com essa vitória, Cosroes II parecia ter desbaratado finalmente a obra de Alexandre. Um milênio depois do grande desastre persa, as lutas de gerações inteiras de dirigentes persas, primeiro contra os reis selêucidas e depois contra os imperadores romanos, tinham chegado a seu ponto culminante. Por fim recuperavam o que haviam perdido: o planalto iraniano, a Mesopotâmia, a Síria, a Ásia Menor e até o Egito.

Um novo imperador, Heráclio, entrou em cena para enfrentar a crise, mas dava a sensação de governar um Império que, de tão reduzido, parecia prestes a desaparecer. Além de os persas terem se apoderado de todo o Oriente, em 616 as tribos germânicas da Península Ibérica haviam conquistado todas as possessões do Império naquele território. Ao mesmo tempo, os ávaros pressionavam as fronteiras do Danúbio, com incursões nas comarcas próximas a Constantinopla em 619, enquanto as hostes persas observavam ameaçadoramente a cidade do outro lado do estreito.

Heráclio demorou dez anos para reorganizar e reforçar seu exército. Comprou a paz dos ávaros e, em plena explosão de entusiasmo religioso, lançou o próprio exército contra a Ásia Menor. Em 622 e

623, varreu os persas da península e em seguida penetrou de forma longa e árdua no coração da Pérsia. Nada o afastou dessa decisão, nem mesmo a notícia de que os ávaros haviam rompido a trégua e, em 626, estavam tentando tomar Constantinopla. Heráclio decidiu abandonar a cidade à própria sorte para não diminuir a pressão que exercia sobre seu principal inimigo.

Constantinopla sobreviveu graças às muralhas, que suportaram o assalto ávaro. Mais tarde, no fim de 627, junto ao lugar da antiga Nínive, Heráclio derrotou o grosso do exército persa após um duro combate. Para os persas foi suficiente; Cosroes foi deposto e morto, e seu sucessor viu-se obrigado a assinar a paz sem demora. Todas as terras conquistadas pelos persas foram recuperadas, incluindo o Egito. A Vera Cruz foi devolvida e Heráclio levou-a pessoalmente a Jerusalém. As ondas ávaras nos Bálcãs começaram a refluir, e durante alguns anos parecia que tudo voltara ao normal, como nos tempos de Justiniano (tirando a perda das penínsulas Itálica e Ibérica).

Mas Heráclio percebeu que existia uma rachadura fatal no império: a persistente diversidade de crenças religiosas. Síria e Egito haviam caído com facilidade, em razão de suas controvérsias religiosas com a capital do Império, e Heráclio sabia que isso continuaria se repetindo sempre que um exército estrangeiro se aproximasse daqueles territórios, a menos que se chegasse a algum tipo de conciliação.

Tentou, portanto, chegar a um compromisso. Constantinopla defendia que Jesus Cristo tinha duas naturezas, uma divina e outra humana, enquanto o Egito e a Síria defendiam que tinha apenas uma. Por que, então, não podiam aceitar todos que, embora Jesus Cristo tivesse duas naturezas, tinha uma só vontade – em outras palavras, as duas naturezas não podiam entrar em conflito. Essa ideia de que havia "duas naturezas que agiam sempre como uma só" foi denominada monotelismo ("uma única vontade"), e parecia possível que todos concordassem com esse feliz meio-termo.

Talvez tivesse funcionado se a disputa fosse apenas religiosa. Mas o problema era que os elementos nacionalistas da Síria e do Egito não estavam interessados em uma conciliação. É bem possível que, se Constantinopla tivesse aceitado totalmente o monofisismo, a Síria e o Egito achassem outro motivo qualquer para levar a disputa adiante. O confronto subsistiu, e nada, nem as palavras nem os feitos, conseguiu atenuá-lo.

OS ÁRABES

Por outro lado, todo o problema da controvérsia monofisista e do confronto religioso estava a ponto de se tornar assunto puramente acadêmico, na época em que Heráclio ainda ocupava o trono. Não faltava muito para uma reviravolta decisiva na história.

Os quatro séculos de guerras entre o Império e a Pérsia – e, em particular, os últimos vinte anos de lutas desesperadas – haviam privado ambos os lados de suas últimas reservas de energia. Combateram até ficar exauridos e ofegantes, cada um em seu canto, e agora entrava em cena um novo combatente, fanático, e com suas forças intactas.

O novo fator provinha, para grande surpresa de todos, de um lugar inesperado: a Península Arábica.

A Arábia, em grande parte desértica, conhecera civilizações interessantes em suas regiões marginais mais férteis, que tiveram contato ocasional com as regiões do mundo consolidadas. Os monarcas egípcios haviam estabelecido comércio com o sudoeste da Arábia, onde ficava a terra do Punte, e era ali que se localizavam também os países bíblicos de Sabá e Ofir.

Os árabes nunca haviam passado de um estorvo, quando muito, e foram esmagados sem piedade toda vez que os impérios do noroeste e do nordeste decidiam exercer a fundo o próprio poder.

Agora, porém, as tribos árabes eram comandadas por novos chefes, mais dinâmicos, bem no momento em que os dois reinos do norte tentavam se reequilibrar e se manter, já sem condições de empregar a fundo seu poder.

Isso teve a ver com o renascimento religioso árabe. Seu primitivo politeísmo foi perdendo terreno diante das sofisticadas crenças de judeus e cristãos. Mas o avanço do monoteísmo foi lento por razões nacionalistas, já que tanto o judaísmo quanto o cristianismo eram religiões estrangeiras que soavam estranhas. Fazia-se necessária, portanto, uma versão nativa dessas religiões.

Em Meca, a cidade santa das tribos árabes situada logo na outra margem do mar Vermelho, defronte à costa egípcia, nascera por volta de 570 um rapaz chamado Mohammed. Passara a juventude de maneira obscura, mas aos 40 anos começou a pregar um tipo de monoteísmo baseado nos dogmas do judaísmo e do cristianismo, com modificações adaptadas aos gostos e temperamento árabes. Finalmente, suas dissertações foram recompiladas em um livro chamado *Corão* (nome que provém de uma palavra árabe que significa "ler").

A nova religião pregada por ele se chamou Islã (que significa "submissão", aos desejos de Deus), embora com frequência seja chamada de maometismo, em homenagem ao profeta, que também é conhecido como Maomé. Os que aceitam o Islã são chamados de muçulmanos ("aqueles que se submetem", também a Deus).

Maomé viu-se em uma situação na qual, como ocorrera com Jesus Cristo em sua época, era difícil obter a atenção benevolente de seus próprios conterrâneos. Em 622, foi obrigado a abandonar Meca (o que ficou conhecido como *hégira*, palavra que em árabe significa "fuga"), acompanhado por um punhado de seguidores. Encontrou refúgio na cidade de Medina, por volta de 560 quilômetros ao norte.

Portanto, enquanto o mundo voltava as atenções para os hercúleos esforços de Heráclio para invadir e derrotar a Pérsia, na Arábia

– sem que ninguém se desse conta disso – era travada uma luta parecida, até mais importante. Aos poucos, bem devagar, Maomé reorganizou seus seguidores na cidade de Medina, agrupou-os e fez deles uma força de combate movida por seu fervor pela nova fé.

Em 630, conseguiu voltar a Meca, de onde havia sido expulso oito anos antes. Nesse mesmo ano, o mundo viu Heráclio regressar triunfalmente a Jerusalém; mas apenas umas poucas tribos souberam do retorno também triunfal de Maomé a Meca.

Agora os progressos de Maomé se aceleravam. Na época de sua morte, em 632, todas ou quase todas as tribos árabes estavam unidas sob a bandeira do Islã e dispostas a difundir sua fé com fanática confiança, em nome de Alá (palavra afim à bíblica *El*, que significa "Deus"). Com Alá a seu lado, não podiam perder, pois mesmo que morressem, se isso ocorresse em batalha contra o infiel, significaria ir imediatamente para o paraíso, e para toda a eternidade.

Maomé foi sucedido por Abu Bakr, seu sogro ancião e um de seus primeiros discípulos. Esse foi o primeiro califa (da palavra árabe para "sucessor"). Sob seu governo, os exércitos árabes se espalharam a nordeste até a Pérsia, e a noroeste, até a Síria, pois os rudes e pouco experientes árabes não viam nenhum problema em ocupar a Pérsia e o Império Romano do Oriente ao mesmo tempo.

Sem dúvida, se esse ataque tivesse sido desferido vinte anos antes, quando ainda não se produzira a desastrosa guerra romano-persa, ou vinte anos depois, quando ambos os impérios estariam provavelmente recuperados, teria significado o fim do Islã. Mas no momento preciso em que o ataque aconteceu, parecia que tinham sido orientados por Alá.

Heráclio subestimou o perigo árabe. Esgotado pelos esforços sobre-humanos contra os persas e saciado pela glória da vitória, aspirava apenas à paz e ao descanso em seus últimos anos, e estava decidido a não sair mais em campanha. Por isso enviou seu irmão, com forças nada adequadas. Os árabes o derrotaram e entraram em Damasco em 634.

Diz a lenda que Abu Bakr morreu nesse mesmo dia, e seu lugar foi ocupado por Omar, outro velho companheiro de Maomé.

A derrota inicial do Império Romano do Oriente trouxe comoção a Constantinopla, e um poderoso exército imperial começou a avançar para o sul, penetrando na Síria, a fim de recolocar as coisas no lugar. Os árabes se retiraram, abandonando Damasco temporariamente.

No entanto, o exército imperial era poderoso apenas em aparência. A maioria eram mercenários que não tinham certeza se iriam receber o pagamento prometido e, além disso, a população monofisista da Síria mostrava-se indiferente ou até hostil à presença deles: ninguém ali sabia muito a respeito dos árabes e de seu recém-inventado Islã, seja lá o que isso fosse, mas sabiam com certeza que odiavam Constantinopla e sua política religiosa.

Em 20 de agosto de 636, foi travada uma das batalhas mais decisivas da história da humanidade. A luta teve lugar às margens do Yarmuk, rio que corre para o oeste atravessando a Transjordânia para desembocar no Jordão. A batalha foi dura, e os árabes retrocederam várias vezes diante da força do exército imperial. Mas, montados sobre seus cavalos e dromedários, os infatigáveis árabes sempre voltavam à carga. Quando enfim o exército imperial ficou exaurido, foi exterminado quase até o último homem. A vitória árabe foi indiscutível. O Império Romano do Oriente ficou praticamente na defensiva pelos oito séculos que lhe restavam de vida.

Os árabes expandiram-se livremente pelas províncias, que os acolhiam com simpatia, no melhor dos casos, e, no pior, com indiferença.

Em 638, conquistaram Jerusalém após um assédio de quatro meses. Apenas oito anos antes, Heráclio havia levado a Vera Cruz à cidade, e toda a cristandade se regozijara com isso; agora, Jerusalém escapava de suas mãos, desta vez para sempre.

Também foi conquistado o resto da Síria, e igualmente a Mesopotâmia, arrebatada das mãos vacilantes dos monarcas persas. Com efeito, a Pérsia, que combatera com tanta bravura e tenacidade contra os romanos, viu-se desarmada diante dessa nova força irresistível, quase demoníaca. Os persas perderam uma batalha atrás da outra, e em 641 não foram mais capazes de oferecer uma resistência organizada. A Pérsia, que apenas vinte anos antes parecia ter recuperado seu poder como nos melhores tempos, deixou de existir. Aos árabes restava apenas a tarefa de ocupar e limpar o território, enfrentar qualquer escaramuça ocasional e saquear uma ou outra cidade.

Entretanto, outros exércitos árabes encaminharam-se para o sul a partir da Síria, sob o comando do general Amer ibne Alas. Em 640, suas hostes apareceram às portas de Pelúsio, onde treze séculos e meio antes haviam se detido os exércitos de Senaqueribe.

Após um mês de assédio, Amer tomou a cidade e, como ocorreu com muitos outros invasores do Egito desde os hicsos, a primeira batalha foi também a última: o Egito foi conquistado quase sem resistência.

Heráclio morreu em 641, chegando ao descanso final em meio ao clamor da derrota total, apesar das vitórias da primeira metade de seu reinado. No ano seguinte, em 642, Amer ocupava Alexandria. Um contra-ataque imperial proveniente do mar recuperou a cidade, mas por pouco tempo. Quase mil anos de glória grega e romana chegavam ao fim.

Uma lenda sustenta que a Biblioteca de Alexandria foi destruída definitivamente nessa época. Seu conteúdo teria sido colocado aos pés desse rude e rígido primeiro califa, Omar, a quem se atribuem as seguintes palavras: "Se esses livros concordam com o Corão, são desnecessários; se estão em desacordo come ele, são perniciosos. Então, tanto faz. Que sejam destruídos!".

Contudo, como no caso de muitas lendas, os historiadores suspeitam que ela reflita outros interesses e não corresponda aos fatos. Na realidade, nos séculos de regime cristão fortemente antipagão no Egito, pouco deve ter restado de tal biblioteca para que Omar pudesse destruir.

O EGITO ISLÂMICO

Os monofisistas do Egito talvez imaginassem que o fim do domínio de Constantinopla iria permitir-lhes o livre exercício de sua religião, e, de fato, os árabes tendiam a ser tolerantes com o cristianismo. No entanto, era preciso levar em conta o estímulo do êxito.

Nos vinte anos posteriores à conquista árabe do Egito, os exércitos muçulmanos avançaram até a Núbia, no sul, e a oeste, contra as províncias do norte da África que ainda pertenciam a Roma. Cartago foi conquistada em 698, e em 711 toda a costa norte da África era muçulmana. Que argumentos poderia haver contra a vitória?

Além disso, os cristãos egípcios não sentiam nenhuma afinidade com seus irmãos europeus. Em 680 foi celebrado o sexto concílio ecumênico em Constantinopla, e nele ficou excluída qualquer possível concessão à teoria da dupla natureza de Cristo.

Os cristãos do Egito sentiram-se duplamente isolados, primeiro pela vitória muçulmana e depois pela intransigência europeia. Aos poucos, portanto, o Egito foi mudando.

Mênfis, a antiga capital com três mil e quinhentos anos de existência, afundou na mais completa ruína. Uma nova capital muçulmana, Al-Fustat, foi construída ao lado dela.

Também a velha língua foi substituída, e em 706 o árabe se tornou o idioma oficial do país. O cristianismo decaiu quando o povo viu que a conversão ao Islã abria caminho às vantagens proporcionadas pelas preferências governamentais. O pior de tudo foi que a prosperidade cessou. Os árabes – filhos de uma sociedade do deserto pouco habituada à agricultura – não fizeram nenhum esforço para manter em pé o sistema de canais, que decaiu. O empobrecimento e a fome tomaram conta do país, que afundou numa abjeta pobreza, a qual perdura até hoje.

Os egípcios nativos rebelaram-se várias vezes. Mas uma revolta ocorrida em 831 foi sufocada de modo tão sanguinário que não houve mais rebeliões. (Na verdade, o cristianismo não desapareceu, e mesmo hoje a Igreja copta abriga cinco por cento da população egípcia e utiliza seu antigo idioma na liturgia. Antes da chegada dos árabes, os missionários egípcios haviam introduzido o cristianismo na Núbia e na região que hoje corresponde à Etiópia, onde continua sendo a religião dominante. Tanto a Igreja copta como a etíope continuam monofisistas.)

Com o desaparecimento total do antigo Egito – cidades, idioma, religião, prosperidade –, o autor tem a tentação de encerrar aqui esta história. Mas a terra e as pessoas ainda estão aí, e vamos expor brevemente seu percurso até nossos dias.

O vasto Império islâmico, criado no século VIII, era extenso demais para perdurar unido. No século IX, começou a se dividir em facções.

Em 866, o Egito conseguiu de novo a independência por um tempo sob uma frágil dinastia, os Tulúnidas. Em 969, tomou o poder uma dinastia mais poderosa, os Fatímidas. O primeiro fatímida decidiu abandonar Al-Fustat, que havia sido a capital durante quase três séculos. Em 973, foi erguida uma nova cidade por volta de cinco quilômetros ao norte, chamada Al-Qahirah ("a Vitoriosa"), que conhecemos como Cairo e que há mais de mil anos é a capital do Egito.

O governante fatímida mais conhecido do Egito foi Al-Hakim, fanático religioso que perseguiu encarniçadamente os cristãos. Em 1009, ele demoliu a Igreja do Santo Sepulcro de Jerusalém, gerando grande indignação na Europa e ajudando a assentar as bases das Cruzadas.

As Cruzadas reintroduziram o Egito na história ocidental. Durante quatro séculos, enquanto a Europa abria caminho penosamente por uma época de obscuridade, o Egito ficou fora de seu horizonte. No entanto, em 1096, alguns exércitos cristãos muito mal organizados começaram a avançar para o Oriente, em direção à Palestina, e conseguiram algumas vitórias contra os desunidos muçulmanos. Em 1099, tomaram Jerusalém.

Naquele momento, a dinastia fatímida mostrava acentuada decadência. Um vizir (o que nós chamaríamos de primeiro-ministro), cujo nome era Salah ad-Din Yusuf ibn Ayyub, tomou o poder. Nós, ocidentais, o conhecemos pelo nome de Saladino.

Saladino foi o governante mais capacitado que o Egito teve desde a época de Ptolomeu III, nove séculos antes. Estabeleceu seu controle sobre a Síria e o Egito e esteve a ponto de lançar os cruzados ao mar depois de recuperar Jerusalém em 1187.

Mas, sob os mais fracos sucessores de Saladino, os cruzados se recuperaram e até tentaram invadir o Egito. A tentativa mais ambiciosa foi a de Luís IX da França (São Luís), que desembarcou no Delta do Nilo em 1248. Mas o monarca francês foi derrotado e capturado em 1250.

Por longo tempo, os governantes egípcios haviam desempenhado o próprio trabalho com a ajuda de um exército pessoal de escravos, ou "mamelucos" (da palavra árabe que significa "escravo"). Na confusão que se originou com a invasão de Luís IX, seu poder aumentou.

Baibars, um general mameluco, comandava o exército egípcio no momento em que os mongóis – uma irresistível horda nômade proveniente da Ásia Central – vinham arrasando tudo o que encontravam pela frente. Haviam conquistado a China e a Pérsia, e enquanto os cruzados travavam inúteis batalhas na Síria e no Egito, os mongóis ocuparam toda a Rússia. Agora estavam atacando a Ásia sul-ocidental. Parecia não haver esperança para ninguém. Em quarenta anos, os mongóis não haviam perdido uma única batalha.

Mas em 1260 enfrentaram Baibars no norte da Palestina. Para surpresa do mundo, Baibars e seus mamelucos saíram vitoriosos. Os mongóis recuaram, após a derrubada do mito de sua invencibilidade, e Baibars assumiu o controle do Egito.

Os mamelucos continuaram governando de maneira um tanto fraudulenta por vários séculos, mas finalmente encontraram um oponente digno deles: os turcos otomanos, que haviam estendido seu domínio pela Ásia Menor, chegado à Europa e, em 1453, tomado a grande cidade de Constantinopla. Continuaram sua expansão não só sobre os cristãos da Europa, mas sobre os muçulmanos da Ásia e da África.

Em 1517, o sultão otomano Selim I ("o Inflexível") esmagou os mamelucos em uma só batalha e marchou sobre o Cairo. Por um tempo, o Egito voltou à estagnação. No entanto, o Império Otomano decaiu lentamente, e em 1683, após uma última ofensiva lançada contra as muralhas de Viena, iniciou seu retrocesso diante dos avanços de austríacos e russos. Em 1769, o poderio otomano havia declinado de tal forma que o Egito viu-se de novo sob o domínio dos mamelucos.

Por essa época, as maiores potências da Terra estavam na Europa Ocidental. Em 1798, um exército francês invadiu o Egito pela primeira vez desde Luís IX, cinco séculos e meio antes. Esse exército era comandado por Napoleão Bonaparte.

De novo, os mamelucos se uniram contra um invasor, mas, apesar de sua coragem, de seus sabres e de suas antiquadas cargas, não foram obstáculo para a disciplinada ordem do exército ocidental, comandado pelo general mais importante dos tempos modernos. Na Batalha das Pirâmides, os mamelucos foram arrasados. Quando Napoleão se viu obrigado a abandonar o Egito, foi em razão da atividade da frota britânica, que cortou suas linhas de comunicação, e não a dos egípcios ou turcos.

De 1805 a 1848, o Egito foi de novo praticamente independente sob o firme governo de Maomé Ali. Em 1811, ele atraiu os chefes mamelucos a uma fortaleza com o pretexto de convidá-los a um banquete para festejar uma vitória. Foram todos assassinados, e o poderio mameluco chegou ao fim após seis séculos de existência.

Mais uma vez foram feitos planos para conectar o mar Mediterrâneo ao mar Vermelho por meio de um canal. Em 1856, um governante egípcio, Abaz I (sobrinho-neto de Maomé Ali), concedeu ao promotor francês Ferdinand de Lesseps a permissão para projetar a construção de um canal através do istmo de Suez. Em 1869, o canal de Suez foi inaugurado oficialmente pelo novo governante egípcio, Ismail, neto de Maomé Ali.

Para celebrar o acontecimento, Ismail encomendou ao grande compositor italiano Giuseppe Verdi uma ópera com temática egípcia. O resultado foi *Aida*, que estreou no Cairo na véspera do Natal de 1871. Foi uma bela e impressionante interpretação das antigas guerras entre egípcios e etíopes (núbios).

Mas o disparatado ritmo de vida de Ismail conduziu o Egito à bancarrota, e em 1875 ele viu-se forçado a vender o controle do canal à Grã-Bretanha em troca de dinheiro suficiente para pôr em ordem seus assuntos. Em 1882, a Grã-Bretanha ocupou diretamente o Egito.

Durante a Primeira Guerra Mundial, o Império Otomano chegou ao fim e foram feitas promessas de libertação aos diversos países de língua árabe. Em 1922, a Grã-Bretanha concordou em conceder ao Egito uma independência formal; seu governante, Fuade I, filho mais novo de Ismail, autoproclamou-se rei. Contudo, os britânicos conservaram o controle militar do Egito.

Em 1936, Fuade I foi sucedido no trono por seu filho Faruque I, e em 1937 o Egito ingressou a Liga das Nações.

Em 1939, a Grã-Bretanha entrou em guerra contra a Alemanha nazista, e enviou tropas ao Egito para mantê-lo do lado britânico, pela força, se necessário. Pouco depois, em 1940, a Itália se unia à Alemanha. A Itália dominava a Líbia, a oeste do Egito, desde 1911; portanto, também o norte da África acabou envolvido na guerra.

Os italianos tentaram invadir o Egito, mas foram rechaçados com facilidade, e os britânicos levaram a guerra à Líbia. A Alemanha interveio em ajuda ao seu aliado, e em 1942 as forças alemãs conseguiram penetrar profundamente no Egito. A Grã-Bretanha viu-se entre a cruz e a espada em El-Alamein, a pouco mais de cem quilômetros a oeste de Alexandria.

Em novembro de 1942, os britânicos lançaram uma ofensiva em El-Alamein, que logo se transformaria em sua maior vitória na guerra. Os alemães foram obrigados a recuar 1.600 quilômetros. O Egito foi salvo, e esses fatos promoveram uma reviravolta decisiva no rumo da Segunda Guerra Mundial.

Ao fim do conflito, foi preciso lidar com as petições egípcias de plena independência. A Grã-Bretanha teve de abandonar paulatinamente o país, mantendo apenas o controle sobre o canal de Suez.

Enquanto isso, um novo inimigo surgia a nordeste do Egito. Por muitos séculos, os judeus haviam sonhado com um eventual retorno à antiga pátria, a Judeia, e essa hora, por fim, havia chegado. Em 1948, e contra a contínua e furiosa oposição do mundo árabe, foi fundado na Palestina um estado independente judeu, o estado de Israel. O Egito tentou impedi-lo pelas armas, mas suas tropas foram derrotadas pelas judaicas de forma rápida e humilhante.

No Egito, em meio a uma crescente irritação geral em relação aos estrangeiros, e em particular aos britânicos, eclodiu em 1952 a revolução. Houve uma matança de estrangeiros, o rei Faruque foi obrigado a abdicar e o Egito cortou quase todos os seus laços com o Ocidente.

Em 1954, um oficial do Exército egípcio, Gamal Abdel Nasser, tomou o poder e instaurou uma ditadura.

O Egito planejou a construção de uma imensa represa perto da Primeira Catarata, em Assuã, que daria lugar a um grande lago artificial e converteria milhões de hectares em terra fértil. Havia a expectativa de uma ajuda financeira dos Estados Unidos para o projeto. No entanto, o Egito estava também tentando melhorar suas relações com a União Soviética e outros países comunistas, apesar da forte oposição a isso do secretário de Estado americano, John Foster Dulles – um diplomata inepto. Em 1956, ele anunciou que os Estados Unidos não poderiam mais oferecer nenhuma ajuda.

O Egito se sentiu ofendido e foi praticamente obrigado a lançar-se nos braços dos soviéticos. Nasser nacionalizou o canal de Suez, suprimiu os últimos restos do controle ocidental e conseguiu, da União Soviética, uma promessa de ajuda econômica.

Grã-Bretanha, França e Israel, juntando os cacos do estrago que Dulles havia produzido, uniram-se em uma tentativa de evitar que o Egito fosse arrastado por completo ao campo comunista e deram o passo pouco diplomático de iniciar uma guerra aberta de agressão.

Era pouco provável que o Egito tivesse resistido, mas a União Soviética exigiu o imediato cessar das hostilidades, e Foster Dulles, vítima dos próprios desatinos, foi obrigado a colocar, pela primeira vez, os Estados Unidos ao lado da União Soviética. Os americanos não podiam apoiar uma guerra de agressão e perder para sempre a amizade dos árabes.

As potências invasoras foram obrigadas a se retirar.

No entanto, tampouco haveria paz dali em diante. O Egito continuava em estado de guerra com Israel, e negou-lhe permissão de trânsito pelo canal de Suez. Além disso, começou a organizar, abertamente, uma força árabe unida para promover um revide contra Israel. A União Soviética, vendo uma oportunidade de estender sua influência sobre todo o Oriente Próximo (graças aos fiascos ocidentais dos anos 1950), forneceu armas em abundância ao Egito e a outros estados árabes. Israel, por sua vez, obtinha armamento da França e organizava sua população de dois milhões de pessoas para lutar contra os sessenta milhões de árabes hostis dos países vizinhos.

Nasser mantinha suas aspirações de assumir a liderança dos árabes por meio de sua política anti-Israel. Em 1965, foi reeleito presidente por outro mandato de seis anos, depois de se apresentar em eleições nas quais não havia oposição. Manteve laços especialmente estreitos com a Síria e organizou a oposição contra os governos árabes que defendiam uma postura moderada em relação a Israel e ao Ocidente. Iniciou até uma longa, brutal e malfadada guerra contra seus parentes árabes do Iêmen, a sudoeste da Arábia.

Por fim, em 1967, julgou ter chegado o momento ideal. Mobilizou suas tropas, concentrando-as na fronteira com Israel, fechou o acesso meridional do mar Vermelho para impedir a navegação aos israelenses e se aliou à Jordânia, vizinho oriental de Israel. Esperava que a iniciativa do ataque partisse de Israel para depois esmagar o "agressor" com o simples peso do número e das armas.

Nasser viu cumprir-se apenas metade de suas expectativas. Incitou Israel a atacar em 5 de junho. E pela terceira vez os israelenses infligiram uma humilhante derrota ao Egito (e também à Jordânia e à Síria). Em apenas seis dias, toda a península do Sinai estava nas mãos de Israel, e suas forças ocupavam a margem oriental do canal de Suez.

Essa é a situação em 1967.[9] O Egito, ainda tremendamente pobre, tem uma população de trinta milhões de habitantes. Sua capital, Cairo, já conta com três milhões de habitantes; é a maior cidade da África e uma das dez maiores do mundo. O Egito, contudo, ainda pode desempenhar um grande papel no mundo se conseguir resolver seus problemas internos.

Para isso, terá de chegar a algum tipo de acordo com Israel. Não pode continuar baseando suas ações em um perpétuo estado de guerra com tal país – uma guerra que, evidentemente, os egípcios não têm condições ganhar –, enquanto seu povo afunda cada vez mais na miséria.

---

9. O autor escreveu este livro no ano de 1967; por isso, não comenta acontecimentos ocorridos a partir de então. (N. E.)

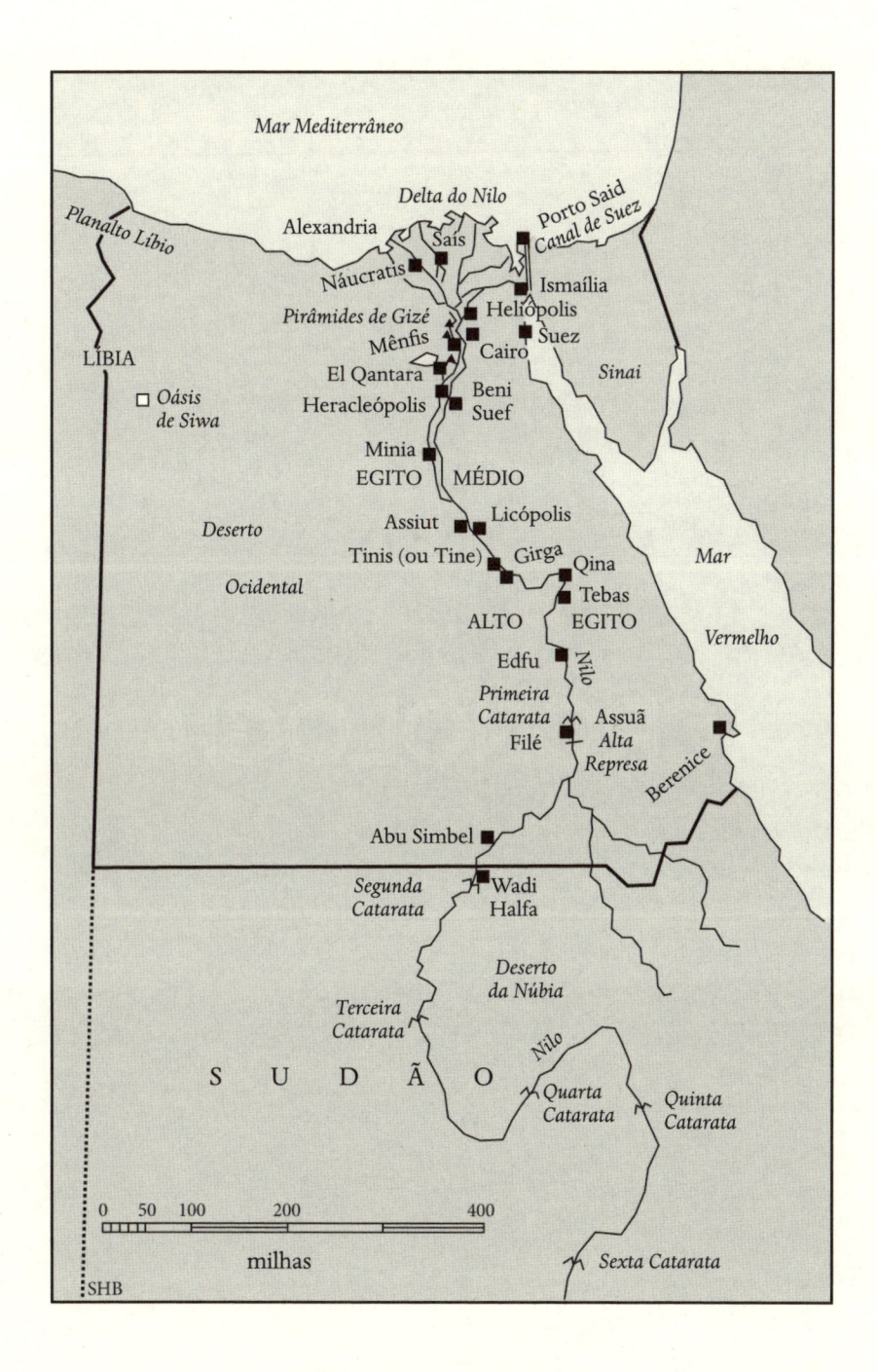

Figura 4: O Egito na atualidade.

CRONOLOGIA

A.C.

8000 Os glaciares começam a recuar; o vale do Nilo seca.
4500 Aldeias neolíticas às margens do lago Moeris.
3100 Menés unifica o Alto e o Baixo Egito; Dinastia I.
2800 Adoção do calendário solar egípcio.
2680 Dinastia III; início do Antigo Império.
2650 Término da construção da pirâmide escalonada de Djoser.
2614 Dinastia IV.
2580 Conclusão da Grande Pirâmide; auge do Antigo Império.
2530 Construção da pirâmide de Quéfren; conclusão da Esfinge.
2510 Construção da pirâmide de Miquerinos.
2500 Dinastia V.
2430 Dinastia VI.
2272 Pepi II.
2180 Fim do Antigo Império.
2132 Dinastia XI.
2052 Mentuhotep II unifica o Egito; início do Médio Império.
1991 Amenemhat I.
1971 Sesóstris I.
1842 Amenemhat III; construção do Labirinto; auge do Médio Império.
1790 Fim do Médio Império.
1720 Os hicsos conquistam o Egito.
1570 Dinastia XVIII; Ahmés expulsa os hicsos e inicia o Novo Império.
1545 Amenhotep I.
1525 Tutmósis I.
1490 Hatshepsut.
1469 Tutmósis III.
1457 Tutmósis III derrota Mitani em Cades.

1397 Amenhotep III; auge do Novo Império.
1371 Aquenáton.
1366 Aquenáton ergue Aquetáton.
1353 Morte de Aquenáton.
1343 Morte de Tutankâmon.
1339 Horemhed restaura a antiga religião.
1304 Dinastia XIX.
1303 Seti I.
1290 Ramsés II.
1286 Ramsés II combate os hititas em Cades.
1223 Merenptá; os povos do mar [Êxodo?].
1192 Início da Dinastia XX; fim do Novo Império.
1075 Dinastia XXI.
973 Psusenés II; aliança com Salomão.
940 Dinastia XXII (Líbia); Sisaque I.
929 Sisaque I invade o reino de Judá.
730 Dinastia XXIII (Núbia).
701 Senaqueribe da Assíria alcança a fronteira egípcia.
671 Assarhadão da Assíria toma o Delta.
661 Assarhadão saqueia Tebas; Dinastia XXVI (Saíta).
640 Os gregos fundam Náucratis no Delta.
630 Os gregos fundam Cirene na costa africana.
610 Necao.
608 Necao derrota Josias de Judá em Megido.
605 Necao é derrotado por Nabucodonosor da Caldeia em Karkemish.
595 Psamético II.
589 Uahibré.
570 Ahmés II; auge do Egito saíta.
525 Psamético III; o monarca persa Cambises conquista o Egito.
486 O Egito se rebela após a morte de Dario I da Pérsia.
464 O Egito se rebela após a morte de Xerxes I da Pérsia; recebe ajuda de Atenas.
404 O Egito se rebela com êxito após a morte de Dario II da Pérsia.
378 Dinastia XXX, a última nativa.
360 Agesilau de Esparta morre em Cirene.
340 Artaxerxes III da Pérsia conquista o Egito; fim da última dinastia nativa.

332 Alexandre Magno conquista o Egito.
331 Fundação de Alexandria.
323 Morre Alexandre Magno; o Egito cai sob o poder de um de seus generais, Ptolomeu.
320 Ptolomeu conquista Jerusalém.
306 Ptolomeu adota o título de rei; fundação da Dinastia Ptolemaica.
285 Ptolomeu II; Museu, Biblioteca e Farol de Alexandria.
280 Mâneton escreve a história do Egito.
276 Primeira Guerra Síria.
270 Ptolomeu II assina tratado com Roma.
260 Segunda Guerra Síria.
246 Ptolomeu III; Terceira Guerra Síria; os egípcios ocupam a Babilônia; apogeu do Egito ptolemaico.
221 Ptolomeu IV.
220 Cleômenes III de Esparta morre em Alexandria.
217 Ptolomeu IV derrota o selêucida Antíoco III em Ráfia.
205 Ptolomeu V.
201 Quinta Guerra Síria; o Egito perde a Síria e a Judeia, que se tornam possessões de Antíoco III.
197 Gravação da Pedra de Roseta.
181 Ptolomeu VI.
171 Sexta Guerra Síria. O Egito é derrotado por Antíoco IV, rei selêucida.
168 Antíoco IV chega às muralhas de Alexandria; Roma ordena que se retire.
116 Morre Ptolomeu VII; o Egito torna-se virtual títere de Roma.
96 Cirene torna-se província romana.
88 Ptolomeu VIII saqueia Tebas e põe fim à existência da cidade.
80 Ptolomeu XI.
75 Chipre torna-se província romana.
51 Ptolomeu XII e Cleópatra.
48 Cleópatra se subleva; Pompeu é assassinado em Alexandria; Júlio César desembarca em Alexandria; Cleópatra, única governante.
42 Marco Antônio encontra Cleópatra em Tarso.

31 Marco Antônio e Cleópatra são vencidos por Otaviano em Áccio.
30 Otaviano se apodera do Egito; Cleópatra se suicida; fim do Egito ptolemaico.

25 Caio Petrônio invade a Núbia.

D.C.
115 Os judeus se rebelam em Cirene.
130 O imperador Adriano visita o Egito.
216 O imperador Caracala visita o Egito; fim da ajuda estatal ao Museu de Alexandria.
270 Zenóbia de Palmira ocupa o Egito por um breve período.
285 Antônio funda o monaquismo no deserto egípcio.
295 Diocleciano derrota Aquileu; ocupação de Alexandria.
328 Atanásio, bispo de Alexandria.
391 O imperador Teodósio ordena a destruição do Serapeu de Alexandria.
412 Cirilo, bispo de Alexandria.
415 Morte de Hipátia em Alexandria.
451 Condenação do monofisismo no quarto concílio ecumênico.
619 Cosroes II da Pérsia conquista o Egito.
627 O Egito volta a fazer parte do Império Romano do Oriente.
642 Os árabes tomam Alexandria.
706 O árabe torna-se a língua oficial do Egito.
831 A última revolta nativa egípcia é sufocada.
973 Fundação do Cairo.
1099 As cruzadas tomam Jerusalém.
1187 Saladino reconquista Jerusalém.

1248 Luís IX da França invade o Egito.
1260 Baibars derrota os mongóis; instauração do poder mameluco no Egito.
1517 Conquista do Egito pelo sultão otomano Selim I.
1798 Napoleão Bonaparte invade o Egito.
1799 Descoberta da Pedra de Roseta.
1811 Maomé Ali põe fim ao poder mameluco.
1869 Abertura do canal de Suez.
1875 A Grã-Bretanha assume o controle do Canal.
1882 A Grã-Bretanha ocupa o Egito.
1922 Descoberta do túmulo de Tutankâmon.
1937 O Egito ingressa a Liga das Nações.
1942 A Grã-Bretanha derrota os alemães em El-Alamein.
1948[10] Fundação do Estado de Israel.
1952 O Egito se torna República.
1954 Nasser toma o poder.
1956 O Egito nacionaliza o Canal de Suez; fracassa a invasão anglo-franco-israelense.
1967 A hostilidade entre Egito e Israel continua; terceira guerra.
1970 Morte de Nasser e subida ao poder de Anwar al-Sadat.
1973 Quarta guerra árabe-israelense.
1978-1979 Acordos de Camp David e tratado de paz egípcio-israelense.

---

10. As datas a partir daqui foram acrescentadas pela tradução. [N.T.]

ÍNDICE ONOMÁSTICO

Abaz I, governador, 259
Abidos, 103
Abraão, patriarca, 67, 81, 96
Abu Bakr, califa, 252-253
Abu Simbel, 106, 139
Áccio (Actium), batalha, 199-200
Adriano, imperador romano, 208, 212-213, 217, 219-220, 227
Agesilau, rei de Esparta, 155-156
Agripa, general romano, 199
Ahmés I, faraó, 78-79, 81, 84, 142, 150
Aida (Verdi), 259
Alexandre Balas, rei selêucida, 185
Alexandre Hélio, filho de Cleópatra e Marco Antônio, 197, 201
Alexandre III Magno, rei da Macedônia, 158-164, 166, 168-169, 172, 174, 177, 180, 190, 201, 207, 212, 222, 248
Alexandre Severo, imperador romano, 222-223, 229
Alexandre, bispo de Alexandria, 234, 237
Alexandria, 161, 260
Biblioteca, 176, 194, 198, 206, 240, 254
centro cristão, 221-222, 229, 233--242, 244
com os Ptolomeus, 168-173, 179, 184-185
e Constantinopla, 254
e os judeus, 209-211, 216
e Roma, 189-197, 200, 205-206, 219-220, 228, 232
Farol, 173
Museu, 176, 206, 220, 224
Serapeu, 239
Al-Fustat, 255-256
Al-Hakim, califa fatímida, 256
All for Love, or The World Well Lost (Dryden), 197

Alto Egito, 20-21, 28-30, 60, 69, 77, 119, 241

Amásis, faraó, 142, 145-147

Amenemhat I, faraó, 61, 63, 66

Amenemhat III, faraó, 66-68, 74, 81, 84

Amenhotep I, faraó, 81-84

Amenhotep II, faraó, 92

Amenhotep III, faraó, 92-93, 95

Amenhotep IV, *ver* Aquenáton

Amer ibne Alas, general árabe, 254

Amon (Amen), divindade, 60-61, 77, 85, 93, 95, 99, 101, 119, 120-121, 123-124, 160

amonitas, tribo, cidade de Amom, 99, 111

amoritas, povo, 71, 72, 79

Amósis, *ver* Ahmés

amratiana, cultura, 14

Aníbal, general cartaginês, 180, 182, 213

Antigo Império, 39-57

Antígono I, general macedônio, 163, 165, 166

Antínoo, favorito de Adriano, 208

Antinoópolis, 208

Antíoco I, rei selêucida, 174

Antíoco II, rei selêucida, 174-175

Antíoco III, o Grande, rei selêucida, 177-180, 182-184, 222

Antíoco IV, rei selêucida, 184

Antíoco XIII, rei selêucida, 189

Antioquia, 248

Antonino Pio, imperador romano, 219

Antônio, eremita, 230-231

Ápis, divindade, 148-149, 171; *ver também* Serápis

Apófis III, faraó, 79

Aquenáton, faraó, 95-104, 111, 114, 119, 131, 161, 228

Aquetáton, 98, 101

Aquileu, general, 232

Arábia, árabes, 27, 47, 66, 173, 207, 223, 250-256, 260-262 língua, 8, 12, 27, 37, 64, 255, 257, 259

Aram, arameus, 125

Ariano, historiador, 169

arianos, 231-239, 241-242

Ário, sacerdote, 234-235, 237

Aristóteles, 169

Arsínoe, princesa egípcia, 171-172, 191

Artaxerxes I, rei da Pérsia, 153

Artaxerxes II, rei da Pérsia, 154-156

Artaxerxes III, rei da Pérsia, 156-157, 159

Ásia Menor, 99, 113, 115, 129-131, 145-146, 150-151, 155, 158-159, 166, 174, 182-183, 189, 194, 196, 198, 217, 219, 223-224, 232, 234, 236-237, 241, 247-248, 258

Assarhadão, rei assírio, 127

Assíria, assírios, 101, 124-127, 129-135, 137, 146-149, 169, 244

Assuã, 8

represa, 260

Assurbanípal, rei assírio, 127, 129-130, 132-133, 149

Atanásio, bispo de Alexandria, 237, 238

Atenas, 151-158, 170, 221

Academia, 239, 243

Áton, divindade, 96, 98, 103, 114

Augusto, imperador romano, 195-196, 198-202, 205-208, 213-214, 224, 227, 231

Aureliano, imperador romano, 224, 235, 243

Avaris, 74-75

ávaros, povo, 247-249

Ay, faraó, 103

Babilônia, babilônios, 71-73, 84, 99, 101, 129, 133, 135, 137-138, 140, 146-147, 163, 165, 175, 212

Baibars, sultão, 257

Baixo Egito, 20-21, 28-30, 60, 69, 74, 84, 129

Bálcãs, 247, 249

Berenice, princesa cirenaica, 176-177

Berenice, princesa, filha de Ptolomeu II, 175

Bíblia, 34, 40, 46, 49, 56, 60, 62-64, 67, 75, 81, 91, 96-97, 99, 108-109, 114-115, 120, 122, 125, 133, 138, 140, 250, 252

dos Setenta, 172

Birket Qarun, *ver* Moeris, lago

Bizâncio, *ver* Constantinopla

Bolos Demócrito, alquimista, 171

Bouchard (Boussard), Pierre François, 26

Britânia, bretões, 89, 213

Bubastis, 121

Burckhardt, Johann Ludwig, 106

Cabrias, general grego, 154-155

Cades, batalha, 92, 107, 108

Cairo (Al-Qáhira), 256, 258-259, 262

Calcedônia, 247

concílio (451), 242

Caldeia, caldeus, 132-135, 137-138, 140-141, 145-147

Calígula, imperador romano, 202, 210

Cambises II, rei da Pérsia, 147-150, 157, 159, 175

Camósis, faraó, 78

Canaã, cananeus, 46, 66-67, 73, 75, 79, 83, 91, 107, 111, 114, 116, 120, 134

Caracala, imperador romano, 219, 220

Carnarvon, lorde, arqueólogo, 102

Cartago, cartaginenses, 149, 174, 180, 182, 243, 255

Carter, Howard, arqueólogo, 102

casitas, tribo, 73

Celso, filósofo, 221, 222

César, *ver* Júlio César

Cesarião, *ver* Ptolomeu Cesarião

Champollion, Jean-François, arqueólogo, 27

China, chineses, 18-19, 48, 241, 257

Chipre, 115, 141, 145, 183, 185, 190, 198

Ciaxares, príncipe medo, 133

cimérios, tribo, 129-130

Cirenaica, 183

Cirene, 132, 141, 142, 145, 149, 156, 164, 175-176, 185, 190, 198, 211, 216

Cirilo, bispo de Alexandria, 239-242

Ciro, rei da Pérsia, 146-147, 149

Clemente de Alexandria, 221-222

Cleômenes III, rei de Esparta, 179, 192

Cleômenes, administrador de Alexandre Magno, 161, 163--164, 177

Cleópatra Selene, princesa, 197, 201-202

Cleópatra VII, rainha do Egito, 89, 191-203, 209, 215, 224, 240

Cnossos, 68

Cómodo, imperador romano, 219

Constâncio II, imperador romano, 237-238

Constantino I, imperador romano, 232-237

Constantinopla, 235-237, 240--242, 248-250, 253

concílio (381), 238

concílio (553), 244

concílio (680), 255

ocupação turca, 258

Contra Celso (Orígenes), 222

Corão, 251, 254

Cosroes II, rei persa, 247-249
Creta, 68, 112, 131
cristianismo, cristãos, 160, 172, 212, 214, 218, 227-228, 232, 251, 253-256, 258
difusão e perseguições, 215-216, 221, 228-230, 232
dissensões internas, 233-245
e gnosticismo, 216-218
eremitas, 230-231
escritores, 26, 221-222
    Cruzadas, 256
    Ctesíbio, inventor, 170
    Ctesifonte, 223

    Damasco, 126, 248, 252-253
    Danúbio, rio, 150, 207, 219, 247, 248
    Dario I, o Grande, rei da Pérsia, 150-151
    Dario II, rei da Pérsia, 154
    Dario III, rei da Pérsia, 159, 163
    Davi, rei de Israel, 113, 120, 122, 126, 134, 138, 152
    Décio, imperador romano, 229
    Demétrio, filho de Antígono, 163, 165-166
    Dinócrates de Rodes, arquiteto, 161

Diocleciano, imperador romano, 231-232, 235
    Djoser, faraó, 40-43, 45
    Domiciano, imperador romano, 216, 229
    dóricos, tribo, 125
    Dryden, John, 197
    Dulles, John Foster, 261

    Edessa, 223
    edomitas, tribo, cidade de Edom, 99, 111
    Éfeso, concílio (431), 241
    El-Alamein, batalha, 260
    Elam, reino, 129
    Elefantina, 139-140
    Elia, 212
    Elias, profeta, 230
    Eos, deusa, 93
    Erasístrato, 170
    Eratóstenes, 170
    Esparta, espartanos, 113, 154-157, 179, 192
    essênios, seita, 230
    Estados Unidos, 8, 19, 27, 30, 70, 170, 260-261
    Etiópia, etíopes, 64, 93, 124, 256, 259
    Euclides, matemático, 170
    Eufrates, *ver* Mesopotâmia

Eusébio de Cesareia, historiador, 26
Eusébio, bispo de Constantinopla, 237
Eusébio, bispo de Nicomédia, 236
Êutiques, sacerdote, 242

Faium, 12
Faros, ilha, 173, 194
Faruque I, rei do Egito, 259-260
Fatímida, dinastia, 256-257
Fenícia, fenícios, 46-47, 79, 120, 126, 131, 135-136, 138, 149, 174
Filé, ilha, 240, 243
Filipe II, rei da Macedônia, 158, 164, 178
Filipe V, rei da Macedônia, 180, 182
filisteus, povo, 115-116, 120
Fílon, o Judeu, filósofo, 209-210
Firmo, líder egípcio, 224
Flávio Josefo, historiador, 70, 75
França, franceses, 26-27, 257-259, 261
Frígia, frígios, 113
Fuade I, rei do Egito, 259

Galério, imperador romano, 232
Galiano, imperador romano, 229
germânicos, tribo, 222, 239, 243, 248
Gizé, 48, 51
gnosticismo, 216-218, 221, 234
Goshen, 75, 108
Grã-Bretanha, britânicos, 7, 70, 258-261
Graciano, imperador romano do Ocidente, 239
Grécia, gregos, 17, 23, 25, 35, 43, 48-49, 52, 60, 63, 82, 112-113, 125, 131-132, 145-146, 155, 157-159, 165, 174, 176, 178-179, 182, 189, 192, 194, 199, 213, 236, 248
cultura, 52, 68, 93, 160, 170-172, 209-210, 212, 213-214, 216, 218, 221, 225, 228, 239, 241, 244, 254
língua, 7-8, 20-21, 25-28, 31, 34, 43, 45-46, 49, 51-53, 59-60, 63-64, 67, 71, 73, 78, 82-83, 88, 124-125, 129, 139, 146, 148, 164, 170-172, 183, 214, 216, 217, 221, 231, 235, 240, 242, 244, 247
lutas com os persas, 149-156
no Egito, 25-26, 131-132, 139-142,

145, 156, 169, 173, 185, 191, 203, 206, 211, 219, 244

Hamurabi, rei da Babilônia, 71-73
Harã, 134-135
Hashta, rei núbio, 124
Hatshepsut, regente egípcia, 87-91, 100
hatti, 99; *ver também* hititas
hégira, 251
Heliópolis, 53, 60, 89
Heracleópolis, 59-60
Heráclio, imperador bizantino, 248-254
Hermes Trimegisto, divindade, 170
Heródoto, historiador, 12, 25, 49, 51, 65-67, 136, 148-149
Herófilo, médico, 170
hicsos, povo, 70-85, 91, 97, 100, 112, 114-115, 119, 126-127, 129, 149, 169, 254
Hipátia, filósofa, 239-240
Hispânia, 194, 243, 248-249
História de Sinué, A, 62
hititas, 99, 100, 103-104, 107--109, 113-114, 122, 124-126
Hofra, *ver* Uahibré
Homero, 24, 105
Horemheb, faraó, 103

Hórus, divindade, 33, 53, 218, 221
hunos, tribo, 243
hurritas, tribo, 91

Ibérica, península *ver* Hispânia
Iêmen, 66, 262
Ijnaton, 228
Ilíada (Homero), 105
Imhotep, conselheiro egípcio, 39-41, 43-44, 48
Inaros, líder líbio, 152-153
Índia, 174
Inglaterra, *ver* Grã-Bretanha
Ipso, batalha, 166-167
Ipuver, escritor egípcio, 56
Irã, 10, 11, 248
Iraque, 10
Ísis, divindade, 33, 213, 218, 227, 239-240, 243
Islã, 251-255
Ismail, governador, 259
Israel, israelitas, israelenses, 49, 56, 80, 108, 111, 114-116, 125--126
Estado de Israel, 260-261, 262
Reino de Israel, 113, 120-122, 134, 137, 230
Isso, batalha, 159-160
Itália, italianos, 131, 174, 180, 182, 199, 243, 247, 259

Itálica, península, *ver* Itália

Jacó, patriarca, 75
Jeremias, profeta, 138
Jericó, 83
Jeroboão, rei israelita, 122
Jerusalém, 91, 122, 126-127, 137-138, 140, 164, 172, 184, 209-210, 212, 248-249, 252-253, 256-257
Templo, 122, 138, 140, 176, 184, 210-212, 214
Jesus Cristo, 214-218, 221, 233-234, 239, 241-242, 248-249, 251
Jezabel, 230
João Crisóstomo, bispo, 240
Jordânia, 262
Jordão, rio, 116, 253
José, patriarca, 40, 62, 75, 80-81
Josias, rei de Judá, 134
Juba I, rei da Numídia, 202
Juba II, rei da Numídia, 202
Judá, reino, 122, 125, 133-135, 137-140
Judeia, 122, 166, 169, 172, 182, 190, 209-215, 260
judeus, judaísmo, 25, 49, 70, 120, 126, 164, 184, 208-212
e cristianismo, 214-216
na Babilônia, 138, 140
no Egito, 140, 169, 172, 176, 208-211, 216-218, 228, 230, 243, 251, 260
Juliano, imperador romano, 238
Júlio César, político romano, 192-198, 200, 202, 208
Justiniano, imperador bizantino, 243-244, 247, 249

Karkemish, 84, 135, 137
kashshi, *ver* casitas
Karnak, 85, 104-106, 122
Khafre, *ver* Quéfren
Khufu, *ver* Quéops
Kush, 64

Lágidas, dinastia, *ver* Ptolomeus
Lagos, pai de Ptolomeu I, 165
Lepsius, Karl Richard, egiptólogo, 34
Lesseps, Ferdinand de, 259
Líbano, 46
Líbia, líbios, 82, 83, 103, 107, 111, 113, 121, 132, 141, 149, 152, 160, 164, 259
dinastia líbia, 121, 124-125, 149
Licínio, imperador romano, 232

Licópolis, 227
Lídia, lídios, 130, 146
Lisht, 61
Livro dos mortos, 34, 52
Luís IX, da França, 258
Luxor, 85

Macabeus, família judaica, 184, 230
Macedônia, macedônios, 157-161, 164-165, 168, 172, 174, 178-180, 182, 189-191, 196-199, 206
mamelucos, governadores, 257-258
Mâneton, historiador, 26-28, 30-31, 39, 42, 59-60, 69, 70, 74, 77-78, 83, 120, 123-124, 130, 142, 157, 171
Maomé, 251-253
Maomé Ali, governador, 258-259
Maratona, batalha, 151
Marçal, gnóstico, 217
Marciano, imperador romano, 242
Marco Antônio e Cleópatra (Shakespeare), 197
Marco Antônio, general romano, 195-201, 208, 215
Marco Aurélio, imperador romano, 219

Mauritânia, 202, 203
Meca, 251-252
Média, medos, 133, 146
Medina, 251-252
Médio Império, 58-76
Megido, batalha (s. XV a.C.), 91-92, 134
batalha (608 a.C.), 134
Mêmnon, rei da Etiópia, 93, 208
Mendes, 171
Menelau, rei de Esparta, 113
Menés, rei do Alto e Baixo Egito, 28-31, 39, 69, 120, 157, 243
Mênfis, 31, 37, 53-54, 59-61, 98, 127, 148, 161, 164, 172, 186, 255
Menkauré, *ver* Miquerinos
Mentuhotep II, faraó, 60
Mentuhotep IV, faraó, 61
Mentuhotep V, faraó, 61
Merenptá, 111, 113-115
Mesopotâmia, 11, 14, 16-17, 25, 29, 43, 70-71, 83-84, 91, 108, 120, 124, 126, 134-135, 146, 223, 248, 253
Micenas, micênicos, 112-113, 131
mil e uma noites, As, 62
Miquerinos, faraó, 51, 53-54
Mitani, reino, 91-93, 95, 100-101, 108, 122, 124-126

Mitra, mitraísmo, 227-228
moabitas, tribo, 99, 111
Moeris (Birket Qarun), lago, 12, 14, 20, 29, 59, 66-67, 84, 173
Moeris, rei lendário, 12
Moisés, profeta, 97, 114
mongóis, povo, 257
monofisismo, monofisistas, 242, 244, 248, 250, 253, 255-256
monoteísmo, 96-97, 214-215, 251
monotelismo, 249

Nabonido, rei da Caldeia, 146
Nabopolassar, rei da Babilônia, 133-135
Nabucodonosor, rei da Babilônia, 134-135, 137-138, 140-141, 145, 159, 165, 211, 212
Napata, 123-124, 139, 157
Napoleão Bonaparte, imperador francês, 26, 52, 159, 258
Napoleão III, imperador francês, 86
Narmer, 28, *ver também* Menés
Nasser, Gamal Abdel, presidente do Egito, 260-262
Náucratis, 132, 145, 161
Naum, profeta, 133
Necao I, faraó, 129

Necao II, faraó, 133-138, 145, 150, 166
Nectanebo I, faraó, 154-155
Nectanebo II, faraó, 156-157, 159, 240
Nefertiti, rainha, 97-98
neoplatonismo, 228-229
Nero, imperador romano, 207, 210, 215, 219, 229
Nestório, bispo de Constantinopla, 241
Niceia, concílio (325), 234-237
Nicomédia, 232, 234-236
Níger, Pescênio, general romano, 219
Nilo, 7-12, 14-20, 26, 28-29, 32-33, 35, 37, 42-43, 46-48, 50, 66, 71, 74, 77, 81-85, 93, 98, 104, 116, 120-121, 130, 136, 139, 149, 153, 161, 164, 171, 173, 175, 183, 190, 194, 208, 213
canal com o mar Vermelho, 135, 150, 173
Delta, 21, 30-31, 68-69, 74-75, 79, 84, 108, 120-121, 123-124, 126--127, 132, 141-142, 148, 152-153, 155, 171, 257
Primeira Catarata, 8, 18, 20, 30, 47-48, 54, 60, 64-65, 88, 106, 123, 139, 240, 260
Quarta Catarata, 83, 107, 123

Segunda Catarata, 65
Terceira Catarata, 65-66
  Nínive, 133, 249
  Novo Império, 77-93
  Núbia, núbios, 64-65, 69, 77, 79, 81, 83, 85, 103, 107, 123-124, 126-127, 129, 139, 149, 157, 176, 207, 255-256, 259
dinastia núbia, 126-127, 131, 137, 149
  Numídia, 202

  Odenato, rei de Palmira, 223-224
  Ofir, 250
  Omar, califa, 253-254
  Onu, 53
  Orígenes, filósofo, 221-222, 229
  Osíris, 32, 33-34, 148, 171, 239
  Osorkon I, faraó, 122
  Otaviano, *ver* Augusto

  paganismo, pagãos, 216, 221--222, 228, 230-231, 233, 238-239, 243, 254
  Palestina, 67, 79, 256-257, 260
  Palmira, 223-224

  papiros, 43-44
Papiro de Edwin Smith, 44
Papiro Rhind, 63
  Pártia, 222, *ver também* Pérsia
  Paulo, São, 215, 221, 233
  peleset, *ver* filisteus
  Pelúsio, 148, 156-157, 159, 177, 184, 192, 200, 254
  Pepi I, faraó, 54-55
  Pepi II, faraó, 55-56, 60, 64, 104, 109
  Per-Amon, *ver* Pelúsio
  Pérgamo, 198
  Pérsia, persas, 146-147, 149--150, 163, 169, 180, 227, 232, 238, 244, 247-249, 252-254
língua, 34
lutas com os gregos, 149-156
no Egito, 147-148, 150-157, 159
Sassânidas, 223
  Petrie, Flinders, arqueólogo, 42
  Petrônio, Caio, vice-rei romano, 207
  Pianji, faraó núbio, 124
  pirâmides, 44-46, 54, 59, 61--62, 67, 69, 84-85, 88-89, 102, 130, 208, 213
Grande Pirâmide, 48-52
  Pirâmides, batalha das, 258
  Pirro, rei de Epiro, 174
  Pitom, 108

Platão, filósofo, 42, 209, 228, 239
Plotino, filósofo, 227-229
Pompeu, Cneu, general romano, 189-194, 208
Ponto, reino, 189
Potino, eunuco, 191-194
povos do mar, 114-115, 125
Primeira Guerra Mundial, 259
Psamético I, faraó, 129-133
Psamético II, faraó, 138-140, 142
Psamético III, faraó, 147
Psusenés II, faraó, 120-121
Ptah, divindade, 31, 53
Ptolomeu Cerauno, príncipe egípcio, 167-168, 171
Ptolomeu I Sóter, faraó, 163-169, 171-172, 201
Ptolomeu II Filadelfo, faraó, 167, 169, 171-175, 180, 190-191, 240
Ptolomeu III Evérgeta, faraó, 175-177, 179, 190, 198, 235, 257
Ptolomeu IV Filópator, faraó, 177-180, 190
Ptolomeu V Epífanes, faraó, 179, 183, 190
Ptolomeu VI Filómator, faraó, 183-185, 190
Ptolomeu VII Fiscão, faraó, 184-185, 190
Ptolomeu VIII Sóter II, faraó, 185-186, 190
Ptolomeu IX Alexandre, faraó, 185
Ptolomeu XI Auleta, faraó, 190, 192
Ptolomeu XII, faraó, 190-191, 194
Ptolomeu XIII, faraó, 190, 194-195
Ptolomeu XIV (Ptolomeu Cesarião), 195
Ptolomeu, astrônomo, 203, 220
Ptolomeu, o Mauritano, 202-203
Ptolomeus, dinastia, 165, 168-169, 171-172, 174, 176-178, 183, 184, 189-191, 193, 201, 203, 205-206, 208, 224
Punte, 66, 88, 135, 250

Quéfren, faraó, 51-53
Quênia, 7
Quéops, 48-51
Queroneia, batalha, 158

Rá (Re), divindade, 32, 53-54, 61, 88, 106

Ráfia, batalha, 178-179
Ramésidas, dinastia, 119, 125
Ramessés, 103
Ramsés I, faraó, 103
Ramsés II, faraó, 104-109, 111, 114-115, 119-120, 122, 132, 136, 139, 161, 175, 186
Ramsés III, faraó, 115, 119, 166
Ramsés IV, faraó, 119
Ramsés XI, faraó, 119
Rodes, 165
Roma, romanos, 174, 180, 182-185, 189-196, 198-199, 201--203, 205-225, 227-231, 233, 235--237, 242-244, 247-248, 252-255
Roseta, Pedra de, 26, 27, 102, 183

Saara, deserto, 8, 81
Sabá, reino, 250
Sacara, 37, 41, 48, 54
Saís, 130, 132
Saladino, sultão, 257
Salamina, batalha, 152-153
Salomão, rei de Israel, 120--122, 126
Samos, 145
Sargão de Acad, 71
Sargão II, rei assírio, 126
Sasano, epônimo de Sassânidas, 223

Sassânidas, dinastia, *ver* Pérsia
Saulo, *ver* Paulo
Segunda Guerra Mundial, 260
Selêucida, dinastia, 165- 167, 174-178, 182-185, 189-190, 222, 248
Selêuco I, rei selêucida, 163, 165-168, 174, 180
Selêuco II, rei selêucida, 175, 177
Selim I, sultão otomano, 258
Senaqueribe, rei assírio, 126--127, 134, 148, 159, 165, 254
Senusret I, faraó, 63
Septímio Severo, imperador romano, 219, 222
Serápis, divindade, 171, 213, 227
Sesóstris I, faraó, 63-66
Set, divindade, 33
Seti I, faraó, 103-104
Shabaka, faraó núbio, 124, 126
Shakespeare, William, 197
Shelley, Percy Bysshe, 105
Sicília, 131, 174
Sinai, península, 29, 46-47, 54, 61, 65, 70, 81, 84, 88, 120, 122, 136, 224, 262
Siquém, 84

Síria, sírios, 46, 62, 71, 83, 113, 120, 125, 137, 159, 223, 241, 244, 248-250
e os árabes, 252-254, 257
e os assírios, 125-126
e os egípcios, 66, 69, 72-75, 79, 84, 91, 99, 101, 103, 107-109, 111, 115, 134, 156, 164, 191, 193, 198
e os persas, 248
e Roma, 189-190, 219
Estado moderno, 262
Guerras Sírias, 166-167, 174-175, 177, 180, 182-183, 185
    Sisaque I, faraó, 121-123
    Siwa, 160
    Snefru, faraó, 45-48, 64
    Somália, 47, 66
    Sosígenes, 194
    Speke, John Hanning, explorador, 7
    Sudão, 64
    Suez, canal, 259-262
    Supiluliuma, rei hitita, 100, 103
    Syene, *ver* Assuã

    Taharka, faraó, 126-127
    Tânis, 108, 120-121
    Tarso, 196-197, 215
    Tebas, 60-62, 68-69, 77, 84-86, 88-89, 93, 97-98, 103-105, 115, 119, 121-124, 127, 129-131, 149, 161, 186, 190, 208
    Tebas (Grécia), 60, 155, 157, 158
    Tell el-Amarna, 101
cartas de Tell el-Amarna, 102
    Teodósio I, imperador romano, 238-239, 242-243
    Teodósio II, imperador romano, 241-242
    Teodósio III, imperador romano, 242
    Teófilo, bispo de Alexandria, 240
    Teos, faraó, 155-156
    Textos das pirâmides, 52
    Tibério, imperador romano, 213-214, 227
    Tiglate-Pileser I, rei assírio, 125
    Tiglate-Pileser III, rei assírio, 126
    Tigre, *ver* Mesopotâmia
    Tinis (Tine), 30-31
    Tiro, 138, 140-141, 159, 161, 230
Sínodo (335), 237
    Tito, imperador romano, 210
    Tiye, rainha, 93, 95
    Tolemaida, 203
    Tot, divindade, 170
    Trajano, imperador romano, 211-213, 217, 219, 227

Transjordânia, 253
trinitarismo, 233-235
Troia, guerra de, 23, 93, 105, 113, 131
Tulúnidas, dinastia, 256
Tutankâmon (Tutaniaton), faraó, 101-103, 119
Tutmósis I, faraó, 83-87, 89--92, 135
Tutmósis II, faraó, 86-87
Tutmósis III, faraó, 87, 90-93, 99-100, 107-108, 120, 122-123, 125, 134
Tutmósis IV, faraó, 92-93

Uahibré, rei, 140-142, 149
Uni, general egípcio, 54
União Soviética, 260-261
unitarismo, 233-234
Ur, 96
Urias, o hitita, soldado judeu, 113

Valeriano, imperador romano, 223
vândalos, tribo, 243
Velikovsky, Immanuel, 56
Verdi, Giuseppe, 259
Vespasiano, imperador romano, 199, 207-208, 210, 216, 219

Viena, 258
Virgem Maria, 218
Vitória I, rainha da Inglaterra, 7, 70
Vitória, lago, 7

Xerxes I, rei da Pérsia, 151-152
Xois, 69

Yarmuk, batalha, 253
Young, Thomas, 27

Zenóbia, rainha de Palmira, 224

**Acreditamos
nos livros**

Este livro foi composto em Dante MT Std
e impresso pela Geográfica para a Editora
Planeta do Brasil em agosto de 2021.